妙法蓮華經藥王菩薩本事品第二十三
尒時宿王華菩薩白佛言世尊藥王菩薩不
何遊於娑婆世界世尊是藥王菩薩有若干

厳島　本事品」見返し絵）

「大鎧」着装姿（鈴木敬三氏）

ビギナーズ・クラシックス 日本の古典

平家物語

角川書店＝編

角川文庫
12148

◆はじめに◆

『平家物語』には、実在した私たちの祖先がおおぜい登場してきます。自分と同じ苗字をもった人物の登場に、ふしぎな共感を覚え、それが感動に変わっていく。そうした読書体験は、『平家物語』以前には、ほとんどありえなかったことでした。『平家物語』以前の、たとえば有名な『源氏物語』のばあいでも、登場する貴族の男女は、私たちとは別世界の人間でした。古典の知識や愛好心がなくては、彼らと意思の疎通をはかることは困難でした。

しかし、『平家物語』の世界は、そのまま現代の私たちの生活に接続しています。特別な知識や態度を準備することなく、『平家物語』の世界を自分の日常に置き換えることができるのです。

彼らが笑い、泣き、喜び、怒るすがたに、私たちはすなおに共感し、心から同調することができます。『平家物語』からは、祖先たちのきざんだ時代の鼓動が、はっきりと伝わってくるのです。

『平家物語』は、日本の長い歴史のうえでも、まれにみる大きな時代の渦のなかから誕生しました。貴族社会から武士社会へ、この大きな構造改革の精神は、『平家物語』の根底を貫いています。その精神を受け継ぎ、守り伝えるのは、現代に生きる私たちの責務といってよいでしょう。

こうした観点からも、本書は、『平家物語』という作品の全体像をとらえることができるように編集しました。古語の注釈、文法の説明や敬語訳をいっさい省略し、その代わりに『平家物語』全巻の全章段について、内容を縮約するとともに、各巻を代表する説話を選び出して、皆さんに味読していただく方法を選びました。「あらすじ」「通釈」を読んだあとで、必ず「原文」を音読することをすすめます。音読によって、『平家物語』の扉は、たちまちに開くことでしょう。全文総振り仮名付きはそのために採用いたしました。また、煩雑にならないように、本書の年号や月日は、『平家物語』の原文どおりとし、陰暦のままとしました。

ぜひ、最後まで一気に通読して、『平家物語』の人々とともに、笑い、涙していただきたいと念願しております。

平成十三年八月

古典茶房　武田　友宏
協力・森田　亨

●原文および章段構成は、角川文庫版『平家物語』によったが、適宜表記を改めた。
●本書は、先に刊行したミニ文庫（ミニ・クラシックス）を増訂したものである。

◇**編集協力**

・地図制作（京都近郊要図 源平合戦略図）…オゾングラフィックス　・本文図版…G・Fオフィス

◇**資料提供協力**

口絵・『平家納経』……厳島神社（写真提供…奈良国立博物館）

・「大鎧」着装姿（鈴木敬三氏）……鈴木真弓氏

本文・『平家物語絵巻』……財団法人 林原美術館

・前田青邨筆『洞窟の頼朝』……財団法人 大倉文化財団

・下村観山筆『大原御幸』……東京国立近代美術館

・写真……世界文化フォト

口絵解説 **〈表〉**「妙法蓮華経薬王菩《みょうほうれんげきょうやくおうぼ》薩《さつ》本事《ほんじ》品《ほん》第二十三」見返し絵（厳島神社《いつくしまじんじゃ》蔵）

平清盛《たいらのきよもり》が奉納した装飾経。技法の粋を集めた平家の栄華の象徴。国宝。

〈裏〉「大将軍の行粧《いでたち》」着用者…故鈴木敬三氏（有職故《ゆうそくこ》実家《じっか》）。堂々たる古武士の風格を今に伝え、斎藤実盛《さいとうさねもり》の面影を偲《しの》ばせる。参照・巻七「実盛最期」

◆目　次◆

解説

付録

巻第一

祇園精舎〈ぎおんしょうじゃ〉

人《ひと》の世《よ》は、はかない。この世《よ》に不変《ふへん》・不滅《ふめつ》のものはなく、勢《いきお》い盛《さか》んなものは必《かなら》ず衰《おとろ》える。だから、勢威《せいい》を誇《ほこ》った人間《にんげん》が滅《ほろ》んだ例《れい》はたくさんあるけれども、平清盛《たいらのきよもり》の場合《ばあい》ほどすさまじい例《れい》はなかった。

もともと平家《へいけ》は、桓武天皇《かんむてんのう》の皇子《おうじ》が臣下《しんか》となった家柄《いえがら》で、代々《だいだい》、受領《ずりょう》（地方長官《ちほうちょうかん》）をつとめてきた。

◆人《ひと》の世《よ》のはかないさだめ――祇園精舎《ぎおんしょうじゃ》

祇園精舎《ぎおんしょうじゃ》は、シャカが弟子《でし》たちと住《す》んで教《おし》えを説《と》いた寺《てら》である。その堂《どう》の鐘《かね》の響《ひび》きは、この世《よ》のすべてが変化《へんか》・流転《るてん》するという真理《しんり》を告《つ》げ知《し》らせた。また、シャカが亡《な》くなった時《とき》、聖木《せいぼく》である沙羅《しゃら》双樹《そうじゅ》の淡黄色《たんおうしょく》の花《はな》が白《しろ》く色《いろ》あせて、勢《いきお》い盛《さか》んな者《もの》も必《かなら》ず衰《おとろ》えるという真理《しんり》を示《しめ》した。
この真理《しんり》は俗人《ぞくじん》にも当然《とうぜん》あてはまる。得意《とくい》の絶頂《ぜっちょう》にあっても、長《なが》くは続《つづ》かない。まるで春《はる》の短《みじか》い夜《よる》のはかない夢《ゆめ》のように。また、どれほど威勢《いせい》を誇《ほこ》っても、最後《さいご》は滅《ほろ》んでしまう。それは、まるで風《かぜ》に吹《ふ》き飛《と》ばされる塵《ちり》のように、もろい。

❖祇園精舎《ぎをんしやうじや》の鐘《かね》の声《こゑ》、諸行無常《しよぎやうむじやう》の響《ひび》きあり、沙羅双樹《しやらさうじゆ》の花《はな》の色《いろ》、盛者必衰《じやうしやひつすい》の理《ことわり》をあらはす。おごれる者《もの》久《ひさ》しからず、ただ春《はる》の夜《よ》の夢《ゆめ》のごとし。猛《たけ》き人《ひと》もつひには滅《ほろ》びぬ、ひとへに風《かぜ》の前《まへ》の塵《ちり》に同《おな》じ。

✻『平家物語』冒頭の一節で、美文として名高い。七五調のリズムに乗って、鐘の音を耳に、花の色を目に浮かべながら、人世の無常を感得するように語句をたくみに配置している。夢や塵の比喩《ひゆ》もわかりやすい。

しかし、ねらいは、「おごれる者」「猛き人」が「久しからず」「滅び」る点にある。もともと、勝者が敗者に堕《お》ちて死ぬという構想は、こうした軍記物語の基本設定にあった。

しかも、死者が権力者である場合、その魂は静かに安らかな往生を遂げるとは考えられなかった。そこで、荒ぶる霊威を恐れて、鎮魂《ちんこん》するために軍記物語の編集が要請された。

『平家物語』もまた、平家一門の浮かばれぬ諸霊を慰める長大な弔辞の意義を担っていた。哀調を帯びた美文の底には、慰霊の深い祈りが込められている。

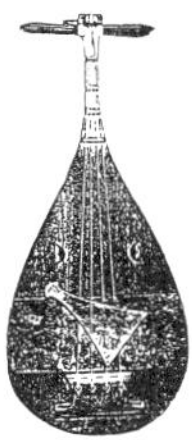
〈琵琶〉

先例《せんれい》を遠《とお》い中国《ちゅうごく》の歴史《れきし》にたずねると、秦《しん》の趙高《ちょうこう》、漢《かん》の王莽《おうもう》、梁《りょう》の朱异《しゅい》、唐《とう》の安禄山《あんろくざん》がいる。彼《かれ》らは皆《みな》、自分《じぶん》の仕《つか》える主君《しゅくん》・皇帝《こうてい》の政治《せいじ》に反逆《はんぎゃく》して、権勢《けんせい》の限《かぎ》りを尽《つ》くし、周囲《しゅうい》の忠告《ちゅうこく》に耳《みみ》をかさなかった。やがて世《よ》の中《なか》が乱《みだ》れてしまうことに気《き》づかず、世《よ》の人々《ひとびと》が何《なに》に苦《くる》しみ、何《なに》に嘆《なげ》いているのか、まるで反省《はんせい》しなかった。だから、その栄華《えいが》は永続《えいぞく》せず、間《ま》もなく滅亡《めつぼう》した者《もの》どもである。

身近《みじか》な日本《にほん》の歴史《れきし》に例《れい》を求《もと》めると、承平《じょうへい》の乱《らん》の平将門《たいらのまさかど》、天慶《てんぎょう》の乱《らん》の藤原純友《ふじわらのすみとも》、康和《こうわ》の乱《らん》の源義親《みなもとのよしちか》、平治《へいじ》の乱《らん》の藤原信頼《ふじわらののぶより》がいる。彼《かれ》らの権勢《けんせい》と勇猛心《ゆうもうしん》はそれぞれ並《なみ》はずれていたけれども、最近《さいきん》の例《れい》では、六波羅《ろくはら》の入道《にゅうどう》、前《さき》の太政大臣《だいじょうだいじん》、平　朝臣清盛公《たいらのあつそんきよもりこう》という方《かた》の言動《げんどう》は、うわさに聞《き》くところでは、想像《そうぞう》も言語《げんご》も絶《ぜつ》するものである。

その先祖《せんぞ》を調《しら》べると、清盛公《きよもりこう》は、桓武《かんむ》天皇《てんのう》の第五《だいご》皇子《おうじ》で一品《いっぽん》（第一位《だいいちい》）の宮《みや》、式部卿《しきぶきょう》（文部《もんぶ》・総務長官《そうむちょうかん》）の葛原親王《かずらはらしんのう》から九代目《きゅうだいめ》の子孫《しそん》にあたる讃岐守《さぬきのかみ》（香川県知事《かがわけんちじ》）平正盛《たいらのまさもり》の孫《まご》であり、刑部卿《ぎょうぶきょう》（司法長官《しほうちょうかん》）平　忠盛朝臣《たいらのただもりあつそん》の長男《ちょうなん》である。

葛原親王《かずらはらしんのう》の子《こ》である高見王《たかみのおう》は、位《くらい》もなく官《かん》にもつかないまま亡《な》くなった。その子《こ》の高望王《たかもちのおう》の時《とき》、初《はじ》めて「平《たいら》」という姓《せい》を朝廷《ちょうてい》からいただいて、上総介《かずさのすけ》（千葉県副知事《ちばけんふくちじ》）に任命《にんめい》されてからすぐに、皇族《こうぞく》の籍《せき》を離《はな》れて臣下《しんか》に降《くだ》った。さらに、その子《こ》の鎮守府将軍《ちんじゅふしょうぐん》（奥羽軍政府長官《おううぐんせいふちょうかん》）平義茂《たいらのよしもち》は後《のち》に国香《くにか》と改名《かいめい》した。国香《くにか》より正盛《まさもり》までの六代《ろくだい》は、諸国《しょこく》の受領《ずりょう》（地方長官《ちほうちょうかん》）を務《つと》めたが、まだ殿上人《てんじょうびと》（昇殿《しょうでん》を許可《きょか》された貴族《きぞく》）の資格《しかく》を得《え》ていなかった。

❖遠《とほ》く異朝《いてう》をとぶらふに、秦《しん》の趙高《てうかう》、漢《かん》の王莽《わうまう》、梁《りやう》の朱异《しゆい》、唐《たう》の禄山《ろくさん》、これらは皆旧主先皇《みなきうしゆせんくわう》の政《まつりごと》にも従《したが》はず、楽《たの》しみを極《きは》め、諫《いさ》めをも思《おも》ひ入《い》れず、天下《てんが》の乱《みだ》れんことをも悟《さと》らずして、民間《みんかん》の憂《うれ》ふるところを知《し》らざりしかば、久《ひさ》しからずして、亡《ばう》じにし者《もの》どもなり。

近《ちか》く本朝《ほんてう》をうかがふに、承平《しようへい》の将門《まさかど》、天慶《てんぎやう》の純友《すみとも》、康和《かうわ》の義親《ぎしん》、平治《へいぢ》の信頼《しんらい》、これらはおごれることもたけき心《こころ》も、皆《みな》とりどりなりしかども、間近《まぢか》くは、六波羅《ろくはら》の入道前太政大臣平朝臣清盛公《にふだうさきのだいじやうだいじんたひらのあつそんきよもりこう》と申《まう》しし人《ひと》のありさま、伝《つた》へ承《うけたまは》るこそ心《こころ》もことばも及《およ》ばれね。

その先祖《せんぞ》を尋《たづ》ぬれば、桓武天皇第五《くわんむてんわうだいご》の皇子《わうじ》、一品式部卿葛原親王九代《いつぽんしきぶきやうかづらはらしんわうくだい》の後胤《こういん》、讃岐守正盛《さぬきのかみまさもり》が孫《そん》、刑部卿忠盛《ぎやうぶきやうただもり》の朝臣《あつそん》の嫡男《ちやくなん》なり。かの親王《しんわう》の御子《みこ》高見《たかみ》の王《わう》、無官無位《むくわんむゐ》にして失《う》せたまひぬ。その御子《おんこ》高望《たかもち》の王《わう》の時《とき》、初《はじ》めて平《たひら》の姓《しやう》を賜《たまは》つて、上総介《かづさのすけ》になりたまひしよりこのかた、たちまちに王氏《わうし》を出《い》でて人臣《じんしん》に連《つら》なる。その子《こ》鎮守府《ちんじゆふ》の将軍良望《しやうぐんよしもち》、のちには国香《くにか》と改《あらた》む。国香《くにか》より正盛《まさもり》に至《いた》るまで六代《ろくだい》は、諸国《しよこく》の受領《じゆりやう》たりしかども、殿上《てんじやう》の仙籍《せんせき》をばいまだ許《ゆる》されず。


✿秦の趙高、漢の王莽、梁の朱异、唐の禄山。秦・漢・梁・唐は古代中国の王朝名。彼らはいずれも、謀略によって政権を奪取し、一時権勢を振るったが、殺害・自殺に追い込まれて破滅した。

承平の将門、天慶の純友、康和の義親、平治の信頼。承平・天慶・康和・平治は平安時代の年号名。彼らもまた、一時は権勢をほしいままにしたが、最後は国家の反逆者として、朝廷から追討された。

この観点を適用すると、平家の滅亡は、源平という武士間の抗争の結果ではなく、朝廷（国家）に対する反逆の罪が、一門の破滅を導いた最大の原因と、『平家物語』の作者は考えていることがわかる。

なお、平氏の系譜は、付録「桓武平氏系図」（三一六ページ）を参照願いたい。

殿上の闇討〈てんじょうのやみうち〉

清盛《きよもり》の父《ちち》の忠盛《ただもり》が、鳥羽上皇《とばじょうこう》にお寺《てら》を造《つく》って献上《けんじょう》した褒美《ほうび》に、殿上人《てんじょうびと》となった。一地方官《いちちほうかん》から、宮中《きゅうちゅう》の殿上《てんじょう》の間《ま》に出入《でい》りできる特権階級《とっけんかいきゅう》の仲間入《なかまい》りを果《は》たしたのだ。

しかし、他《た》の殿上人《てんじょうびと》たちはねたんで、忠盛《ただもり》を闇討《やみう》ちにしようとした。武人《ぶじん》の家《いえ》に生《う》まれた忠盛《ただもり》は、わざと腰《こし》の短刀《たんとう》を見《み》せつけ、武装《ぶそう》した部下《ぶか》を同伴《どうはん》したので、殿上人《てんじょうびと》たちはおじけづいて暗殺《あんさつ》を中止《ちゅうし》した。

それから、宴席《えんせき》で忠盛《ただもり》の斜視《しゃし》をからかうなど、陰湿《いんしつ》ないじめが始《はじ》まる。殿上人《てんじょうびと》の作法《さほう》をわきまえない忠盛《ただもり》の地位《ちい》を剥奪《はくだつ》すべきだ、と上皇《じょうこう》に訴《うった》えまで起《お》こした。

忠盛《ただもり》は、部下《ぶか》の武装《ぶそう》は主人思《しゅじんおも》いから出《で》た行動《こうどう》、短刀《たんとう》は銀箔《ぎんぱく》をはった木刀《ぼくとう》であると説明《せつめい》して、かえって上皇《じょうこう》から、武士《ぶし》の鑑《かがみ》、とお褒《ほ》めの言葉《ことば》をいただいた。

鱸〈すずき〉

上皇《じょうこう》の信任厚《しんにんあつ》かった忠盛《ただもり》だが、御所《ごしょ》に仕《つか》える女房《にょうぼう》を愛人《あいじん》にしていた。彼女《かのじょ》のほうも、冷《ひ》やかす同輩《どうはい》に二人《ふたり》の仲《なか》を隠《かく》そうとせず、歌《うた》でやりこめた。彼女《かのじょ》は忠度《ただのり》の母《はは》となった。

忠盛《ただもり》は刑部卿《ぎょうぶきょう》（司法長官《しほうちょうかん》）となり、一一五三（仁平三《にんぴょうさん》）年《ねん》、五十八歳《ごじゅうはっさい》で死《し》んだ。長男《ちょうなん》の清盛《きよもり》が家《いえ》を継《つ》いだ。年《とし》は三十六歳《さんじゅうろくさい》。

彼《かれ》は、保元《ほうげん》・平治《へいじ》の乱《らん》で殊勲《しゅくん》をあげ、ついに太政大臣《だいじょうだいじん》（総理大臣《そうりだいじん》）にまで出世《しゅっせ》した。かつて、海路《かいろ》で熊野《くまの》（熊野三社《くまのさんしゃ》）参詣《さんけい》をしたとき、舟《ふね》の中《なか》に鱸《すずき》が躍《おど》りこんだ。これは熊野権現《くまのごんげん》

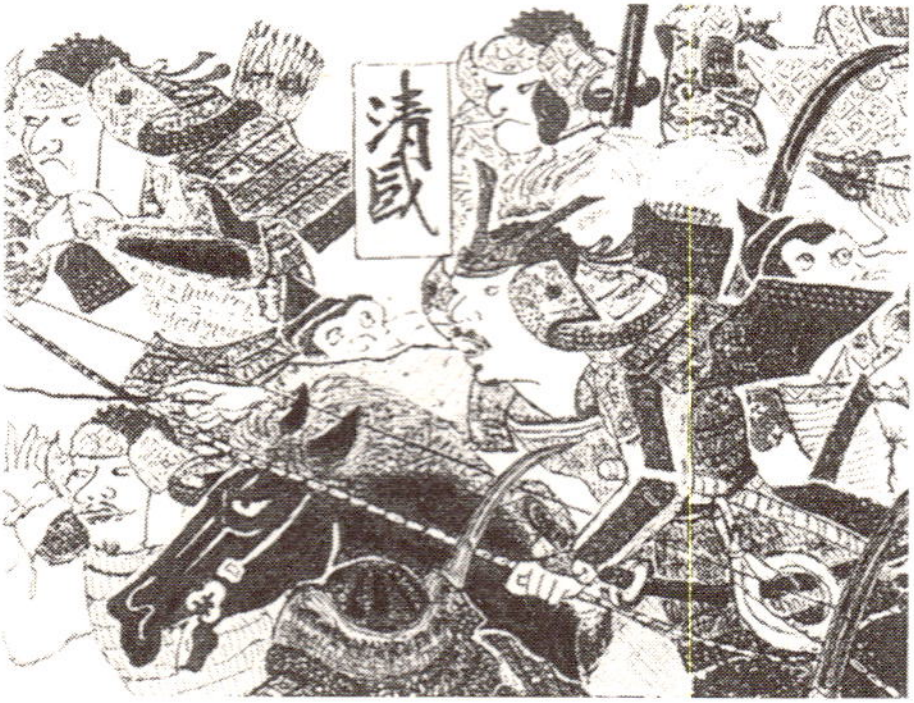

〈出陣する清盛『平治物語絵巻』〉

（祭神《さいしん》）の御利益《ごりやく》だといわれた。一門《いちもん》こぞっての出世《しゅっせ》も、そのおかげであろうか。

禿童〈かぶろ〉

清盛《きよもり》は、病気《びょうき》のために五十一歳《ごじゅういっさい》で出家《しゅっけ》した。そのかいあってか、病気《びょうき》は全快《ぜんかい》し、威勢《いせい》はいよいよ高《たか》まり、「平家《へいけ》一門《いちもん》でなければ人間《にんげん》ではない」（清盛《きよもり》の妻《つま》の弟《おとうと》、平《たいらの》時忠《ときただ》の言葉《ことば》）と言《い》われるほどだった。誰《だれ》もが一門《いちもん》と縁《えん》を結《むす》びたがった。衣服《いふく》の着方《きかた》や帽子《ぼうし》のかぶり方《かた》に、六波羅様《ろくはらよう》というファッションまで誕生《たんじょう》した。京《きょう》の六《ろく》波羅《はら》に平家《へいけ》一門《いちもん》の邸宅《ていたく》があった。

そのころ、清盛《きよもり》は、完全《かんぜん》な独裁政治《どくさいせいじ》をしくために、京中《きょうじゅう》に赤《あか》い上着《うわぎ》を着《き》た少年《しょうねん》の密偵《みってい》（スパイ）を放《はな》った。

◆赤《あか》い恐怖《きょうふ》の少年密偵団《しょうねんみっていだん》——六波羅《ろくはら》の禿《かぶろ》

どれほどすぐれた名君《めいくん》・名臣《めいしん》の政治《せいじ》であろうとも、社会《しゃかい》からはみだした落《お》ちこぼれどもが陰《かげ》に寄《よ》り集《あつ》まって、何《なに》かにつけて悪口《わるくち》をたたくのは、よくあることだ。しかし、この清盛入道《きよもりにゅうどう》の全盛時代《ぜんせいじだい》には、一言《ひとこと》も批判《ひはん》を口《くち》にする者《もの》はいなかった。

それにはわけがあった。入道《にゅうどう》の政略《せいりゃく》で、十四《じゅうし》から十六歳《じゅうろくさい》までの少年《しょうねん》を三《さん》百人選抜《びゃくにんせんばつ》し、全員《ぜんいん》、髪型《かみがた》を短《みじか》く禿髪《かぶろがみ》にそろえ、赤《あか》い服《ふく》を着用《ちゃくよう》させた。彼《かれ》らは京中《きょうじゅう》をくまなく見張《みは》り歩《ある》いた。

そして、たまたま平家《へいけ》の悪口《わるくち》を言《い》う者《もの》があれば、彼《かれ》らの一人《ひとり》が聞《き》きつけたが最後《さいご》、ただちに仲間《なかま》たちに通報《つうほう》し、徒党《ととう》を組《く》んでその家《いえ》に乱入《らんにゅう》し、家財道具《かざいどうぐ》を没収《ぼっしゅう》して、当人《とうにん》を捕縛《ほばく》し、清盛《きよもり》の前《まえ》に突《つ》き出《だ》した。

〈禿髪〉

だから、平家《へいけ》の横暴《おうぼう》を目《ま》の当《あ》たりに見《み》て、内心《ないしん》わかっているのだが、口《くち》に出《だ》して言《い》う者《もの》はいなかった。六波羅殿《ろくはらどの》の禿《かぶろ》と聞《き》いただけで、道《みち》を通《とお》る馬《うま》も車《くるま》も、みな避《さ》けた。宮城《きゅうじょう》を出入《でい》りするときも、衛兵《えいへい》に姓名《せいめい》を問《と》われることなく、あまりの振《ふ》る舞《ま》いに政府《せいふ》の高官《こうかん》たちも目《め》をそらした、と「長恨歌《ちょうごんか》伝《でん》」（『白氏文集《はくしもんじゆう》』）にあるが、まさにその通《とお》りだった。

❖如何《いか》なる賢王賢主《けんわうけんじゆ》の御政《おんまつりごと》、摂政関白《せつしやうくわんばく》の御成敗《ごせいばい》にも、世《よ》に余《あま》されたるほどの徒《いたづら》者《もの》などの、かたはらに寄《よ》り合《あ》つて、何《なに》となうそしり傾《かたぶ》け申《まう》す事《こと》は、常《つね》の習《なら》ひなれども、この禅門世盛《ぜんもんよざか》りのほどは、いささかゆるがせに申《まう》す者《もの》なし。

その故《ゆゑ》は、入道相国《にふだうしやうこく》の謀《はかりごと》に、十四《じふし》、五《ご》、六《ろく》の童《わらはべ》を三百人《さんびやくにん》すぐつて、髪《かみ》を禿《かぶろ》に切《き》りまはし、赤《あか》き直垂《ひたたれ》を着《き》せて、召《め》し使《つか》はれるが、京中《きやうぢゆう》に充《み》ち満《み》ちて、往反《わうばん》しけり、おのづから平家《へいけ》の御事悪様《おんことあしざま》に申《まう》す者《もの》あれば、一人聞《いちにんき》き出《い》ださぬほどこそありけれ、余党《よたう》に触《ふ》れ回《まは》し、かの家《いへ》に乱入《らんにふ》し、資財雑具《しざいざふぐ》を追捕《ついぶく》し、その奴《やつ》を搦《から》めて、六波羅殿《ろくはらどの》へ率《ゐ》て参《まゐ》る。

されば、目《め》に見《み》、心《こころ》に知《し》るといへども、詞《ことば》に顕《あらは》して申《まう》す者《もの》なし。六波羅殿《ろくはらどの》の禿《かぶろ》とだにいへば、道《みち》を過《す》ぐる馬車《うまくるま》も、皆《みな》よきてぞ通《とほ》しける。禁門《きんもん》を出入《でい》りすといへども、姓名《しやうみやう》を尋《たづ》ねらるるに及《およ》ばず。京師《けいし》の長吏《ちやうり》、これがために目《め》を側《そば》むと見《み》えたり。

✼清盛の恐怖政治の実態を、禿という密偵（スパイ）の活動を通して、暴《あば》き出した。禿の赤い上着といい、十四、五、六歳の年齢といい、清盛らしい派手好みがよく出ている。すぐれた青少年の親衛隊に守護されるのは、古今東西の独裁者の最も好むところである。陰湿な印象の妙に薄いのがおもしろい。なお、禿は巻十二「土佐《とさ》坊斬《ぼうき》られ」にあわれな末路の記事がある。

我が身の栄花〈わがみのえいが〉

清盛《きよもり》の一族《いちぞく》はみなスピード出世《しゅっせ》し、政府《せいふ》の重要《じゅうよう》ポストの大半《たいはん》を占《し》めた。長男《ちょうなん》の重盛《しげもり》は内大臣《ないだいじん》の左大将《さだいしょう》、宗盛《むねもり》は中納言《ちゅうなごん》の右大将《うだいしょう》、知盛《とももり》は三位中将《さんみちゅうじょう》というように、三十人《さんじゅうにん》足《た》らずの公卿《くぎょう》（閣僚級《かくりょうきゅう》）のうち十六人《じゅうろくにん》が清盛《きよもり》の一族《いちぞく》だった。これに省《しょう》庁《ちょう》の幹部《かんぶ》、地方長官《ちほうちょうかん》を合《あ》わせると、完全《かんぜん》に政界《せいかい》を制覇《せいは》したといってよかった。

八人《はちにん》の娘《むすめ》もすべて良縁《りょうえん》を得《え》て、その一人《ひとり》は妃《きさき》となり、建礼門院《けんれいもんいん》（高倉天皇中宮《たかくらてんのうちゅうぐう》、安徳天皇母《あんとくてんのうはは》）と呼《よ》ばれた。

今《いま》や、平家《へいけ》一門《いちもん》は栄華《えいが》の絶頂《ぜっちょう》に達《たつ》し、その領地《りょうち》は日《に》本全土《ほんぜんど》の半分《はんぶん》を占《し》め、勢威《せいい》は天皇《てんのう》・上皇《じょうこう》をしのぐほどだった。

祇王〈ぎおう〉

清盛《きよもり》は最高権力者《さいこうけんりょくしゃ》だったが、常識《じょうしき》はずれの行動《こうどう》をとることがあった。たとえば、男装《だんそう》の舞姫《まいひめ》である白《しら》拍子《びょうし》（コラム・一五一ページ参照）の祇王《ぎおう》を愛人《あいじん》とし、妹《いもうと》と母親《ははおや》までも経済的《けいざいてき》に援助《えんじょ》した。白拍子《しらびょうし》仲間《なかま》がうらやむほど豪勢《ごうせい》な暮《く》らしぶりだった。

そのころ、白拍子《しらびょうし》に仏御前《ほとけごぜん》という十六歳《じゅうろくさい》の新人《しんじん》スターが誕生《たんじょう》した。清盛《きよもり》の邸《やしき》に押《お》しかけて不興《ふきょう》を買《か》ったが、祇王《ぎおう》のとりなしで今様《いまよう》（流行歌謡《りゅうこうかよう》）と舞《まい》を披露《ひろう》できた。ところが、清盛《きよもり》は仏御前《ほとけごぜん》に心奪《こころうば》われて、逆《ぎゃく》に祇王《ぎおう》を追放《ついほう》してしまった。

〈白拍子〉

捨《す》てられた祇王《ぎおう》が、母《はは》・妹《いもうと》とともに寂《さび》しく暮《く》らしているところに、仏御前《ほとけごぜん》の退《たい》屈《くつ》を慰《なぐさ》めるため邸《やしき》に出頭《しゅっとう》せよという清盛《きよもり》の命令《めいれい》が来《き》た。屈辱《くつじょく》に耐《た》えながら参上《さんじょう》した祇王《ぎおう》だったが、清盛《きよもり》のあまりの冷《つめ》たいしうちに絶望《ぜつぼう》して出家《しゅっけ》、嵯峨《さが》の山奥《やまおく》に一《いっ》家《か》で移《うつ》り住《す》んだ。祇王《ぎおう》は二十一歳《にじゅういっさい》、妹《いもうと》祇女《ぎにょ》（「ぎじょ」とも）は十九歳《じゅうきゅうさい》である。

ある秋《あき》の夜《よ》、尼姿《あますがた》となった仏御前《ほとけごぜん》が、突然《とつぜん》、祇王一家《ぎおういっか》を訪《おとず》れた。聞《き》けば、現世《げんせ》の無常《むじょう》を感《かん》じて、清盛《きよもり》のもとを逃《のが》れてきたという。

◆怨念《おんねん》を超《こ》えた女《おんな》の友情《ゆうじょう》——祇王《ぎおう》と仏御前《ほとけごぜん》

仏御前《ほとけごぜん》は、袖《そで》を顔《かお》に押《お》し当《あ》てて、さめざめと泣《な》きながら胸中《きょうちゅう》を訴《うった》えた。

「このように尼姿《あますがた》になって参《まい》りました。どうかこれまでの罪《つみ》をお許《ゆる》し下《くだ》さい。せめてひと言《こと》、『許《ゆる》す』とおっしゃってくださいますなら、ご一緒《いっしょ》に念仏《ねんぶつ》して同《おな》じ極楽浄土《ごくらくじょうど》に参《まい》りたいと思《おも》います。どうしてもお許《ゆる》しいただけないなら、これから先《さき》は、さすらいの身《み》となって、苔《こけ》の上《うえ》や松《まつ》の根《ね》もとにでも野宿《のじゆく》して、命《いのち》ある限《かぎ》り念仏《ねんぶつ》を唱《とな》えて、極楽往生《ごくらくおうじょう》の願《ねが》いを遂《と》げる覚悟《かくご》です」

祇王《ぎおう》も、涙《なみだ》を抑《おさ》えながら答《こた》えた。

「あなたがそこまで思《おも》いつめているとは、夢《ゆめ》にも思《おも》いませんでした。ここ嵯峨《さが》に隠《かく》れ住《す》んで、悩《なや》み苦《くる》しみは人《ひと》の世《よ》の常《つね》（さが）なのだから、すべては身《み》の不運《ふうん》と諦《あきら》めるべきなのに、ともすれば、あなたのことがただただ恨《うら》めしくてなりませんでした。こんなふうに迷《まよ》いから逃《のが》れられず、どうせ私《わたくし》の人生《じんせい》は、この世《よ》でもあの世《よ》でも中途半端《ちゅうとはんぱ》でだめなのだ、と見限《みかぎ》っておりました。でも、こうしてあなたが尼姿《あますがた》になっておいでになったのですもの、これまでの恨《うら》む気持《きも》ちはみな消《き》えて、露《つゆ》や塵《ちり》ほども残《のこ》っていません。もう、あなたも私《わたくし》も極楽往生《ごくらくおうじょう》は間違《まちが》いなしです。今《いま》こうして念願《ねんがん》を果《は》たすことができるなんて、こんな嬉《うれ》しいことありませんわ。私《わたくし》どもが尼《あま》になったとき、世《よ》にも珍《めずら》しいことと、人々《ひとびと》はうわさし、私自身《わたくしじしん》もそう思《おも》っておりました。でも、それは、世間《せけん》のしうちを恨《うら》み、わが身《み》の不運《ふうん》を嘆《なげ》いた結果《けっか》のこと、出家《しゅっけ》も当然《とうぜん》なのです。ところが、あなたの場合《ばあい》は、何《なん》の恨《うら》みも嘆《なげ》きもない。年《とし》もやっと十七《じゅうしち》になったばかり。そんなあなたが、こんなにもこの世《よ》を厭《いと》い、浄土《じょうど》を求《もと》めて出家《しゅっけ》まで決意《けつい》するなんて、ほんとうの求道心《ぐどうしん》と感心《かんしん》いたしました。私《わたくし》を導《みちび》いてくれる、ありがたいお方《かた》ですわ。さあ、一緒《いっしょ》に極楽往生《ごくらくおうじょう》を願《ねが》いましょう」

こうして、祇王《ぎおう》とその母《はは》と妹《いもうと》、それに仏御前《ほとけごぜん》の四人《よにん》は一緒《いっしょ》に暮《く》らして、朝夕《あさゆう》、仏前《ぶつぜん》に花《はな》や香《こう》を供《そな》え、ひたすら浄土《じょうど》を願《ねが》ったので、死期《しき》に早《はや》い遅《おそ》いはあったものの、四人《よにん》ともみな念願《ねんがん》を果《は》たしたと伝《つた》えられる。それで、後《ご》白河法皇《しらかわほうおう》の長講堂《ちょうごうどう》の過去帳《かこちょう》にも、「祇王《ぎおう》・祇女《ぎにょ》・仏《ほとけ》・とじ（母《はは》）らが尊霊《そんりょう》」と、四人《よにん》を一緒《いっしょ》に書《か》き入《い》れられた。心《こころ》にしみる話《はなし》である。

❖かやうに様《さま》を変《か》へて参《まゐ》りたる上《うへ》は、日《ひ》ごろのとがをば許《ゆる》し給《たま》へ。許《ゆる》さんとだに宣《のたま》はば、もろともに念仏《ねんぶつ》して、一《ひと》つ蓮《はちす》の身《み》とならん。それにもなほ心《こころ》ゆかずば、これよりいづちへも迷《まよ》ひ行《ゆ》き、いかならん苔《こけ》の筵《むしろ》、松《まつ》が根《ね》にも倒《たふ》れ伏《ふ》し、命《いのち》のあらん限《かぎ》りは念仏《ねんぶつ》して、往生《わうじやう》の素懐《そくわい》を遂《と》げんと思《おも》ふなり」とて、袖《そで》を顔《かほ》に押《お》し当《あ》てて、さめざめとかきくどきければ、祇王《ぎわう》涙《なみだ》を抑《おさ》へて、「わごぜのそれほどまで思《おも》ひ給《たま》はんとは、夢《ゆめ》にも知《し》らず。うき世《よ》の中《なか》のさがなれば、身《み》の憂《う》きとこそ思《おも》ひしに、ともすればわごぜの事《こと》のみ恨《うら》めしくて、今生《こんじやう》も後生《ごしやう》も、なまじひにし損《そん》じたる心地《ここち》にてありつるに、かやうに様《さま》を変《か》へておはしつる上《うへ》は、日《ひ》ごろのとがは露塵《つゆちり》ほども残《のこ》らず。

今《いま》は往生疑《わうじやううたが》ひなし。このたび素懐《そくわい》を遂《と》げんこそ、何《なに》よりもまた嬉《うれ》しけれ。わらはが尼《あま》になりしをだに、世《よ》にあり難《がた》き事《こと》のやうに、人《ひと》も言《い》ひ、我《わ》が身《み》も思《おも》ひ候《さぶら》ひしぞや。それは世《よ》を恨《うら》み、身《み》を嘆《なげ》いたれば、様《さま》を変《か》ふるも理《ことわり》なり。わごぜは恨《うら》みもなく嘆《なげ》きもなし。今年《ことし》はわづかに十七《じふしち》にこそなりし人《ひと》の、それ程《ほど》まで、穢土《ゑど》を厭《いと》ひ浄土《じやうど》を願《ねが》はんと、深《ふか》く思《おも》ひ入《い》り給《たま》ふこそ、まことの大道心《だいだうしん》とは覚《おぼ》え候《さぶら》ひしか。嬉《うれ》しかりける善知識《ぜんちしき》かな。いざもろともに願《ねが》はん」とて、四人一所《しにんいつしよ》に籠《こも》り居《ゐ》て、朝夕仏前《あさゆふぶつぜん》に向《む》かひ、花香《はなかう》を供《そな》へて他念《たねん》なく願《ねが》ひけるが、遅速《ちそく》こそありけれ、皆往生《みなわうじやう》の素懐《そくわい》を遂《と》げけるとぞ聞《き》こえし。されば、かの後白河《ごしらかは》の法皇《ほふわう》の長講堂《ちやうがうだう》の過去帳《くわこちやう》にも、祇王《ぎわう》・祇女《ぎによ》・仏《ほとけ》・とぢ等《ら》が尊霊《そんりやう》と、四人一所《しにんいつしよ》に入《い》れられたり。ありがたかりし事《こと》どもなり。

✿祇王にとって、仏御前は情けをかけて裏切られた憎いかたきである。それが尼姿となって、許しを請いに来た。しかも、祇王のように清盛《きよもり》から追放されたのではなく、自分から清盛に愛想《あいそ》づかしをして、祇王のもとにやってきた。ここには、愛欲の淵《ふち》に沈む自己に目覚めて立ち上がる仏御前の行動力と、怨恨《えんこん》を超えて受け入れる祇王の包容力とがある。傲慢《ごうまん》で救いがたい男に対抗する強く美しい女性像が、新しい時代の息《い》吹《ぶ》きを伝える説話を生んだ。清盛は、ここではたんなる狂言回《きょうげんまわ》しを演じるにすぎない。なお、当時の長講堂は戦火に遭って移転し、現在は京都市下京区河原町《しもぎょうくかわらまち》にある。

二代の后〈にだいのきさき〉

鳥羽院《とばいん》が亡《な》くなった直後《ちょくご》から、保元《ほうげん》・平治《へいじ》の乱《らん》と戦乱《せんらん》が続《つづ》いて、政情《せいじょう》は不安定《ふあんてい》だった。そんな状況《じょうきょう》のもと、後白河上皇《ごしらかわじょうこう》と二条天皇《にじょうてんのう》との間《あいだ》に対立《たいりつ》が生《う》まれた。上皇《じょうこう》と天皇《てんのう》は父子《ふし》の間柄《あいだがら》だったから、世《よ》の人々《ひとびと》の不評《ふひょう》を買《か》った。

二条天皇《にじょうてんのう》は、亡《な》くなった近衛天皇《このえてんのう》の妃《きさき》（太皇太后《たいこうたいごう》）が美人《びじん》という評判《ひょうばん》を聞《き》いて、自分《じぶん》の妃《きさき》に望《のぞ》んだ。二代《にだい》の天皇《てんのう》の妃《きさき》に立《た》つ例《れい》は歴史上《れきしじょう》ない、と上皇《じょうこう》をはじめ周囲《しゅうい》はこぞって反対《はんたい》したが、天皇《てんのう》は強引《ごういん》に押《お》し切《き》った。亡《な》き近衛天皇《このえてんのう》は二条天皇《にじょうてんのう》の叔父《おじ》に当《あ》たる。

苦悩《くのう》のはてに宮中入《きゅうちゅうい》りした妃《きさき》は、亡《な》き近衛天皇《このえてんのう》をしのんで、追憶《ついおく》の涙《なみだ》にくれるのだった。

額打論〈がくうちろん〉

一一六五（永万元《えいまんがん》）年春《ねんはる》、二条天皇《にじょうてんのう》は病気《びょうき》になり、わずか二《に》歳《さい》の皇子《おうじ》に譲位《じょうい》、六条天皇《ろくじょうてんのう》が即位《そくい》したが、あまりの幼齢《ようれい》に周囲《しゅうい》から懸念《けねん》する声《こえ》があがった。七月《しちがつ》、二条院《にじょういん》は二十三歳《にじゅうさんさい》の若《わか》さで亡《な》くなった。

葬送《そうそう》のとき、墓所《ぼしょ》の周《まわ》りに寺《てら》の額《がく》を打《う》つ作法《さほう》があったが、それをめぐって、興《こう》福寺《ふくじ》と延暦寺《えんりゃくじ》との間《あいだ》に争《あらそ》いが起《お》き、興福寺《こうふくじ》の僧《そう》が延暦寺《えんりゃくじ》の額《がく》を割《わ》るという事件《じけん》に発展《はってん》した。

清水寺炎上〈きよみずでらえんしょう〉

延暦寺《えんりゃくじ》の僧《そう》は、額《がく》を割《わ》られた報復《ほうふく》のために、大挙《たいきょ》して京《きょう》に入《はい》り、興福寺《こうふくじ》の末寺《まつじ》である清水寺《きよみずでら》を焼《や》き払《はら》った。

このころ、後白河上皇《ごしらかわじょうこう》が延暦寺《えんりゃくじ》に平家追討《へいけついとう》を命《めい》じたというデマが飛《と》び、清盛《きよもり》は恐《おそ》れあわてたが、長男《ちょうなん》の重盛《しげもり》は落《お》ちついていた。当時《とうじ》、上皇《じょうこう》は清盛邸《きよもりてい》に滞在中《たいざいちゅう》で、お帰《かえ》りの供《とも》をしたのは重盛《しげもり》だけだった。

上皇《じょうこう》はうわさの出所《しゅつしょ》を疑《うたが》ったが、近臣《きんしん》の西光法師《さいこうほうし》は、平家《へいけ》の横暴《おうぼう》を天《てん》がとがめているのだ、とうそぶいた。

六条天皇《ろくじょうてんのう》は五歳《ごさい》で退位《たいい》、建春門院《けんしゅんもんいん》（滋子《しげこ》）が生《う》んだ後白河上皇《ごしらかわじょうこう》の皇子《おうじ》が即位《そくい》、高倉天皇《たかくらてんのう》となった。建春門院《けんしゅんもんいん》は清盛夫人《きよもりふじん》（時子《ときこ》）の妹《いもうと》で、平大納言時忠《へいだいなごんときただ》は兄《あに》に当《あ》たる。以後《いご》、平家《へいけ》は天皇《てんのう》の外戚《がいせき》として、絶大《ぜつだい》な権力《けんりょく》をふるうことになった。

殿下の乗合〈てんがののりあい〉

一一六九（嘉応元《かおうがん》）年七月《ねんしちがつ》、後白河上皇《ごしらかわじょうこう》は出家《しゅつけ》、法皇《ほうおう》となった。出家後《しゅつけご》も政治《せいじ》を執《と》ったが、平家《へいけ》のわがままな態度《たいど》に苦言《くげん》をもらすことがあった。

翌年十月《よくねんじゅうがつ》、重盛《しげもり》の次男《じなん》で十三歳《じゅうさんさい》の資盛《すけもり》とその一行《いっこう》が、鷹狩《たかが》りの帰《かえ》り道《みち》、摂政殿下《せっしょうでんか》藤原基房《ふじわらのもとふさ》の行列《ぎょうれつ》に出会《であ》った。ところが、若気《わかげ》の至《いた》りで下馬《げば》の礼《れい》をとらなかったため、馬《うま》から引《ひ》きずり下《お》ろされた。

孫《まご》が恥《はじ》をかかされて激怒《げきど》した清盛《きよもり》は、武装《ぶそう》した三百余騎《さんびゃくよき》に命《めい》じて、基房一行《もとふさいっこう》を待《ま》ち伏《ぶ》せし、さんざんに痛《いた》めつけた。天皇《てんのう》を代理《だいり》する摂政《せっしょう》に対《たい》する暴力行為《ぼうりょくこうい》、これが平家《へいけ》の悪行《あくぎょう》の始《はじ》まりとなった。

清盛《きよもり》とは反対意見《はんたいいけん》の重盛《しげもり》は、事件《じけん》を深《ふか》く反省《はんせい》して、非礼《ひれい》をつぐなうために、息子《むすこ》の資盛《すけもり》を伊勢《いせ》に追放《ついほう》した。宮中《きゅうちゅう》では重盛《しげもり》の処置《しょち》を褒《ほ》めたたえた。

鹿の谷〈ししのたに〉

一一七一（嘉応三《かおうさん》）年正月《ねんしょうがつ》、高倉天皇《たかくらてんのう》は清盛《きよもり》の娘徳子《むすめとくこ》（のちの建礼門院《けんれいもんいん》）を妃《きさき》に迎《むか》えた。天皇十一歳《てんのうじゅういっさい》、徳子《とくこ》十五歳《じゅうごさい》。

そのころ左大将《さだいしょう》が欠員《けついん》となった。後任候補《こうにんこうほ》のなかでも新大納言藤原成親《しんだいなごんふじわらのなりちか》は、ポスト獲得《かくとく》に異常《いじょう》な執念《しゅうねん》を燃《も》やした。しかし、宮廷《きゅうてい》の人事《じんじ》権《けん》は平家《へいけ》が握《にぎ》っていたため、左大将《さだいしょう》には右大将《うだいしょう》の平重盛《たいらのしげもり》が昇格《しょうかく》し、右大将《うだいしょう》には弟《おとうと》の平宗盛《たいらのむねもり》が抜擢《ばってき》された。平家《へいけ》の兄弟《きょうだい》に出《だ》し抜《ぬ》かれて、夢破《ゆめやぶ》れた成親《なりちか》は、恨《うら》みに燃《も》えるあまり、平家《へいけ》打倒《だとう》の陰謀《いんぼう》をくわだてた。

◆平家打倒《へいけだとう》をもくろむ陰謀《いんぼう》——鹿《しし》の谷会議《たにかいぎ》

東山《ひがしやま》の麓《ふもと》の鹿《しし》の谷《たに》は、背後《はいご》は三井寺《みいでら》に続《つづ》いていて、非常《ひじょう》に堅固《けんご》な要塞《ようさい》になっていた。そこに俊寛僧都《しゅんかんそうず》の山荘《さんそう》があった。山荘《さんそう》にいつも一味《いちみ》が寄《よ》り集《あつ》まっては、平家《へいけ》を滅《ほろ》ぼす密議《みつぎ》を凝《こ》らしていた。

ある日《ひ》、後白河法皇《ごしらかわほうおう》も出席《しゅっせき》した。故少納言信西《こしょうなごんしんぜい》の子息《しそく》で、信頼《しんらい》の厚《あつ》い静憲法印《じょうけんほういん》がお供《とも》していた。その夜《よ》の酒宴《しゅえん》の席上《せきじょう》で、法皇《ほうおう》が平家打倒《へいけだとう》の陰謀《いんぼう》について静憲法印《じょうけんほういん》に相談《そうだん》したところ、法印《ほういん》は、

「いやはや、あきれたもんですなあ。こんなたくさんの人間《にんげん》の耳《みみ》に入《はい》ってしまいました。たちまち平家方《へいけがた》に情報《じょうほう》が漏《も》れて、天下《てんか》の一大事《いちだいじ》となることまちがいなしですぞ」と、厳《きび》しく釘《くぎ》をさしたので、首謀者《しゅぼうしゃ》の一人《ひとり》である新《しん》大納言《だいなごん》、藤原成親《ふじわらのなりちか》は顔色《かおいろ》を変《か》えて、いきなり立《た》ち上《あ》がった。その時《とき》、法皇《ほうおう》の前《まえ》にあった瓶子《へいじ》（酒《さけ》のとくり）を、服《ふく》の袖《そで》に引《ひ》っかけて倒《たお》してしまった。

それを見《み》た法皇《ほうおう》が、

「どうした」と尋《たず》ねると、すかさず、

「瓶子《へいじ》（＝平氏《へいじ》）が倒《たお》れました」と返答《へんとう》した。

法皇《ほうおう》は満面《まんめん》の笑顔《えがお》で、

「みんな、こっちに来《き》て洒落《しゃれ》を聞《き》かせてくれ」と調子《ちょうし》に乗《の》り始《はじ》めた。さっそく平判官康頼《へいはんがんやすより》がそばに寄《よ》り、

「ああ、あんまり瓶子《へいじ》（＝平氏《へいじ》）が多《おお》いので、酔《よ》っぱらってしまいました」と合《あ》わせる。俊寛僧都《しゅんかんそうず》が、

「さて、その瓶子《へいじ》をどう始末《しまつ》したらよいものか」と言《い》うと、西光法師《さいこうほうし》は、

「何《なん》たって首《くび》を取《と》るのが一番《いちばん》だ」と言《い》い放《はな》って、瓶子《へいじ》の首《くび》をぼきりと折《お》って席《せき》に戻《もど》った。

　この茶番劇《ちゃばんげき》の一部《いちぶ》始終《しじゅう》を見《み》ていた静憲法印《じょうけんほういん》は、あまりの愚劣《ぐれつ》なふるまいに、完全《かんぜん》に言葉《ことば》を失《うしな》った。どう考《かんが》えても身《み》ぶるいのする一夜《いちや》の出来事《できごと》だった。

❖東山鹿《ひがしやましし》の谷《たに》といふ所《ところ》は、後《うし》ろは三井寺《みゐでら》に続《つづ》いて、ゆゆしき城郭《じやうくわく》にてぞありける。それに俊寛僧都《しゆんくわんそうづ》の山荘《さんざう》あり。かれに常《つね》は寄《よ》り合《あ》ひ寄《よ》り合《あ》ひ、平家《へいけ》亡《ほろ》ぼすべき謀《はかりごと》をぞめぐらしける。

ある夜《よ》、法皇《ほふわう》も御幸《ごかう》なる。故少納言入道信西《こせうなごんにふだうしんぜい》の子息《しそく》、静憲法印《じやうけんほふいん》も御供《おんとも》仕《つかまつ》らる。その夜《よ》の酒宴《しゆえん》に、この由《よし》を仰《おほ》せ合《あ》はせられたりければ、法印《ほふいん》、「あなあさまし。人《ひと》あまた承《うけたまは》り候《さうら》ひぬ。ただいま洩《も》れ聞《き》こえて、天下《てんが》の御大事《おんだいじ》に及《およ》び候《さうら》ひなんず」と申《まう》されければ、大納言《だいなごん》、気色《けしき》変はつて、さつと立《た》たれけるが、御前《ごぜん》に立《た》てられたりける瓶子《へいじ》を、狩衣《かりぎぬ》の袖《そで》にかけて引《ひ》き倒《たふ》されたりけるを、法皇叡覧《ほふわうえいらん》あつて、「あれはいかに」と仰《おほ》せければ、大納言《だいなごん》、立《た》ち帰《かへ》つて、「平氏《へいじ》倒《たふ》れ候《さうら》ひぬ」とぞ申《まう》されける。法皇《ほふわう》もゑつぼに入《い》らせおはしまし、「者《もの》ども、参《まゐ》つて猿楽《さるがく》仕《つかまつ》れ」と仰《おほ》せければ、平判官康頼《へいはんぐわんやすより》つと参《まゐ》つて、「ああ、あまりに平氏《へいじ》の多《おほ》う候《さうら》ふに、もて酔《ゑ》ひて候《さうら》ふ」と申《まう》す。俊寛僧都《しゆんくわんそうづ》、「さてそれをば如何《いかが》仕《つかまつ》るべきやらん」。西光法師《さいくわうほふし》、「ただ、頸《くび》を取《と》るにはしかじ」とて、瓶子《へいじ》の首《くび》を取《と》つてぞ入《い》りにける。法印《ほふいん》あまりのあさましさに、つやつや物《もの》も申《まう》されず。返《かへ》す返《がへ》すも恐《おそ》ろしかりし事《こと》どもなり。

✲平家打倒の秘密会議が、いかに無為無策であったかを暴露している。王朝政界の末期的症状を、一夜の酒宴を通して物語る。政治の現実を言葉の洒落でごまかすようでは、おしまいなのだ。一人冷めているのが静憲である。法皇ばかりか敵の清盛にも信頼されている静憲の言葉だから、真実味がある。ちなみに鹿の谷は、現在の東山区鹿ケ谷に町名として残っている。

鵜川合戦〈うがわかっせん〉

首謀者《しゅぼうしゃ》の一人《ひとり》に西光《さいこう》がいた。わがままで、ずるがしこい人物《じんぶつ》だった。彼《かれ》の子《こ》どもに師高《もろたか》・師経《もろつね》という兄弟《きょうだい》がいた。兄《あに》の師高《もろたか》は加賀《かが》（石川県《いしかわけん》）の国守《こくしゅ》（地方長《ちほうちょう》官《かん》）だったが、悪逆無道《あくぎゃくむどう》の政治《せいじ》で人々《ひとびと》を苦《くる》しめていた。

弟《おとうと》の師経《もろつね》も加賀《かが》の代官《だいかん》として赴任《ふにん》したが、鵜川《うがわ》（小松市《こまつし》）にある山寺《やまでら》で入浴《にゅうよく》中《ちゅう》の僧《そう》たちに乱暴《らんぼう》を働《はたら》いた。両者入《りょうしゃい》り乱《みだ》れての大乱闘《だいらんとう》となり、師経《もろつね》は寺《てら》の僧坊《そうぼう》を残《のこ》らず焼《や》き払《はら》った。救援《きゅうえん》を求《もと》められて、白山神社《はくさんじんじゃ》の僧兵《そうへい》が立《た》ち上《あ》がり、太刀《たち》打《う》ちできないと知《し》った師高《もろたか》・師経兄弟《もろつねきょうだい》は京《きょう》に夜逃《よに》げした。

白山《はくさん》の僧兵団《そうへいだん》は神輿《みこし》をかついで上京《じょうきょう》、本寺《ほんじ》の延暦寺《えんりゃくじ》に兄弟《きょうだい》の非法《ひほう》を訴《うった》え、彼《かれ》らの断罪《だんざい》を求《もと》めた。それを受《う》けた延暦寺《えんりゃくじ》は、師高《もろたか》を流罪《るざい》に、師経《もろつね》を禁獄《きんごく》にするよう法皇《ほうおう》の裁断《さいだん》を仰《あお》いだ。しかし、兄弟《きょうだい》の父西光《ちちさいこう》は後白河法皇《ごしらかわほうおう》の近《きん》臣《しん》である。審議《しんぎ》は長引《ながび》き、周囲《しゅうい》は静観《せいかん》するばかりだった。

〈僧兵〉

願立て〈がんだて〉

賀茂川《かもがわ》の水《みず》・双六《すごろく》の賽《さい》・山法師《やまほうし》（比叡山延暦寺《ひえいざんえんりゃくじ》の僧兵《そうへい》）、この三《みっ》つだけは自分《じぶん》の自由《じゆう》にならないと、独裁君主《どくさいくんしゅ》の白河院《しらかわいん》が嘆《なげ》いたという。それほど神威《しんい》を借《か》りた山法師《やまほうし》の軍事行動《ぐんじこうどう》は脅威《きょうい》を与《あた》えた。

その昔《むかし》、荘園《しょうえん》をめぐって、源氏《げんじ》の武士《ぶし》と対立《たいりつ》した延暦寺《えんりゃくじ》が訴訟《そしょう》を起《お》こした。時《とき》の関白師通《かんぱくもろみち》は訴訟《そしょう》を却下《きゃっか》、これを不服《ふふく》とした僧兵団《そうへいだん》が神輿《みこし》をかついで入京《にゅうきょう》した。

強訴《ごうそ》は武士団《ぶしだん》に撃退《げきたい》されたが、比叡山《ひえいざん》をあげて呪詛《じゅそ》したため、関白《かんぱく》は神罰《しんばつ》を受《う》けて重病《じゅうびょう》に倒《たお》れた。関白《かんぱく》の母《はは》は、大願《たいがん》を立《た》てて、神罰《しんばつ》を逃《のが》れようとしたが、寿命《じゅみょう》を三年《さんねん》しか延《の》ばせなかった。恐《おそ》るべき神罰《しんばつ》の威力《いりょく》だとされた。

御輿振〈みこしぶり〉　＊一一七七

師高兄弟《もろたかきょうだい》の断罪《だんざい》を求《もと》めた訴訟《そしょう》の審議《しんぎ》は、遅々《ちち》として進《すす》まない。一一七七（安元三《あんげんさん》）年四月十三日《ねんしがつじゅうさんにち》、しびれを切《き》らした僧兵団《そうへいだん》は、神輿《みこし》とともに皇居《こうきょ》に乱入《らんにゅう》しようとくわだてた。

皇居《こうきょ》を警備《けいび》する平家《へいけ》は約三千騎《やくさんぜんき》、源氏《げんじ》は約三百騎《やくさんびゃっき》、僧兵団《そうへいだん》は小勢《こぜい》の源氏《げんじ》をねらった。ところが、源三位頼政《げんざんみよりまさ》（摂津源氏《せっつげんじ》）の巧妙《こうみょう》な戦術《せんじゅつ》にはまって、僧兵団《そうへいだん》は矛先《ほこさき》を平家《へいけ》に変更《へんこう》してしまう。平家軍《へいけぐん》と激突《げきとつ》した僧兵団《そうへいだん》は、死傷者続出《ししょうしゃぞくしゅつ》、矢《や》を射立《いた》てられた神輿《みこし》を放置《ほうち》したまま逃走《とうそう》した。

内裏炎上〈だいりえんしょう〉

その夕方《ゆうがた》、神輿《みこし》から矢《や》を引《ひ》き抜《ぬ》いたが、神輿《みこし》に矢《や》が立《た》つのは初《はじ》めてだった。人々《ひとびと》は神罰《しんばつ》を恐《おそ》れてふるえた。

翌日夜半《よくじつやはん》、僧兵下山《そうへいげざん》のうわさが流《なが》れ、天皇《てんのう》をはじめ主《おも》な公家《くげ》たちは、法皇《ほうおう》の御《ご》所《しょ》に避難《ひなん》した。

比叡山《ひえいざん》は全山《ぜんざん》をあげて臨戦態勢《りんせんたいせい》に入《い》り、高僧《こうそう》の説得《せっとく》にも応《おう》じない。宮廷特使《きゅうていとくし》として派遣《はけん》された平大納言時忠《へいだいなごんときただ》（清盛《きよもり》の妻《つま》の弟《おとうと》）の機転《きてん》によって、ようやく集結《しゅうけつ》を解《と》いた。

二十日《はつか》、師高兄弟《もろたかきょうだい》の処分《しょぶん》が決《き》まり、兄《あに》は流刑《るざい》、弟《おとうと》は禁獄《きんごく》となった。神輿《みこし》を射《い》た武士《ぶし》たちも処分《しょぶん》された。

翌月二十八日《よくげつにじゅうはちにち》の深夜《しんや》、京《きょう》の都《みやこ》は大風《おおかぜ》と猛火《もうか》に包《つつ》まれた。皇居《こうきょ》をはじめ、多《おお》くの貴族《きぞく》の大邸宅《だいていたく》が焼《や》け落《お》ちて、首都《しゅと》は壊滅状態《かいめつじょうたい》におちいった。ある人《ひと》の夢《ゆめ》に、比叡《ひえい》山《ざん》から何千《なんぜん》もの大猿《おおざる》が松明《たいまつ》を手《て》に下《お》りてきて、京《きょう》の街《まち》を焼《や》いた。これは神罰《しんばつ》だと語《かた》り伝《つた》えられた。

巻第二

座主流し〈ざすながし〉（一一七七）

一一七七（治承元《じしようがん》）年五月五日《ねんごがついつか》、後白河法皇《ごしらかわほうおう》が西光父子《さいこうふし》の中傷《ちゆうしよう》を信《しん》じて激怒《げきど》したので、叡山《えいざん》の座主《ざす》（管長職《かんちようしよく》）明雲《めいうん》は辞職《じしよく》した。それでも法皇《ほうおう》の怒《いか》りは解《と》けず、ついに明雲《めいうん》は伊豆《いず》（静岡県《しずおかけん》）に流《なが》された。

比叡山《ひえいざん》の僧《そう》たちは憤激《ふんげき》し、西光父子《さいこうふし》を呪詛《じゆそ》した。さらに、明雲《めいうん》を奪還《だつかん》するため、いっせいに山《やま》を下《お》りた。彼《かれ》らの剣幕《けんまく》に驚《おどろ》いて護送《ごそう》の役人《やくにん》たちが逃走《とうそう》したので、ためらう明雲《めいうん》を強引《ごういん》に説《と》き伏《ふ》せて、比叡山《ひえいざん》に連《つ》れ帰《かえ》った。

一行阿闍梨〈いちぎょうあじゃり〉

奪還《だっかん》された明雲《めいうん》は、東塔《とうとう》の南谷《みなみだに》にかくまわれた。明雲《めいうん》のように、神仏《しんぶつ》の生《う》まれ変《か》わりとされる人《ひと》でも、一時《いちじ》の災難《さいなん》に遭《あ》うものだ。その先例《せんれい》として、昔《むかし》、唐《とう》の高《こう》僧一行阿闍梨《そういちぎょうあじゃり》が、楊貴妃《ようきひ》との仲《なか》を玄宗皇帝《げんそうこうてい》に疑《うたが》われて流《なが》されたことがあった。

西光が斬られ〈さいこうがきられ〉

明雲奪還《めいうんだつかん》の騒動《そうどう》で、比叡山攻略《ひえいざんこうりゃく》のうわさも流《なが》れたが、結局《けっきょく》、事件《じけん》は立《た》ち消《ぎ》えになった。

五月二十九日《ごがつにじゅうくにち》深夜《しんや》、平家打倒《へいけだとう》の計画《けいかく》に不安《ふあん》を抱《いだ》いた多田蔵人行綱《ただのくらんどゆきつな》は、保身《ほしん》をはかって、清盛《きよもり》に一部始終《いちぶしじゅう》を密告《みっこく》した。

驚《おどろ》いた清盛《きよもり》はただちに軍兵《ぐんぴょう》を召集《しょうしゅう》し、成親《なりちか》・西光《さいこう》らは逮捕《たいほ》された。成親《なりちか》は監禁《かんきん》され、西光《さいこう》は、激怒《げきど》する清盛《きよもり》を逆《ぎゃく》に罵倒《ばとう》したので、過酷《かこく》な拷問《ごうもん》のすえ惨殺《ざんさつ》された。子《こ》の師高《もろたか》・師経《もろつね》兄弟《きょうだい》も斬首《ざんしゅ》された。

小教訓〈こぎょうくん〉

清盛邸《きよもりてい》に監禁《かんきん》された成親《なりちか》は、清盛《きよもり》の厳《きび》しい尋問《じんもん》にしらをきったが、西光《さいこう》の自白《じはく》書《しょ》を顔《かお》にたたきつけられた。

そこへ訪《おとず》れた重盛《しげもり》が、古今《ここん》の例《れい》をあげて清盛《きよもり》を説得《せっとく》したために、成親《なりちか》はあやうく死《し》をまぬがれた。重盛夫人《しげもりふじん》は成親《なりちか》の妹《いもうと》であった。

成親夫人《なりちかふじん》は、子《こ》どもたちとともに雲林院《うりんいん》付近《ふきん》に身《み》を隠《かく》した。

章段名《しょうだんめい》「小教訓《こぎょうくん》」は、重盛《しげもり》が父清盛《ちちきよもり》の軽挙《けいきょ》をいましめる言動《げんどう》をさし、後出《こうしゅつ》の「教訓状《きょうくんじょう》」に対応《たいおう》する。

少将乞ひ請け〈しょうしょうこいうけ〉

成親《なりちか》の子《こ》、丹波《たんばのしょうしょうなりつね》少将　成経は、妻《つま》の父《ちち》とともに清盛邸《きよもりてい》に召喚《しょうかん》された。妻《つま》の父《ちち》は清盛《きよもり》の弟《おとうとのりもり》　教盛である。

清盛《きよもり》は不快《ふかい》のあまり教盛《のりもり》と対面《たいめん》もしなかったが、教盛《のりもり》の懇願《こんがん》によって、成経《なりつね》は身柄《みがら》を教盛《のりもり》に預《あず》けられることになった。

章段名《しょうだんめい》「少将乞《しょうしょうこ》ひ請《う》け」は、少将成経《しょうしょうなりつね》の身柄《みがら》を清盛《きよもり》に乞《こ》い、引《ひ》き請《う》ける意《い》。

教訓〈きょうくん〉

腹《はら》の虫《むし》のおさまらない清盛《きよもり》は、武装《ぶそう》して一門《いちもん》を非常呼集《ひじょうこしゅう》し、法皇《ほうおう》を軟禁《なんきん》しようと決意《けつい》した。法皇《ほうおう》が謀反《むほん》の計画《けいかく》の陰《かげ》で糸《いと》を引《ひ》いていると見抜《みぬ》いたからである。事態《じたい》を重《おも》くみた重盛《しげもり》は、車《くるま》を飛《と》ばして清盛邸《きよもりてい》に駆《か》けつけ、こんこんと父《ちち》を教訓《きょうくん》した。日本《にっぽん》は神国《しんこく》であり、法皇《ほうおう》を捕《と》らえることは神意《しんい》に背《そむ》くことになる、と。

◈父清盛《ちちきよもり》の横暴《おうぼう》をいさめる重盛《しげもり》の政治観《せいじかん》

日本《にっぽん》は神国《しんこく》です。神《かみ》は非礼《ひれい》を受《う》け入《い》れません。ですから、法皇《ほうおう》の思《おも》い立《た》たれたことも、半分《はんぶん》くらいは道理《どうり》に合《あ》っているのです。とくに、わが平家《へいけ》一門《いちもん》は、代々《だいだい》の朝敵《ちょうてき》を征伐《せいばつ》して、天下《てんか》の争乱《そうらん》を静《しず》めたのは、無上《むじょう》の忠義《ちゅうぎ》ですが、その褒美《ほうび》をもらって自慢《じまん》するのは、うぬぼれが過《す》ぎるというものです。

聖徳太子《しょうとくたいし》の十七箇条《じゅうしちかじょう》の憲法《けんぽう》に、

「人間《にんげん》はみな心《こころ》を持《も》っている。人間《にんげん》の心《こころ》は、ものごとにとらわれる性質《せいしつ》がある。あちらが正《ただ》しければ、こちらは誤《あやま》っている、こちらが正《ただ》しければ、あちらは誤《あやま》っている、と、決《き》めつけてしまうが、正《ただ》しいか誤《あやま》っているか、その判断《はんだん》の絶対基準《ぜったいきじゅん》は人間《にんげん》が定《さだ》めることはできない。お互《たが》いに賢《かしこ》くもあれば、愚《おろ》かでもある。賢《けん》と愚《ぐ》とは一《ひと》つの環《わ》のようにつながっていて、両者《りょうしゃ》が分《わ》かれる端《はし》というものはない。だから、たとえ相手《あいて》が怒《おこ》っても、相手《あいて》が悪《わる》いと決《き》めつけず、自分《じぶん》のほうに間違《まちが》いがないか反省《はんせい》すべきだ」とあります。

それにしても、今回《こんかい》の事件《じけん》に関《かん》しては、父上《ちちうえ》の運命《うんめい》がまだ尽《つ》きないからこそ、法皇《ほうおう》の謀反《むほん》が露見《ろけん》したのです。しかも、共謀者《きょうぼうしゃ》の成親卿《なりちかきょう》を逮捕《たいほ》してある以上《いじょう》、法皇《ほうおう》がどんな奇策《きさく》を用《もち》いようとも、何《なに》も恐《おそ》れることはありません。

謀反人《むほんにん》どもをそれ相応《そうおう》に処罰《しょばつ》したならば、引《ひ》き下《さ》がってこちらの事情《じじょう》を納得《なっとく》してもらい、法皇《ほうおう》にはますます忠義《ちゅうぎ》を尽《つ》くし、民《たみ》のためにいよいよ思《おも》いやりを持《も》つようにすれば、神《かみ》の加護《かご》があり、仏《ほとけ》の思《おぼ》し召《め》しにかないます。神仏《しんぶつ》が父上《ちちうえ》を受《う》け入《い》れるならば、法皇《ほうおう》もきっと反省《はんせい》するでしょう。

君《きみ》と臣《しん》との関係《かんけい》は、親《した》しいか疎《うと》いかで決《き》めるものではありません。臣《しん》は君《きみ》につくものと決《き》まっています。道理《どうり》と非道《ひどう》と比《くら》べれば、道理《どうり》を選《えら》ぶのは当然《とうぜん》なのです。

❖それ日本《にっぽん》は神国《しんこく》なり。神《かみ》は非礼《ひれい》を受《う》け給《たま》ふべからず。しかれば君《きみ》の思《おぼ》し召《め》し立《た》たせ給《たま》ふ所《ところ》、道理《だうり》半《なか》ばなきにあらず。中《なか》にも、この一門《いちもん》は、代々《だいだい》の朝敵《てうてき》を平《たひ》らげて、四海《しかい》の逆浪《げきらう》を静《しづ》むる事《こと》は無双《ぶさう》の忠《ちゆう》なれども、その賞《しやう》に誇《ほこ》る事《こと》は、傍若無人《ばうじやくぶじん》とも申《まう》しつべし。聖徳太子《しやうとくたいし》十七箇条《じふしちかでう》の御憲法《ごけんぽふ》に、人皆心《ひとみなこころ》あり、心各執《こころおのおのしゆ》あり、彼《かれ》を是《ぜ》し我《われ》を非《ひ》し、我《われ》を是《ぜ》し彼《かれ》を非《ひ》す、是非《ぜひ》の理《ことわり》誰《たれ》かよく定《さだ》むべき、相共《あひとも》に賢愚《けんぐ》なり、環《たまき》の如《ごと》くにして端《はし》なし、ここを以《もつ》てたとひ人怒《ひといか》るといふとも、却《かへ》つて我《わ》が咎《とが》を懼《おそ》れよとこ御謀反《ごむほん》既に顕《あらは》れそ見《み》えて候《さうら》へ。しかれども、当家《たうけ》の運命《うんめい》いまだ尽《つ》きざるによつて、御謀反既に顕れさせ給《たま》ひ候《さうら》ひぬ。その上《うへ》、仰《おほ》せ合《あ》はせらるる成親《なりちか》の卿《きやう》を、召《め》し置《お》かれぬる上《うへ》は、たとひ君《きみ》、いかなる不思議《ふしぎ》を思《おぼ》し召《め》し立《た》たせ給《たま》ふとも、何《なん》の恐《おそ》れか候《さうら》ふべき。所当《しよたう》の罪科行《ざいくわおこな》はれぬる上《うへ》は、退《しりぞ》いて事《こと》の由《よし》を陳《ちん》じ申《まう》させ給《たま》ひて、君《きみ》の御為《おんため》にはいよいよ奉《ほう》公《こう》の忠勤《ちゆうきん》を尽《つ》くし、民《たみ》の為《ため》にはますます撫育《ぶいく》の哀憐《あいれん》を致《いた》させ給《たま》はば、神明《しんめい》の加護《かご》に与《あづ》かつて、仏陀《ぶつだ》の冥慮《みやうりよ》に背《そむ》くべからず。神明仏陀《じんめいぶつだ》感応《かんおう》あらば、君《きみ》も思《おぼ》し召《め》しなほす事《こと》、などか候《さうら》はざるべき。君《きみ》と臣《しん》とを比《くら》ぶるに、親疎《しんそ》別《わ》く方《かた》なし。道理《だうり》と僻事《ひがごと》を並《なら》べんに、いかでか道理《だうり》につかざるべき。

✿重盛の神国観は柔軟で包容力に富む。法皇が平家打倒計画の黒幕になることができたという事実は、神が法皇の行動を許容したからだとする。なぜなら法皇は神の子孫だからだ。従って、法皇を非難するよりは、清盛の反省を神が求めた事件だと、解釈を逆転させた。十七条憲法を引用して、賢・愚に絶対の境界はなく、評価する立場によって相対的に変化するという考え方も、現実的かつ合理的である。総じて、平家政治に欠けている成熟した柔軟な知性を、重盛像は体現している。

烽火〈ほうか〉

重盛《しげもり》はなおも言葉《ことば》を続《つづ》けた。もし父清盛《ちちきよもり》が武力行使《ぶりよくこうし》すれば、自分《じぶん》は、君《きみ》である法皇《ほうおう》を守護《しゅご》するつもりである。法皇《ほうおう》に忠《ちゅう》を尽《つ》くすか、父《ちち》に孝《こう》を尽《つ》くすか、板挟《いたばさ》みになった苦悩《くのう》を述《の》べて、自分《じぶん》の首《くび》をはねてくれと訴《うった》えた。

さすがの清盛《きよもり》も折《お》れた。重盛《しげもり》が帰宅《きたく》して、武士《ぶし》を召集《しょうしゅう》すると、清盛配下《きよもりはいか》の武士《ぶし》までもみな駆《か》けつけた。重盛《しげもり》は、敵襲《てきしゅう》もないのに何度《なんど》も烽火《のろし》をあげたために、真《しん》の敵襲《てきしゅう》に烽火《のろし》をあげても兵《へい》が集《あつ》まらず、ついに国《くに》が滅《ほろ》んだという中国《ちゅうごく》の故事《こじ》を語《かた》り聞《き》かせたのち、集結《しゅうけつ》した武士団《ぶしだん》を解散《かいさん》させた。重盛《しげもり》は、故事《こじ》を通《とお》して、武士団《ぶしだん》に自分《じぶん》への忠誠《ちゅうせい》を求《もと》めたのだった。

新大納言の流され〈しんだいなごんのながされ〉

六月二日《ろくがつふつか》、新大納言成親《しんだいなごんなりちか》は重盛《しげもり》の尽力《じんりょく》により、死罪《しざい》をまぬがれ、備前《びぜん》（岡山県《おかやまけん》）の児島《こじま》に流《なが》された。流罪《るざい》は清盛《きよもり》の独断《どくだん》であり、法皇《ほうおう》の意志《いし》ではないと叫《さけ》んだが、何《なん》のかいもなかった。

阿古屋の松〈あこやのまつ〉

処分《しょぶん》はついに子《こ》の成経《なりつね》にも及《およ》んだ。成経《なりつね》は清盛《きよもり》に召喚《しょうかん》されて、備中《びっちゅう》（岡山県《おかやまけん》）の瀬尾《せのお》に流《なが》された。

成経《なりつね》は、備前《びぜん》・備中《びっちゅう》の国境《こっきょう》、有木《ありき》に移《うつ》されている父《ちち》の成親《なりちか》を慕《した》い、距離《きょり》を尋《たず》ねると、警護《けいご》の者《もの》は、六キロ足《た》らずの道《みち》のりを片道十二《かたみちじゅうに》、三日《さんにち》はかかるとうそをつく。そこで、昔《むかし》、流《なが》された藤原実方《ふじわらのさねかた》が阿古屋《あこや》の松《まつ》（山形市《やまがたし》）を尋《たず》ねた時《とき》、陸奥《みちのく》・出羽《でわ》がもと一国《いっこく》だったことを注意《ちゅうい》された話《はなし》を思《おも》い出《だ》し、備前《びぜん》・備中《びっちゅう》ももとは一国《いっこく》だから、父《ちち》の居所《いどころ》は近《ちか》いはずだと気《き》づいたが、疑問《ぎもん》をただすことはしなかった。

新大納言の死去〈しんだいなごんのしきょ〉

その後《ご》、成経《なりつね》は俊寛《しゅんかん》・康頼《やすより》とともに鬼界《きかい》が島《しま》（硫黄島《いおうじま》。鹿児島県《かごしまけん》）に流《なが》された。

一方《いっぽう》、新大納言成親《しんだいなごんなりちか》は息子《むすこ》成経《なりつね》の流罪《るざい》を聞《き》き、絶望《ぜつぼう》のあまり出家《しゅっけ》した。忠義《ちゅうぎ》な旧臣《きゅうしん》が、はるばる成親《なりちか》のもとを訪《おとず》れ、都《みやこ》に隠《かく》れ住《す》む夫人《ふじん》の手紙《てがみ》を届《とど》けた。その後《ご》まもなく、成親《なりちか》は残酷《ざんこく》な方法《ほうほう》で殺害《さつがい》された。夫《おっと》の訃報《ふほう》を聞《き》いて夫人《ふじん》も出家《しゅっけ》したが、夫人《ふじん》はもと後白河法皇《ごしらかわほうおう》の愛人《あいじん》で非常《ひじょう》な美人《びじん》だった。

徳大寺厳島詣で〈とくだいじいつくしまもうで〉

大納言《だいなごん》徳大寺《とくだいじ》実定《さねさだ》も、宗盛《むねもり》に大将《たいしょう》の地位《ちい》を奪《うば》われて失望《しつぼう》していたが、家臣《かしん》の策《さく》略《りゃく》に従《したが》って、清盛《きよもり》の信仰《しんこう》する厳島神社《いつくしまじんじゃ》（広島県《ひろしまけん》）に参詣《さんけい》した。これを知《し》った清盛《きよもり》は大《おお》いに感激《かんげき》し、重盛《しげもり》の兼職《けんしょく》を解《と》いて、実定《さねさだ》を左大将《さだいしょう》に任命《にんめい》した。

山門滅亡〈さんもんめつぼう〉

法皇《ほうおう》は、三井寺《みいでら》（園城寺《おんじょうじ》）で灌頂《かんじょう》（秘法伝授《ひほうでんじゅ》）の儀式《ぎしき》を行《おこな》おうとしたが、比叡《ひえい》山《ざん》の反対《はんたい》に遭《あ》ったので、天王寺《てんのうじ》（大阪市《おおさかし》）で執行《しっこう》した。

このころ、比叡山《ひえいざん》では僧兵《そうへい》と学僧《がくそう》との対立《たいりつ》が激化《げきか》し、山門滅亡《さんもんめつぼう》の危機《きき》が生《しょう》じていた。法皇《ほうおう》の命令《めいれい》で、清盛《きよもり》が僧兵鎮圧《そうへいちんあつ》のため兵《へい》を派遣《はけん》したが、失敗《しっぱい》に終《お》わった。

その後《ご》、山門《さんもん》はますます荒廃《こうはい》していった。

善光寺炎上〈ぜんこうじえんしょう〉

同《おな》じころ、善光寺《ぜんこうじ》（長野市《ながのし》）が焼失《しょうしつ》した。寺《てら》の本尊《ほんぞん》はインドから百済《くだら》（古代朝鮮《こだいちょうせん》）を経《へ》て伝来《でんらい》した霊像《れいぞう》である。こうしたりっぱな寺院《じいん》が滅《ほろ》びるのは、平家滅亡《へいけめつぼう》の予兆《よちょう》とうわさされた。

康頼祝言〈やすよりのっと〉

さて、鬼界《きかい》が島《しま》に流《なが》された三人《さんにん》は、教盛《のりもり》（成経《なりつね》の舅《しゅうと》。清盛《きよもり》弟《おとうと》）の領地《りょうち》から衣食《いしょく》を送《おく》られて、露命《ろめい》をつないでいた。

康頼《やすより》と成経《なりつね》は熊野《くまの》信仰《しんこう》が篤《あつ》く、島《しま》に熊野権現《くまのごんげん》を勧請《かんじょう》して帰京《ききょう》を祈《いの》ったが、不信《ふしん》心《じん》の俊寛《しゅんかん》は加《くわ》わらなかった。なかでも康頼《やすより》は、参詣《さんけい》のたびに神《かみ》に祈願《きがん》する祝言《のりと》を読《よ》んで、速《すみ》やかな帰京《ききょう》を願《ねが》った。

卒塔婆流し〈そとばながし〉

康頼《やすより》・成経《なりつね》は、熱心《ねっしん》に祈願《きがん》を続《つづ》け、時《とき》には通夜《つや》をすることもあった。そんな折《おり》、竜神《りゅうじん》の化《け》身《しん》した女房《にょうぼう》が歌舞《かぶ》する夢《ゆめ》や、熊野《くまの》の神木梛《しんぼくなぎ》の葉《は》に帰京《ききょう》がかなう歌《うた》が虫食《むしく》いで現《あらわ》れる夢《ゆめ》を見《み》て、祈願成就《きがんじょうじゅ》の吉兆《きっちょう》と喜《よろこ》んだ。

さらに康頼《やすより》は千本《せんぼん》の卒塔婆《そとば》を作《つく》り、名前《なまえ》と歌《うた》などを書《か》きつけて海《うみ》に流《なが》した。そのなかの一本《いっぽん》が厳島神社《いつくしまじんじゃ》の渚《なぎさ》に漂着《ひょうちゃく》して、知人《ちじん》の僧《そう》に拾《ひろ》われ、都《みやこ》の妻子《さいし》のもとに届《とど》けられた。

やがて、それは法皇《ほうおう》の手《て》から重盛《しげもり》に伝《つた》えられ、清盛《きよもり》の目《め》にとまることになった。

蘇武〈そぶ〉

康頼《やすより》の卒塔婆《そとば》を見《み》て、さすがの清盛《きよもり》も憐憫《れんびん》の情《じょう》をもよおした。そのおかげで、康頼《やすより》の歌《うた》は都《みやこ》の流行歌《りゅうこうか》となって愛唱《あいしょう》された。

このように、激《はげ》しい望郷《ぼうきょう》の思《おも》いが故郷《こきょう》に届《とど》いた例《れい》として、異民族《いみんぞく》に囚《とら》われた漢《かん》の将軍蘇武《しょうぐんそぶ》が、手紙《てがみ》を雁《かり》に託《たく》して故郷《こきょう》に送《おく》り、ついに救出《きゅうしゅつ》されたという故事《こじ》がある。康頼《やすより》の場合《ばあい》も、その心《こころ》は同《おな》じであった。

★「無常」と「あわれ」――『平家物語』の鍵語《キーワード》

「無常」とは、流動変化することの意で、人の世のはかなさを指す。『平家物語』は、人間世界を無常とみなす無常観で貫かれている。「無常」は『平家物語』の扉を開ける鍵語だ。しかし、ほんらい仏教用語の「無常」は、『平家物語』の文学としての魅力を説明するには硬すぎる。『平家物語』に登場する回数も十回以下である。一方、『源氏物語』など王朝文学の鍵語である「あわれ」は、百回以上も使用されている。『平家物語』が王朝文学の伝統を受け継いでいるからだ。王朝文学の「あわれ」は、心に深くしみる情緒を指していた。それが、今日のように悲哀の感情を表すようになったのは、『平家物語』の感化による。「無常」と「あわれ」と――この二語のかなたには、春の嵐《あらし》に散る桜花がある。まさしく日本人の感性のふるさとは『平家物語』にあるといえよう。

巻第三

赦文〈ゆるしぶみ〉　一一七八

一一七八（治承二《じしように》）年正月《ねんしようがつ》を迎《むか》え、法皇《ほうおう》と清盛《きよもり》とは、平穏《へいおん》をよそおいながら、たがいに警戒心《けいかいしん》をゆるめなかった。

七日《なのか》、乱世《らんせ》の凶兆《きようちよう》といわれる彗星《すいせい》が現《あらわ》れた。

そのころ、中宮《ちゆうぐう》（皇后《こうごう》）徳子《とくこ》（清盛《きよもり》の娘《むすめ》）が懐妊《かいにん》した。高倉天皇十八歳《たかくらてんのうじゆうはつさい》。中宮《ちゆうぐう》二十二歳《にじゆうにさい》。物《もの》の怪《け》が中宮《ちゆうぐう》にとりついて悩《なや》ませるので、怨霊退散《おんりようたいさん》の祈禱《きとう》が行《おこな》われたが、祈禱以上《きとういじよう》に効果《こうか》があるという重盛《しげもり》・教盛《のりもり》の進言《しんげん》を入《い》れて、清盛《きよもり》は有罪者全員《ゆうざいしやぜんいん》を赦免《しゃめん》する非常赦《ひじょうしゃ》を行《おこな》うことにした。清盛《きよもり》は成経《なりつね》・康頼《やすより》を赦免《しゃめん》することにし、俊寛《しゅんかん》は除外《じょがい》した。九月二十日《くがつはつか》ごろ、使者《ししゃ》が鬼界《きかい》が島《しま》に到着《とうちゃく》した。

足摺り〈あしずり〉

さて、三人《さんにん》は赦免状《しゃめんじょう》を見《み》たが、どこを探《さが》しても俊寛《しゅんかん》の名《な》はない。使者《ししゃ》も成経《なりつね》・康頼《やすより》も、慰《なぐさ》めの言葉《ことば》をかけるしかなかった。今《いま》や、半狂乱《はんきょうらん》になって地面《じめん》を踏《ふ》みつける俊寛《しゅんかん》を残《のこ》して、船《ふね》は静《しず》かに去《さ》って行《い》った。

◆孤島《ことう》に独《ひと》り残《のこ》され半狂乱《はんきょうらん》になった俊寛《しゅんかん》

さて、船《ふね》を出そうとすると、俊寛《しゅんかん》は船《ふね》に乗《の》ったり下《お》りたりして、連《つ》れていって欲《ほ》しそうにした。形見《かたみ》として、成経《なりつね》は夜具《やぐ》を、康頼《やすより》は『法華経《ほけきょう》』一部《いちぶ》を俊寛《しゅんかん》に残《のこ》した。

綱《つな》を解《と》いて船《ふね》を押《お》し出《だ》すと、俊寛《しゅんかん》は綱《つな》にしがみついて、海水《かいすい》が腰《こし》から脇《わき》の下《した》へ、さらに背丈《せたけ》に来《く》るまで、船《ふね》に引《ひ》かれていった。背《せ》が立《た》たなくなると、船《ふね》にとりついて、「もう、ねえ、あんたがたは、結局《けっきょく》、この俊寛《しゅんかん》を見《み》捨《す》てなさるんですか。こんな薄情《はくじょう》とは知《し》らなかった。なんて友《とも》だちがいのない。頼《たの》むから乗《の》せてってくれよ。せめて九州《きゅうしゅう》まででも」と懇願《こんがん》したが、都《みやこ》の使者《ししゃ》は、「どうにもなりませんな」と言《い》って、とりついた手《て》を引《ひ》き離《はな》して、船出《ふなで》して行《い》った。

俊寛《しゅんかん》は、どうしようもなく、渚《なぎさ》に上《あ》がって倒《たお》れ伏《ふ》し、幼《おさな》い子《こ》が乳母《めのと》や母《はは》親《おや》を求《もと》めるときのように足《あし》をばたつかせて、「おれを乗《の》せろ。連《つ》れて行《い》け」とわめき叫《さけ》んだが、船《ふね》が出《で》て行《い》った後《あと》は、いつものように白波《しらなみ》が残《のこ》るだけだった。

まだ船《ふね》は遠《とお》くまで行《い》っていないが、涙《なみだ》で曇《くも》りよく見《み》えないので、丘《おか》に上《あ》がって、沖《おき》に向《む》かって手招《てまね》きした。昔《むかし》、あの松浦佐用姫《まつらさよひめ》が、夫《おっと》の乗《の》った唐《から》船《ふね》に別《わか》れを惜《お》しんで、ひれ（スカーフ）を振《ふ》ったときのつらさも、この俊《しゅん》寛《かん》には及《およ》ばないだろう。

船《ふね》も見《み》えなくなり、日《ひ》も暮《く》れたが、小屋《こや》に戻《もど》らず、波《なみ》が足《あし》を洗《あら》うのにまかせ、夜露《よつゆ》に濡《ぬ》れながら、しょんぼりと、そのままそこで一夜《いちや》を明《あ》かした。いくらなんでも成経《なりつね》は人情家《にんじょうか》だから、赦免《しゃめん》してくれるように話《はなし》をつけてくれるだろう、と期待《きたい》して、入水自殺《じゅすいじさつ》することもなかった俊寛《しゅんかん》の希望《きぼう》は、なんともむなしいものだった。

❖さるほどに、船出《ふねい》ださんとしければ、僧都《そうづ》、船《ふね》に乗《の》つては降《お》りつ、降《お》りては乗《の》りつつ、あらまし事《ごと》をぞし給《たま》ひける。少将《せうしやう》の形見《かたみ》には夜《よる》の衾《ふすま》、康頼入道《やすよりにふだう》が形見《かたみ》には、一部《いちぶ》の法華経《ほけきやう》をぞ留《とど》めける。すでに纜《ともづな》解《と》いて船押《ふねお》し出《い》だせば、僧都《そうづ》綱《つな》に取《と》り付《つ》き、腰《こし》になり、脇《わき》になり、長《たけ》の立《た》つまでは引《ひ》かれて出《い》づ。長《たけ》も及《およ》ばずなりければ、僧都《そうづ》、船《ふね》に取《と》り付《つ》き、「さていかに、おのおの。俊寛《しゆんくわん》をばつひに捨《す》てはて給《たま》ふか。日《ひ》ごろの情《なさ》けも今《いま》は何《なに》ならず。許《ゆる》されなければ、都《みやこ》までこそ叶《かな》はずとも、せめては、この船《ふね》に乗《の》せて九国《くこく》の地《ち》まで」と、くどかれけれども、都《みやこ》の御使《おんつかひ》、「いかにも叶《かな》ひ候《さうら》ふまじ」とて、取《と》り付《つ》き給《たま》ひつる手《て》を引《ひ》き除《の》けて、船《ふね》をばつひに漕《こ》ぎ出《い》だす。僧都《そうづ》せん方《かた》なさに、渚《なぎさ》に上《あ》がり倒《たふ》れ伏《ふ》し、幼《をさな》き者《もの》の乳母《めのと》や母《はは》などを慕《した》ふやうに、足摺《あしず》りをして、「これ、乗《の》せて行《ゆ》け。具《ぐ》して行《ゆ》け」と宣《のたま》ひて、喚《をめ》き叫《さけ》び給《たま》へども、漕《こ》ぎゆく船《ふね》の習《なら》ひにて、跡《あと》は白波《しらなみ》ばかりなり。いまだ遠《とほ》からぬ船《ふね》なれども、涙《なみだ》にくれて見《み》えざりければ、僧都《そうづ》、高《たか》き所《ところ》に走《はし》り上《あ》がり、沖《おき》の方《かた》をぞ招《まね》きける。かの松浦小夜姫《まつらさよひめ》が、唐船《もろこしぶね》を慕《した》ひつつ領巾《ひれ》振《ふ》りけんも、これには過《す》ぎじとぞ見《み》えし。

さるほどに、船《ふね》も漕《こ》ぎ隠《かく》れ、日《ひ》も暮《く》るれども、僧都《そうづ》あやしの臥所《ふしど》へも帰《かへ》らず、波《なみ》に足《あし》うち洗《あら》はせ、露《つゆ》に萎《しを》れて、その夜《よ》はそこにて明《あ》かしける。さりとも、少将《せうしやう》は情《なさ》け深《ふか》き人《ひと》なれば、よきやうに申《まう》す事《こと》もやと頼《たの》みをかけて、その瀬《せ》に身《み》をも投《な》げざりし心《こころ》の中《なか》こそはかなけれ。

✤僧都は第二位の僧官で、俊寛は大寺の事務局長といった地位にあった。貴族出身の彼は、祖父譲りの短気・傲慢《ごうまん》な性格だった。しかし、赦免を認めなかった清盛の言では、自分の世話になっておきながら、平家打倒の謀議に山荘をまで提供したのが許せなかった。清盛にしてみれば、飼い犬に手をかまれた気分だったのだ。

仏道に関《かか》わる人間とも思えない醜態を演じているが、我欲丸出しのこの場面は、心情劇として能「俊寛」（鬼界島《きかいがしま》）に結晶する。

御産の巻〈ごさんのまき〉

成経《なりつね》・康頼《やすより》は肥前《ひぜん》の国《くに》（佐賀県《さがけん》）に到着《とうちゃく》、当地《とうち》で年内《ねんない》を過《す》ごした。十一月十二日《じゅういちがつじゅうににち》、京中《きょうじゅう》が大騒《おおさわ》ぎとなり、法皇自《ほうおうじ》身《しん》が祈禱《きとう》するなかで、中宮《ちゅうぐう》は無事《ぶじ》出産《しゅつさん》、皇子《おうじ》（安徳天皇《あんとくてんのう》）が誕生《たんじょう》した。わが娘《むすめ》が未来《みらい》の天子《てんし》を生《う》んだことに、感極《かんきわ》まった清盛《きよもり》はうれし泣《な》きした。

公卿揃へ〈くぎょうぞろえ〉

今度《こんど》の御産《ごさん》には、異例《いれい》なことが多《おお》かった。法皇《ほうおう》が修験道《しゅげんどう》の祈禱《きとう》をしたこと、后《きさき》の御産《ごさん》に行《おこな》う甑《こしき》（瓦製《かわらせい》の蒸《む》し器《き》）落《お》としの間違《まちが》い、陰陽師《おんようじ》の醜態《しゅうたい》など、後日《ごじつ》になって凶兆《きょうちょう》と思《おも》い当《あ》たるような変事《へんじ》があった。

清盛邸《きよもりてい》には、三十三人《さんじゅうさんにん》もの公卿《くぎょう》（政府《せいふ》高官《こうかん》）が祝《いわ》いにつめかけた。

章段名《しょうだんめい》の「揃《そろ》へ」は、三十三人《さんじゅうさんにん》の人名《じんめい》を並《なら》べたてて語《かた》るところから付《つ》けられた。他《ほか》に「源氏揃《げんじぞろ》へ」「大衆揃《だいしゅぞろ》へ」（巻四《まきし》）、「朝敵揃《ちょうてきぞろ》へ」（巻五《まきご》）、「三草勢揃《みくさせいぞろ》へ」（巻九《まききゅう》）がある。

大塔建立〈だいとうこんりゅう〉

皇子《おうじ》誕生《たんじょう》により念願《ねんがん》の外祖父《がいそふ》になれたのは、厳島信仰《いつくしましんこう》のおかげであった。清盛《きよもり》は夫婦《ふうふ》で厳《いつ》島神社《しまじんじゃ》（広島県《ひろしまけん》）に月詣《つきもう》でしていた。

清盛《きよもり》が安芸守《あきのかみ》の時《とき》、高野山《こうやさん》の根本大塔《こんぽんだいとう》を修《しゅう》理《り》したが、弘法大師《こうぼうだいし》の幻《まぼろし》から厳島《いつくしま》の修理《しゅうり》を依《い》頼《らい》された。厳島《いつくしま》の修理後《しゅうりご》、夢《ゆめ》に天童《てんどう》が現《あらわ》れ、小長刀《こなぎなた》を授《さず》かった。さらに、大明神《だいみょうじん》からの託《たく》宣《せん》で栄華《えいが》を約束《やくそく》されたが、悪行《あくぎょう》があれば子孫《しそん》

〈厳島神社…境内より大鳥居を臨む〉

までは及《およ》ばない、と戒《いまし》められた。

頼豪〈らいごう〉

かつて白河天皇《しらかわてんのう》は、三井寺《みいでら》の頼豪阿闍梨《らいごうあじゃり》に、念願成就《ねんがんじょうじゅ》すればどんな要求《ようきゅう》もかなえると約束《やくそく》して、皇子《おうじ》誕生《たんじょう》の祈禱《きとう》を命《めい》じた。やがて、祈禱《きとう》のかいあって、皇子《おうじ》が誕生《たんじょう》したものの、頼豪《らいごう》の戒壇建立《かいだんこんりゅう》の要求《ようきゅう》は、比叡山《ひえいざん》の反対《はんたい》を恐《おそ》れて許可《きょか》されなかった。絶望《ぜつぼう》した頼豪《らいごう》は食《しょく》を絶《た》って憤死《ふんし》し、怨霊《おんりょう》となって皇子《おうじ》をとり殺《ころ》した。

その後《ご》、比叡山《ひえいざん》の座主《ざす》の祈禱《きとう》により再《ふたた》び皇子《おうじ》（堀河天皇《ほりかわてんのう》）が誕生《たんじょう》したが、そうした怨霊《おんりょう》のすさまじい破壊力《はかいりょく》を思《おも》うと、今回《こんかい》のお産《さん》の大赦《たいしゃ》に俊寛《しゅんかん》だけが赦免《しゃめん》されなかったのは無気味《ぶきみ》である。

十二月八日《じゅうにがつようか》、皇子《おうじ》は東宮《とうぐう》（皇太子《こうたいし》）となった。

少将都還り〈しょうしょうみやこがえり〉　一一七九

一一七九（治承三《じしょうさん》）年正月下旬《ねんしょうがつげじゅん》、肥前《ひぜん》を発《た》った少将《しょうしょう》成経《なりつね》は、備前《びぜん》の父《ちち》の墓所《ぼしょ》に詣《もう》で、三月十六日《さんがつじゆうろくにち》、鳥羽《とば》（京都市《きようとし》）に父《ちち》の山荘《さんそう》を訪《たず》ねた後《のち》に帰京《ききよう》し、舅《しゆうと》の教盛《のりもり》邸《てい》で肉親《にくしん》や従者《じゆうしや》と喜《よろこ》びの再会《さいかい》を果《は》たした。

その後《のち》、再《ふたた》び法皇《ほうおう》に仕《つか》え、宰相《さいしよう》の中将《ちゆうじよう》に昇進《しようしん》した。康頼《やすより》も東山双林寺《ひがしやまそうりんじ》の山荘《さんそう》に落《お》ち着《つ》いて、説話集《せつわしゆう》『宝物集《ほうぶつしゆう》』を執筆《しつぴつ》した。

有王《ありおう》が島下《しまくだ》り〈ありおうがしまくだり〉

俊寛僧都《しゆんかんそうず》に仕《つか》えた有王《ありおう》は、僧都《そうず》だけが帰京《ききよう》しないのを嘆《なげ》き、僧都《そうず》の娘《むすめ》の手紙《てがみ》を携《たずさ》えて、長《なが》い苦労《くろう》のすえ鬼界《きかい》が島《しま》に渡《わた》った。そこで再会《さいかい》したみじめな俊寛《しゆんかん》の姿《すがた》は、仏《ほとけ》の物《もの》を私物化《しぶつか》した罰《ばつ》のせいかと思《おも》われた。

俊寛《しゆんかん》は、ただ一人残《ひとりのこ》った娘《むすめ》の手紙《てがみ》を読《よ》み、絶望《ぜつぼう》のあまり絶食《ぜつしよく》して死《し》んだ。有王《ありおう》は遺骨《いこつ》を首《くび》にかけて帰京《ききよう》し、娘《むすめ》に報告《ほうこく》したのち、高野山《こうやさん》で出家《しゆつけ》し、諸国修行《しよこくしゆぎよう》の旅《たび》に出《で》た。俊寛《しゆんかん》の娘《むすめ》も尼《あま》となった。こうした多《おお》くの人々《ひとびと》の遺恨《いこん》は、平家一門《へいけいちもん》の未来《みらい》に暗《くら》い影《かげ》を投《な》げかけるように思《おも》われた。

辻風〈つじかぜ〉

五月十二日正午《ごがつじゆうににちしようご》ごろ、京中《きようじゆう》を猛烈《もうれつ》な辻風《つじかぜ》が吹《ふ》き荒《あ》れた。倒壊《とうかい》した家屋《かおく》の建材《けんざい》が空中《くうちゆう》に飛散《ひさん》し、人畜《じんちく》の被害《ひがい》も甚大《じんだい》だった。公式《こうしき》の占《うらな》いでは、百日《ひやくにち》の間《あいだ》に大事変《だいじへん》が発生《はつせい》し、戦乱《せんらん》が続《つづ》くという予告《よこく》だった。

医師問答〈いしもんどう〉

内大臣重盛《ないだいじんしげもり》は、日《ひ》ごろ父清盛《ちちきよもり》の暴政《ぼうせい》に心痛《こころいた》めて、熊野参詣《くまのさんけい》をした。子孫《しそん》が繁栄《はんえい》するならば父《ちち》の悪心《あくしん》を和《やわ》らげよ、繁栄《はんえい》が父一代限《ちちいちだいかぎ》りならば我《わ》が命《いのち》を縮《ちぢ》めよ、と祈《き》願《がん》すると、体内《たいない》から火《ひ》のかたまりが飛《と》び出《だ》して、見《み》る者《もの》をおののかせた。また、随行者《ずいこうしや》の衣《ころも》が水《みず》に濡《ぬ》れて喪服色《もふくいろ》に変《か》わるなどの凶兆《きようちよう》があった。

まもなく念願《ねんがん》どおり病床《びようしよう》に臥《ふ》した。治療《ちりよう》も祈禱《きとう》もせず、父《ちち》が勧《すす》めた中国《ちゆうごく》の名医《めいい》も、一国《いつこく》の大臣《だいじん》たる身《み》で外国《がいこく》の治療《ちりよう》を受《う》けるのは国辱《こくじよく》であると拒否《きよひ》し、八月一日《はちがつついたち》、四十三歳《しじゆうさんさい》で死《し》んだ。世《よ》は挙《あ》げて彼《かれ》の死《し》を惜《お》しんだ。

無文の沙汰〈むもんのさた〉

内大臣重盛《ないだいじんしげもり》は生《う》まれつき予知《よち》能力《のうりょく》を持《も》っていた。生前《せいぜん》、春日神社《かすがじんじゃ》（奈良市《ならし》）の大明神《だいみょうじん》が悪行《あくぎょう》を重《かさ》ねた清盛《きよもり》を討《う》ち取《と》る夢《ゆめ》を見《み》て、平家《へいけ》の暗《くら》い運命《うんめい》に涙《なみだ》した。その翌朝《よくあさ》、長男維盛《ちょうなんこれもり》に、大臣葬《だいじんそう》に帯《お》びる無地《むじ》で文様《もんよう》・彫刻《ちょうこく》のない黒漆《くろうるし》の無文《むもん》の太刀《たち》を譲渡《じょうと》した。大臣葬《だいじんそう》とは自分《じぶん》の葬儀《そうぎ》のことである。熊野《くまの》（熊野三社《くまのさんしゃ》）に参詣《さんけい》して覚悟《かくご》の死《し》を迎《むか》えた父《ちち》を見《み》て、維盛《これもり》はすべてを納得《なっとく》した。

灯籠〈とうろう〉

重盛《しげもり》はまた、仏道《ぶつどう》への志《こころざし》が深《ふか》く、東山《ひがしやま》の麓《ふもと》に荘厳華麗《そうごんかれい》な仏堂《ぶつどう》を建立《こんりゅう》した。四十八基《しじゅうはつき》の灯籠《とうろう》を設置《せっち》し、念仏《ねんぶつ》を唱《とな》える美人尼《びじんあま》の集団《しゅうだん》を配置《はいち》した御堂《みどう》は、この世《よ》の浄土《じょうど》さながらに光《ひか》り輝《かが》いた。しかも、自《みずか》ら熱心《ねっしん》に称名念仏《しょうみょうねんぶつ》に励《はげ》んだので、そんな重盛《しげもり》を、人々《ひとびと》は灯籠《とうろう》の大臣《だいじん》と讃《たた》えた。

金渡し〈かねわたし〉

また重盛《しげもり》は、日本《にっぽん》で自分《じぶん》の後世《ごせ》をとむらう子孫《しそん》が絶《た》えることを懸念《けねん》した。そこで、三千両《さんぜんりょう》の大金《たいきん》を宋《そう》の育王山《いおうざん》（浙江省寧波府《せっこうしょうねいはふ》の阿育王山《あいくおうざん》）に寄進《きしん》して、外国《がいこく》の寺《てら》に自分《じぶん》の後世《ごせ》をとむらうよう依頼《いらい》した。宋《そう》の関係者《かんけいしゃ》は大歓迎《だいかんげい》して寄進《きしん》を受《う》け、今《いま》もなお祈願《きがん》を続《つづ》けているという。

法印問答〈ほういんもんどう〉

十一月七日夜《じゅういちがつなのかよる》、京《きょう》で大地震《だいじしん》が発生《はっせい》し、大事変《だいじへん》の予兆《よちょう》と占《うらな》われた。同月十四日《どうげつじゅうよっか》、突如《とつじょ》、清盛《きよもり》が数千騎《すうせんき》を率《ひき》いて福原《ふくはら》（神戸市《こうべし》）から上京《じょうきょう》、クーデターのうわさが流《なが》れたので、後白河法皇《ごしらかわほうおう》は静憲法印《じょうけんほういん》（信西《しんぜい》の子《こ》）を派遣《はけん》して、清盛《きよもり》に事情《じじょう》を尋《たず》ねた。

こうして入道清盛《にゅうどうきよもり》と静憲法印《じょうけんほういん》との間《あいだ》に問答《もんどう》が交《か》わされた。

清盛《きよもり》は平家《へいけ》一門《いちもん》に対《たい》する朝廷《ちょうてい》の処遇《しょぐう》に不満《ふまん》を並《なら》べたが、対《たい》する静憲法印《じょうけんほういん》は臆《おく》することなく、デマに惑《まど》わされ君臣《くんしん》の道《みち》を踏《ふ》み外《はず》すべきではない、と忠告《ちゅうこく》して満座《まんざ》の共感《きようかん》を呼《よ》んだ。

大臣流罪〈だいじんるざい〉

同月十六日《どうげつじゆろくにち》、清盛《きよもり》は関白以下《かんぱくいか》多数《たすう》の閣僚《かくりよう》・高官《こうかん》を解任《かいにん》し、関白基房《かんぱくもとふさ》（松殿《まつどの》）と太政大臣師長《だいじようだいじんもろなが》（悪左府頼長《あくさふよりなが》の子《こ》）を流罪《るざい》に処《しよ》した。代《か》わって新関白《しんかんぱく》に大抜擢《だいばってき》されて顰蹙《ひんしゆく》を買《か》ったのは、清盛《きよもり》の女婿《むすめむこ》近衛基通《このえもとみち》だった。師長《もろなが》は尾張《おわり》（愛知県《あいちけん》）に流《なが》されたが、楽才《がくさい》すぐれた彼《かれ》が熱田明神《あつたみようじん》（名古屋市《なごやし》）の社前《しやぜん》で琵琶《びわ》を弾《だん》じると、神《かみ》の感応《かんのう》を得《え》て宝殿《ほうでん》が震動《しんどう》した。

清盛《きよもり》ににらまれた高官連中《こうかんれんちゆう》は次々《つぎつぎ》に解職《かいしよく》され、都《みやこ》から追放《ついほう》された。

行隆の沙汰〈ゆきたかのさた〉

前関白基房《さきのかんぱくもとふさ》の家臣《かしん》大江遠成《おおえのとおなり》の父子《ふし》は、清盛《きよもり》の命《めい》により攻《せ》められ、自邸《じてい》に火《ひ》をかけて切腹自殺《せつぷくじさつ》した。清盛《きよもり》の専横《せんおう》ぶりに、天魔《てんま》に魅入《みい》られたかと、人々《ひとびと》は恐《おそ》れおののいた。

逆《ぎゃく》の例《れい》もあった。前左少弁行隆《さきのさしょうべんゆきたか》は、十余年無官《じゅうよねんむかん》のまま貧窮生活《ひんきゅうせいかつ》を送《おく》っていた。父《ちち》と清盛《きよもり》が昵懇《じっこん》だったことから、突然清盛《とつぜんきよもり》に登用《とうよう》され、一夜《いちや》にして富貴《ふうき》の身《み》になった。

法皇御遷幸〈ほうおうごせんこう〉

十一月二十日《じゅういちがつはつか》、後白河法皇《ごしらかわほうおう》の御所《ごしょ》を平家《へいけ》の軍勢《ぐんぜい》が取《と》り囲《かこ》み、法皇《ほうおう》を鳥羽殿《とばどの》に監禁《かんきん》した。公卿《くぎょう》のお供《とも》は一人《ひとり》もなく、法皇《ほうおう》の乳母《めのと》である尼御前《あまごぜん》（信西《しんぜい》の妻《つま》）が付《つ》き添《そ》っていた。わずかに静憲法印《じょうけんほういん》が見舞《みま》いに参上《さんじょう》して、平家《へいけ》の世《よ》もまもなく終《お》わる、と法皇《ほうおう》を慰《なぐさ》めた。

孝心篤《こうしんあつ》い高倉天皇《たかくらてんのう》は、父法皇《ちちほうおう》の幽閉《ゆうへい》を知《し》り、毎夜無事《まいよぶじ》を祈願《きがん》した。

章段名《しょうだんめい》「御遷幸《ごせんこう》」は、法皇《ほうおう》が他《た》の居所《きょしょ》（ここでは鳥羽殿《とばどの》）に移《うつ》る意《い》の尊敬語《そんけいご》。

城南の離宮〈せいなんのりきゅう〉

高倉天皇《たかくらてんのう》は譲位《じょうい》・出家《しゅっけ》を望《のぞ》む手紙《てがみ》を城南《せいなん》の離宮《りきゅう》（鳥羽殿《とばどの》）へ密送《みっそう》したが、法皇《ほうおう》に制止《せいし》された。
名臣《めいしん》たちは出家遁世《しゅつけとんせい》し、天台座主《てんだいざす》も交替《こうたい》して明雲僧正《めいうんそうじょう》が復帰《ふっき》した。
清盛《きよもり》は政界《せいかい》を自分《じぶん》の人脈《じんみゃく》で固《かた》め終《お》え、安心《あんしん》して福原《ふくはら》に引《ひ》き揚《あ》げた。
法皇《ほうおう》は鳥羽殿《とばどの》で寂《さび》しい冬《ふゆ》を越《こ》し、一一八〇（治承四《じしょうよ》）年《ねん》を迎《むか》えた。

★『平曲《へいきょく》』と琵琶法師《びわほうし》――平家琵琶

琵琶の伴奏によって盲目の法師が物語を語る芸能は、『平家物語』以前からあった。神仏に捧《ささ》げるものから娯楽本位のものまで、内容も節回しも多様だった。この琵琶法師が語った『平家物語』は、従来の語りに宮廷音楽の雅楽と宗教音楽の声明《しょうみょう》とが融合して、高度な音曲に進化している。これを、とくに『平曲』とか『平家』『平家琵琶』と呼んだ。

鎌倉時代に成立、武家の保護政策を受けて室町時代に盛行、明治に入って保護が廃止されるまで、能《のう》とともに『平家物語』の精神の維持・普及に貢献した。

巻第四

厳島御幸〈いつくしまごこう〉　一一八〇

一一八〇（治承四《じしょうよ》）年二月二十一日《ねんにがつにじゅういちにち》、高倉天皇《たかくらてんのう》は安徳天皇《あんとくてんのう》に譲位《じょうい》した。この譲位《じょうい》は清盛《きよもり》の計画《けいかく》に従《したが》ったもので、高倉天皇自身《たかくらてんのうじしん》の意志《いし》ではなかった。新帝《しんてい》は今年《ことし》わずか三歳《さんさい》だが、清盛《きよもり》が外祖父《がいそふ》であるため、その勢威《せいい》は絶大《ぜつだい》であった。

　三月上旬《さんがつじょうじゅん》、新院高倉上皇《しんいんたかくらじょうこう》は、父法皇《ちちほうおう》の軟禁《なんきん》を解除《かいじょ》させるため清盛《きよもり》の歓心《かんしん》を得《え》ようと、平家《へいけ》の信仰篤《しんこうあつ》い厳島《いつくしま》の参詣《さんけい》を思《おも》い立《た》った。出立《しゅったつ》に際《さい》して、新院《しんいん》は鳥羽殿《とばどの》に寄《よ》り法皇《ほうおう》に面会《めんかい》した。

還御〈かんぎょ〉

新院《しんいん》は厳島参詣《いつくしまさんけい》を終《お》えた後《のち》、帰路《きろ》は風流《ふうりゅう》な船旅《ふなたび》を楽《たの》しみながら、福原《ふくはら》に立《た》ち寄《よ》って帰京《ききょう》した。

四月二十二日《しがつにじゅうににち》、新帝《しんてい》（安徳天皇《あんとくてんのう》）が紫宸殿《ししんでん》で即位《そくい》した。本来《ほんらい》は大極殿《だいごくでん》で行《おこな》う儀式《ぎしき》だが、先年焼失《せんねんしょうしつ》して再建《さいけん》されていないため、異例《いれい》の措置《そち》であった。

源氏揃へ〈げんじぞろえ〉

そのころ、法皇《ほうおう》の第二《だいに》皇子《おうじ》高倉《たかくら》の宮《みや》（以仁王《もちひとおう》）は、故《こ》建春門院《けんしゅんもんいん》（高倉天皇《たかくらてんのう》の母《はは》）にそねまれて、不遇《ふぐう》な政治《せいじ》生活《せいかつ》のまま三十歳《さんじっさい》を迎《むか》えていた。

そこに現《あらわ》れたのが源《みなもとの》頼政《よりまさ》である。頼政《よりまさ》は保元《ほうげん》・平治《へいじ》の両乱《りょうらん》で勝者側《しょうしゃがわ》に立《た》った源氏《げんじ》の武将《ぶしょう》であり、かつ高名《こうめい》な歌人《かじん》として、平家《へいけ》が一目置《いちもくお》く存在《そんざい》であった。

頼政《よりまさ》は、挙兵《きょへい》に応《おう》じる諸国《しょこく》の源氏《げんじ》名《な》をあげて、高倉《たかくら》の宮《みや》に平家《へいけ》打倒《だとう》を促《うなが》した。

宮《みや》はいったん躊躇《ちゅうちょ》したものの、天下《てんか》取《と》りの人相《にんそう》があるという鑑定《かんてい》を信《しん》じて、ついに平家《へいけ》討滅《とうめつ》を決断《けつだん》した。

さっそく、源行家《みなもとのゆきいえ》（頼朝《よりとも》の叔父《おじ》）に指示《しじ》して、諸国《しょこく》の源氏《げんじ》に命令書《めいれいしょ》を伝達《でんたつ》させた。頼朝《よりとも》もそれを受領《じゅりょう》した一人《ひとり》だった。

早《はや》くも挙兵《きょへい》の情報《じょうほう》を入手《にゅうしゅ》した熊野別当《くまののべっとう》（熊野《くまの》三社《さんしゃ》を管理《かんり》する長官《ちょうかん》）湛増《たんぞう》は、那智《なち》・新宮《しんぐう》の源氏《げんじ》勢《ぜい》に挑戦《ちょうせん》したが、大敗《たいはい》を喫《きっ》した。

章段名《しょうだんめい》「揃《そろ》へ」は、源氏《げんじ》の人名《じんめい》を並《なら》べたてるところから付《つ》けた。

鼬の沙汰〈いたちのさた〉

五月十二日《ごがつじゅうににち》、鳥羽殿《とばどの》で鼬《いたち》の群《む》れが走《はし》り騒《さわ》いだので、法皇《ほうおう》は陰陽頭《おんようのかみ》安倍泰親《あべのやすちか》に占《うらな》わせると、三日《みっか》以内《いない》に吉事《きちじ》と凶事《きょうじ》とがあると判断《はんだん》した。

翌日《よくじつ》、宗盛《むねもり》のとりなしで、清盛《きよもり》が法皇幽閉《ほうおうゆうへい》を解《と》くという吉事《きちじ》があった。そこへ、湛増《たんぞう》から高倉《たかくら》の宮《みや》御謀反《ごむほん》の急報《きゅうほう》が入《はい》った。ただちに清盛《きよもり》は宮《みや》の逮捕《たいほ》を命《めい》じたが、これが凶事《きょうじ》に相当《そうとう》した。

信連合戦〈のぶつらかっせん〉

その夜《よ》、高倉《たかくら》の宮《みや》がのんびりと雲間《くもま》の月《つき》を楽《たの》しんでいると、突然《とつぜん》、頼政《よりまさ》の急使《きゅうし》が到着《とうちゃく》した。手紙《てがみ》は、謀反《むほん》が発覚《はっかく》して逮捕《たいほ》の軍勢《ぐんぜい》が急行《きゅうこう》しているので、即刻《そっこく》、三《み》井寺《いでら》に脱出《だっしゅつ》されよ、という内容《ないよう》だった。

うろたえる宮《みや》に、家臣《かしん》の長谷部《はせべ》信連《のぶつら》は、女装《じょそう》して脱出《だっしゅつ》する奇策《きさく》を進言《しんげん》した。女《じょ》装《そう》した宮《みや》は、まんまと脱出《だっしゅつ》に成功《せいこう》したが、途中《とちゅう》、溝《みぞ》を飛《と》び越《こ》え、通行人《つうこうにん》に、はしたない女房《にょうぼう》と不審《ふしん》がられる場面《ばめん》もあった。

信連《のぶつら》は、宮《みや》が置《お》き忘《わす》れた秘蔵《ひぞう》の笛《ふえ》を、追《お》いかけて届《とど》けたが、同行《どうこう》を望《のぞ》む宮《みや》の勧《すす》めを辞退《じたい》して、武士《ぶし》の意地《いじ》を立《た》てるために邸《やしき》に戻《もど》った。

邸内《ていない》に残《のこ》った信連《のぶつら》は、平家勢《へいけぜい》に一人《ひとり》で立《た》ち向《む》かい、大《おお》あばれしたあげくに逮捕《たいほ》され、清盛《きよもり》の尋問《じんもん》を受《う》けた。堂々《どうどう》と返答《へんとう》する信連《のぶつら》の態度《たいど》は武士《ぶし》の鑑《かがみ》だったので、清盛《きよもり》は斬罪《ざんざい》から流罪《るざい》へ減刑《げんけい》した。後日《ごじつ》、源頼朝《みなもとのよりとも》に仕《つか》えて能登《のと》（石川県《いしかわけん》）に領地《りょうち》を得《え》た。

高倉の宮園城寺へ入御〈たかくらのみやおんじょうじへじゅぎょ〉

御所《ごしょ》を脱出《だっしゅつ》した高倉《たかくら》の宮《みや》は、賀茂川《かもがわ》を渡《わた》り、険《けわ》しい山道《やまみち》を一晩中歩《ひとばんじゅうある》き続《つづ》け、足《あし》から流《なが》れる血《ち》で小石《こいし》を染《そ》めたが、明《あ》け方《がた》、三井寺《みいでら》（園城寺《おんじょうじ》）に着《つ》いた。事情《じじょう》を知《し》った寺僧《じそう》たちは、快《こころよ》く宮《みや》を迎《むか》え入《い》れた。

競〈きおう〉

五月十六日《ごがつじゅうろくにち》、高倉《たかくら》の宮謀反《みやむほん》のニュースが伝《つた》わると、都《みやこ》は騒然《そうぜん》となった。

そもそも頼政《よりまさ》が謀反《むほん》を起《お》こした原因《げんいん》は、宗盛《むねもり》（清盛《きよもり》の三男《さんなん》）が、頼政《よりまさ》の子《こ》仲綱《なかつな》の愛馬《あいば》を無理《むり》に取《と》り上《あ》げ、しかも馬《うま》に焼《や》き印《いん》を押《お》して、仲綱《なかつな》に恥辱《ちじょく》を与《あた》えたからだった。

その日《ひ》の夜《よる》、頼政《よりまさ》は自邸《じてい》に火《ひ》をかけた後《のち》、一族《いちぞく》を率《ひき》いて三井寺《みいでら》の高倉《たかくら》の宮《みや》のもとに向《む》かった。その時《とき》、家臣《かしん》の渡辺《わたなべ》の競《きおう》が、遅《おく》れて一人《ひとり》あとに残《のこ》った。

◆宗盛《むねもり》をあざむき主君《しゅくん》の恨《うら》みを晴《は》らした競《きおう》

　頼政《よりまさ》が長年使《ながねんつか》っていた侍《さむらい》に、渡辺《わたなべ》の源三競《げんぞうきおう》という滝口《たきぐち》の武士《ぶし》がいた。頼《より》政《まさ》の軍勢《ぐんせい》に合流《ごうりゅう》しそこねて、自分《じぶん》の館《やかた》に残《のこ》っていたので、宗盛《むねもり》が呼《よ》んで尋《たず》ねた。

「どうしてお前《まえ》は先祖代々《せんぞだいだい》の主君《しゅくん》、頼政公《よりまさこう》のお供《とも》をしないで家《いえ》に残《のこ》っているのか」

　すると、競《きおう》はかしこまって返事《へんじ》した。

「一大事《いちだいじ》があったら、真《ま》っ先《さき》に駆《か》けつけて命《いのち》を捧《ささ》げようといつも覚悟《かくご》していましたが、殿《との》は何《なに》を考《かんが》えておられるのやら、このたびはなんのお言葉《ことば》もありませんので、こうしております」

　それを聞《き》いた宗盛《むねもり》は、

「お前《まえ》は当方《とうほう》にも出入《でい》りしている身《み》ではないか。この際《さい》、将来《しょうらい》の出世《しゅっせ》を考《かんが》えて、平家《へいけ》に仕《つか》える気《き》はないか。いったい、お前《まえ》はあんな朝敵《ちょうてき》の頼政坊主《よりまさぼうず》

に味方《みかた》する気《き》なのか。正直《しょうじき》に言《い》ってみよ」と、探《さぐ》りを入《い》れた。競《きおう》は涙《なみだ》をはらはらと流《なが》して、

「たとえ先祖《せんぞ》代々《だいだい》の交誼《こうぎ》がありましても、どうして朝敵《ちょうてき》となった人間《にんげん》に味方《みかた》できましょう。ぜひこちらに奉公《ほうこう》しようと思《おも》います」と答《こた》えたので、

「それならば奉公《ほうこう》せよ。待遇条件《たいぐうじょうけん》は頼政坊主《よりまさぼうず》のところには負《ま》けないぞ」と言《い》い捨《す》てて奥《おく》に入《はい》った。

その日《ひ》は一日中《いちにちじゅう》、「競《きおう》はいるか」「はい」「いるか」「はい」といった調子《ちょうし》で、そばに控《ひか》えていた。日《ひ》が暮《く》れて、再《ふたた》び宗盛《むねもり》が姿《すがた》を現《あらわ》した。競《きおう》はうやうやしい態度《たいど》でこう願《ねが》い出《で》た。

「頼政公《よりまさこう》は三井寺《みいでら》におられるとのことです。きっと夜襲《やしゅう》をかけて来《き》ます。敵《てき》は頼政公《よりまさこう》の一族《いちぞく》、渡辺党《わたなべとう》、それに三井寺《みいでら》の僧兵連中《そうへいれんじゅう》でしょう。たいしたことはありません。出《で》かけて行《い》って、めぼしい相手《あいて》を討《う》ち取《と》って参《まい》りましょう。つきましては、駿馬《しゅんめ》を持《も》っていましたが、仲間《なかま》に盗《ぬす》まれてしまいましたので、殿《との》の馬《うま》を一頭《いっとう》いただけませんか」

宗盛《むねもり》は、「そりゃ最高《さいこう》！」と大喜《おおよろこ》びして、白葦毛《しろあしげ》の秘蔵《ひぞう》の愛馬《あいば》、煖廷《なんりよう》（＝南鐐《なんりよう》。高品質《こうひんしつ》の銀《ぎん》に見《み》たてた名《な》）にみごとな鞍《くら》を置《お》いて、競《きおう》に与《あた》えた。名馬《めいば》をいただいた競《きおう》は館《やかた》に帰《かえ》ると、「早《はや》く夜《よる》になれ。三井寺《みいでら》に飛《と》んで行《い》って、頼政公《よりまさこう》から先陣《せんじん》を拝命《はいめい》して玉《ぎょく》砕《さい》してやるぞ」とつぶやいた。

夜《よる》になると、競《きおう》は妻子《さいし》をあちこちに隠《かく》して、三井寺《みいでら》に向《む》かった。その覚《かく》悟《ご》は悲壮《ひそう》なものがあった。

❖ここに三位《さんみ》の入道《にふだう》の年《とし》ごろの侍《さぶらひ》に、渡辺源三競《わたなべのげんざうきほふ》の滝口《たきぐち》といふ者《もの》あり。馳《は》せ後《おく》れて留《とど》まりたりけるを、六波羅《ろくはら》へ召《め》して、「など汝《なんぢ》は、相伝《さうでん》の主三位《しゆさんみ》の入道《にふだう》が供《とも》をばせで、留《とど》まつたるぞ」と宣《のたま》へば、競《きほふ》畏《かしこ》まつて申《まう》しけるは、「日《ひ》ごろは、自然《しぜん》の事《こと》も候《さうら》はば、真《ま》つ先駆《さきか》けて、命《いのち》を奉《たてまつ》らうとこそ存《ぞん》ぜしか。今度《こんど》はいかが候《さうら》ひつるやらん、かくとも知《し》らせられざりつる間《あひだ》、留《とど》まつて候《さうらふ》」と申《まう》す。宗盛《むねもり》の卿《きやう》、「これにもまた兼参《けんざん》の者《もの》ぞかし。先途後栄《せんどこうえい》を存《ぞん》じて、当家《たうけ》に付《つ》いて奉公《ほうこう》せうとや思《おも》ふ。また朝《てう》敵頼政法師《てきよりまさほふし》に同心《どうしん》せんとや思《おも》ふ。ありのままに申《まう》せ」とこそ宣《のたま》ひけれ。競《きほふ》、涙《なみだ》をはらはらと流《なが》いて、「たとひ相伝《さうでん》のよしみ候《さうら》ふとも、いかんか、朝敵《てうてき》となれる人《ひと》に、同心《どうしん》をば仕《つかまつ》り候《さうら》ふべき。ただ殿中《でんちゆう》に奉公致《ほうこういた》さうずる候《ざうらふ》」と申《まう》しければ、大将《だいしやう》、「さらば奉公《ほうこう》せよ。頼政法師《よりまさほふし》がしけん恩《おん》には、ちつとも劣《おと》るまじきぞ」とて、入《い》り給《たま》ひぬ。

朝《あした》より夕《ゆふ》べに及《およ》ぶまで、「競《きほふ》はあるか」。「候《さうら》ふ」。「あるか」。「候《さうら》ふ」とて伺候《しこう》す。日《ひ》もやうやう暮《く》れければ、大将《だいしやう》、出《い》でられたり。競畏《きほふかしこ》まつて申《まう》しけるは、「まことや、三位《さんみ》の入道《にふだう》は三井寺《みゐでら》にと聞《き》こえ候《さうらふ》。定《さだ》めて、夜討《ようち》ちなんどもや向《む》かはれ候《さうら》はんずらん。三位《さんみ》の入道《にふだう》の一類《いちるい》、渡辺党《わたなべたう》、さては三井寺法師《みゐでらほふし》にてぞ候《さうら》はんずらん。心憎《こころにく》うも候《さうら》はず。まかり向《む》かつて択《え》り討《う》ちなども仕《つかまつ》るべき。さる馬《むま》を持《も》つて候《さうら》ひしを、このほど親《した》しい奴《やつ》めに盗《ぬす》まれて候《さうらふ》。御馬一匹下《おんむまいつぴきくだ》し預《あづ》かり候《さうら》はばや」と申《まう》しければ、大将《だいしやう》、「最《もつと》もさるべし」とて、白葦毛《しらあしげ》なる馬《むま》の煖廷《なんれう》とて秘蔵《ひさう》せられたりけるに、よい鞍置《くらお》いて競《きほふ》に賜《た》ぶ。賜《たま》はつて宿所《しゆくしよ》に帰《かへ》り、「はや日《ひ》の暮《く》れよかし。三井寺《みゐでら》に馳《は》せ参《まゐ》り、入道殿《にふだうどの》の真《ま》つ先駆《さきか》けて討《う》ち死《じ》にせん」とぞ申《まう》しける。

日《ひ》もやうやう暮《く》れければ、妻子《さいし》どもをばかしこ、ここにたち忍《しの》ばせて、三井寺《みゐでら》へと出《い》で立《た》ちける、心《こころ》のうちこそ無慚《むざん》なれ。

競《きおう》は都《みやこ》で一番《いちばん》の美男子《びなんし》だった。その彼《かれ》が、先祖伝来《せんぞでんらい》の、燃《も》え立《た》つような緋色《ひいろ》の鎧《よろい》を着《つ》け、銀《ぎん》の星《ほし》を打《う》った甲《かぶと》をかぶり、作《つく》りのよい太刀《たち》・弓矢《ゆみや》を帯《お》び、滝口《たきぐち》武士《ぶし》の作法《さほう》も鮮《あざ》やかに、りりしい若大将《わかだいしょう》の出陣姿《しゅつじんすがた》で名馬《めいば》にまたがり、乗《の》り換《か》え馬《うま》と従者二人《じゅうしゃふたり》だけを引《ひ》き連《つ》れ、館《やかた》に火《ひ》を放《はな》つと、三井寺《みいでら》めざして馬《うま》を飛《と》ばした。

六波羅《ろくはら》では、競《きおう》の館《やかた》から出火《しゅつか》したと大騒《おおさわ》ぎになった。宗盛《むねもり》があわてて、「競《きおう》はいるか」と探《さが》せば、「いません」という返事《へんじ》である。

「しまった！　やつに手心《てごころ》を加《くわ》えて、だまされたぞ。追跡《ついせき》して殺《ころ》してしまえ」とわめき散《ち》らした。

しかし、競《きおう》は強弓《ごうきゅう》を引《ひ》く勇士《ゆうし》で、連射《れんしゃ》・速射《そくしゃ》の名手《めいしゅ》だったから、「競《きおう》は、二十四《にじゅうし》の常備矢《じょうびや》で二十四人射殺《にじゅうよにんしゃさつ》する百発百中《ひゃっぱつひゃくちゅう》の腕前《うでまえ》だ。ここは黙《だま》っていよう」と、家臣《かしん》たちは示《しめ》し合《あ》わせ、宗盛《むねもり》の命令《めいれい》に応《おう》じる者《もの》はなかった。

ちょうどそのころ、三井寺《みいでら》では、競《きおう》の属《ぞく》する渡辺党《わたなべとう》が彼《かれ》のうわさをしていた。

「なんとしても競《きおう》を同行《どうこう》なさるべきでした」と、彼《かれ》らが口《くち》をそろえると、競《きおう》の本心《ほんしん》を見抜《みぬ》いていた頼政《よりまさ》は、

「むざむざ敵《てき》の手《て》に落《お》ちるような男《おとこ》ではない。私《わたし》に忠義《ちゅうぎ》な家臣《かしん》だから、見《み》ていなさい、今《いま》に駆《か》けつけて来《く》るから」と、言《い》い終《お》わらぬうちに、さっと競《きおう》が姿《すがた》を現《あらわ》した。

「やはりなあ」と頼政《よりまさ》はうなずいた。競《きおう》はうやうやしい態度《たいど》で、

「仲綱様《なかつなさま》の愛馬《あいば》木《こ》の下《した》の代《か》わりに、平家《へいけ》の煖廷《なんりょう》を捕虜《ほりよ》にして参《まい》りました。献上《けんじょう》いたします」と言上《ごんじょう》した。仲綱《なかつな》は大喜《おおよろこ》びで、さっそく馬《うま》の尾髪《おがみ》を切《き》り、

焼《や》き印《いん》を押《お》して、その夜《よ》のうちに平家《へいけ》へ送《おく》りつけた。夜中《よなか》に、門内《もんない》に追《お》い込《こ》んだところ、厩舎《きゅうしゃ》に入《はい》って、煖廷《なんりょう》は他《ほか》の馬《うま》と嚙《か》み合《あ》ったので、番人《ばんにん》たちは仰天《ぎょうてん》して、

「煖廷《なんりょう》が戻《もど》って来《き》ました」と急報《きゅうほう》した。宗盛《むねもり》があわてて出《で》て見《み》ると、「昔《むかし》は煖廷《なんりょう》、今《いま》は平 宗盛入道《たいらのむねもりにゅうどう》」という焼《や》き印《いん》を押《お》してあった。宗盛《むねもり》は、

「憎《にく》い競《きおう》め、ぶった斬《ぎ》ってやるんだったのに。手心《てごころ》を加《くわ》えてだまされるとは、むかつくなあ。今度《こんど》三井寺《みいでら》を攻《せ》める時《とき》は、なんとしてもあいつを生《い》け捕《ど》りにしろ。首《くび》を鋸引《のこぎりび》きにしてやる」

と、飛《と》び上《あ》がって激怒《げきど》したけれども、ついに煖廷《なんりょう》の尾髪《おがみ》は生《は》えず、焼《や》き印《いん》も消《き》えることもなかった。

❖六波羅《ろくはら》には、「競《きほふ》が屋形《やかた》より火《ひ》出《い》で来《き》たり」とてひしめきけり。宗盛《むねもり》の卿《きやう》急《いそ》ぎ出《い》でて、「競《きほふ》はあるか」「候《さうら》はず」と申《まう》す。「すは、奴《きやつ》めを手延《ての》びにして、謀《たばか》られぬるは。あれ追《お》つかけて討《う》て」と宣《のたま》へども、競《きほふ》は勝《すぐ》れたる大力《だいぢから》の剛《かう》の者《もの》、矢継《やつ》ぎ早《ばや》の手

ききにてありければ、「二十四挿《にじふしさ》いたる矢《や》では、先《ま》づ二十四人《にじふよにん》は射殺《いころ》されなんず。音《おと》なせそ」とて、進《すす》む者《もの》こそなかりけれ。

ただ今《いま》しも三井寺《みゐでら》には、渡辺党寄《わたなべたうよ》り合《あ》ひて、競《きほふ》が沙汰《さた》ありけり。「いかにもしてこの競《きほふ》の滝口《たきぐち》をば、召《め》し具《ぐ》せられ候《さうら》はんずるものを」と、口々《くちぐち》に申《まう》されければ、三《さん》位《み》の入道《にふだう》、競《きほふ》が心《こころ》をよく知《し》つて、宣《のたま》ひけるは、「無下《むげ》にその者捕《ものと》らへ搦《から》められはせじ。入道《にふだう》に志《こころざし》深《ふか》き者《もの》なれば、見《み》よ、ただ今参《いままゐ》らうずるぞ」と宣《のたま》ひもはてぬに、競《きほふ》つと参《まゐ》りたり。「さればこそ」とぞ宣《のたま》ひける。競畏《きほふかしこ》まつて申《まう》しけるは、「伊豆守殿《いづのかみどの》の木《こ》の下《した》が代《か》はりに、六波羅《ろくはら》の煖廷《なんれう》をこそ取《と》つて参《まゐ》りて候《さうら》へ。参《まゐ》らせ候《さうら》はん」とて奉《たてまつ》る。伊豆守《いづのかみ》、斜《なの》めならず悦《よろこ》び給《たま》ひて、やがて尾髪《をがみ》を切《き》り、金焼《かなや》きをして、その夜六波羅《よろくはら》へ遣《つか》はさる。夜半《やはん》ばかりに門《もん》の内《うち》へ追《お》ひ入《い》れたりければ、厩《うまや》に入《い》りて、馬《むま》どもと嚙《く》ひ合《あ》ひければ、その時舎人驚《ときとねりおどろ》きあひ、「煖廷《なんれう》が参《まゐ》りて候《さうらふ》」と申《まう》す。宗盛《むねもり》の卿《きやう》急《いそ》ぎ出《い》でて見給《みたま》ふに、「昔《むかし》は煖廷《なんれう》、今《いま》は平 宗盛入道《たひらのむねもりにふだう》」といふ金焼《かなや》きをこそしたりけれ。大将《だいしやう》、「憎《にく》い競《きほふ》めを斬《き》つて捨《す》つべかりけるものを。手延《ての》びにして謀《たばか》られぬる事《こと》こそ安《やす》からね。今度三井寺《こんどみゐでら》へ寄《よ》せたらんずる人々《ひとびと》は、いかにもして競《きほふ》めを生《い》け捕《ど》りにせよ。鋸《のこぎり》で頸斬《くびき》らん」と、躍《をど》り上《あ》がり躍《をど》り上《あ》がり怒《いか》られけれども、煖廷《なんれう》が尾《を》髪《がみ》も生《お》ひず、金焼《かなや》きもまた失《う》せざりけり。

✻「渡辺の源三競の滝口」とは、摂津《せっつ》（大阪）の渡辺党に所属する源氏の三男で、名前を競という滝口の武士のこと。渡辺党は、渡辺（地名）に居住した源氏武士の血縁集団。当時、戦場で党が大活躍し、関東の武蔵《むさし》七党は猛勇の名を馳《は》せた。滝口の武士は、滝口の陣と呼ばれる宮中の警備保安室に勤務する名門の源氏武士。精鋭の近衛《このえ》将校である。しかも、競は都一番の美男であった。

この話、警戒心はありながら競の空涙にころりと参《まい》る浮薄な宗盛と、部下の忠義を絶対信頼する重厚な頼政とが、よく描き分けられている。『平家物語』の宗盛評価は辛《から》く、頼政評価は甘い。対照的な二人の脇役《わきやく》の間で、主演する美男スターの競は、大胆不敵なエリート軍人である。射撃の名手で、かつ弁舌にたけている。うそで敵をあざむくのは、この当時、道義に反せず、むしろ武士の機略とされた。

山門への牒状〈さんもんへのちょうじょう〉

高倉《たかくら》の宮《みや》の身柄《みがら》を確保《かくほ》した三井寺《みいでら》は、さっそく全体会議《ぜんたいかいぎ》を開《ひら》いて討議《とうぎ》した結果《けっか》、清盛討滅《きよもりとうめつ》のため、軍事行動《ぐんじこうどう》を起《お》こすことに決定《けってい》した。

そこで、宗派《しゅうは》が同《おな》じ天台宗《てんだいしゅう》で、鳥《とり》の左右《さゆう》の翼《つばさ》のごとく、また車《くるま》の両輪《りょうりん》のごとき間柄《あいだがら》の比叡山延暦寺《ひえいざんえんりゃくじ》（山門《さんもん》）に、協力《きょうりょく》を要請《ようせい》する往復文書《おうふくぶんしょ》（牒状《ちょうじょう》）を送《おく》った。

南都牒状〈なんとちょうじょう〉

ところが、延暦寺《えんりゃくじ》は、文書《ぶんしょ》に三井寺《みいでら》と延暦寺《えんりゃくじ》とを対等《たいとう》に扱《あつか》う表現《ひょうげん》（鳥《とり》の翼《つばさ》、車《くるま》の両輪《りょうりん》）があるのに憤慨《ふんがい》した。延暦寺《えんりゃくじ》には、自分《じぶん》が本寺《ほんじ》で三井寺《みいでら》は末寺《まつじ》という差《さ》別意識《べついしき》があったからである。しかも、清盛《きよもり》の買収工作《ばいしゅうこうさく》が功《こう》を奏《そう》し、結局《けっきょく》、三井寺《みいでら》の要請《ようせい》に応《おう》じなかった。

一方《いっぽう》、三井寺《みいでら》は、奈良《なら》の興福寺《こうふくじ》（南都《なんと》）にも協力《きょうりょく》を要請《ようせい》する文書《ぶんしょ》を送《おく》った。

南都返牒〈なんとへんちょう〉

興福寺《こうふくじ》からは、宗派《しゅうは》を超《こ》えて仏法《ぶっぽう》・王法《おうほう》の敵清盛《てききよもり》を討滅《とうめつ》するために、援軍《えんぐん》を送《おく》るとの返書《へんしょ》が届《とど》いた。興福寺《こうふくじ》の宗派《しゅうは》は法相宗《ほっそうしゅう》である。

大衆揃へ〈だいしゅぞろえ〉

三井寺《みいでら》は再《ふたた》び全体会議《ぜんたいかいぎ》を開《ひら》き、清盛邸《きよもりてい》に対《たい》する夜襲作戦《やしゅうさくせん》を協議《きょうぎ》したが、平家《へいけ》に内通《ないつう》する一派《いっぱ》が故意《こい》に会議《かいぎ》を引《ひ》き延《の》ばし、平家《へいけ》に準備時間《じゅんびじかん》を与《あた》えた。ようやく正面《しょうめん》・背面攻撃《はいめんこうげき》の二軍《にぐん》に分《わ》かれて進発《しんぱつ》したものの、行軍中《こうぐんちゅう》に夜《よ》が明《あ》けてしまった。白昼《はくちゅう》の戦闘《せんとう》では勝機《しょうき》がないために作戦《さくせん》は中止《ちゅうし》され、帰還後《きかんご》、引《ひ》き延《の》ばしをはかった平家派《へいけは》を掃討《そうとう》した。

二十三日《にじゅうさんにち》、高倉《たかくら》の宮《みや》は、三井寺《みいでら》では清盛軍《きよもりぐん》を防御《ぼうぎょ》できないと判断《はんだん》し、愛用《あいよう》の笛《ふえ》を金堂《こんどう》に奉納《ほうのう》し、興福寺《こうふくじ》へ後退《こうたい》することにした。八十歳《はちじっさい》の老僧兵《ろうそうへい》が宮《みや》に別《わか》れを惜《お》しんで泣《な》いた。

章段名《しょうだんめい》「大衆揃《だいしゅぞろ》へ」は、三井寺軍《みいでらぐん》の部隊長格《ぶたいちょうかく》の僧兵《そうへい》・武士《ぶし》の人名《じんめい》を並《なら》べたてるところから付《つ》けた。「大衆《だいしゅ》」は寺僧《じそう》たちの意《い》。

橋合戦〈はしがっせん〉

奈良《なら》に向《む》かった高倉《たかくら》の宮《みや》は、強行軍《きょうこうぐん》の疲労《ひろう》から六度《ろくど》も落馬《らくば》したので、宇治《うじ》の平《びょう》等院《どういん》（京都府宇治市《きょうとふうじし》）で休息《きゅうそく》した。そこへ、追撃《ついげき》してきた平家《へいけ》の大軍《たいぐん》が、宇治橋《うじばし》のたもとまで押《お》し寄《よ》せてきた。ところが、宇治橋《うじばし》の橋板《はしいた》が外《はず》されていたため、先《せん》陣部隊《じんぶたい》は川《かわ》に押《お》し落《お》とされて溺死《できし》した。

◆宇治橋《うじばし》の死闘《しとう》と宇治川渡河作戦《うじがわとかさくせん》の敢行《かんこう》

高倉《たかくら》の宮軍《みやぐん》から、大矢《おおや》の俊長《しゅんちょう》・五智院《ごちいん》の但馬《たじま》・渡辺《わたなべ》の省《はぶく》・授《さずく》・続《つづく》の源太《げんた》が射《い》た矢《や》は、楯《たて》も鎧《よろい》も貫通《かんつう》する威力《いりょく》があった。

頼政《よりまさ》は、今日《きょう》が最後《さいご》の戦《たたか》いと覚悟《かくご》したのか、特製《とくせい》の絹《きぬ》の直垂《ひたたれ》に科皮縅《しながわおどし》の鎧《よろい》をつけて、働《はたら》きやすいようにわざと甲《かぶと》は脱《ぬ》いでいた。嫡男《ちゃくなん》の仲綱《なかつな》もまた、赤《あか》い錦《にしき》の直垂《ひたたれ》に黒糸縅《くろいとおどし》の鎧《よろい》をつけて、弓《ゆみ》を思《おも》いきり引《ひ》き絞《しぼ》るために甲《かぶと》を脱《ぬ》いでいた。さて、五智院《ごちいん》の但馬《たじま》は、大長刀《おおなぎなた》の鞘《さや》を外《はず》して、ただ一人《ひとり》で橋《はし》の上《うえ》に進《すす》み出《で》た。

平家軍《へいけぐん》は、それを見《み》て、さっさと射殺《いころ》せ、と猛烈《もうれつ》な連射《れんしゃ》を浴《あ》びせたが、但馬《たじま》はびくともせず、高《たか》めの矢《や》は潜《くぐ》り抜《ぬ》け、低《ひく》めの矢《や》は躍《おど》り越《こ》え、真《ま》っ向《こう》から飛《と》んでくる矢《や》は長刀《なぎなた》で切《き》って落《お》とした。あまりの妙技《みょうぎ》に敵《てき》も味方《みかた》も見《み》とれてしまった。これ以来《いらい》、「矢切《やぎ》りの但馬《たじま》」と呼《よ》ばれるようになった。

高倉軍《たかくらぐん》の僧兵《そうへい》のなかで、筒井《つつい》の浄妙《じょうみょう》 明秀《めいしゅう》は、濃紺《のうこん》の直垂《ひたたれ》に黒革縅《くろかわおどし》の鎧《よろい》をつけ、錏《しころ》五枚《ごまい》の大甲《おおかぶと》をかぶり、黒漆《こくしつ》の鞘《さや》の太刀《たち》を帯《お》び、黒《くろ》ぼろの矢《や》二十《にじゅう》四本《しほん》を背《せ》に、塗籠籐《ぬりごめどう》の弓《ゆみ》と好《この》みの白柄《しらえ》の大長刀《おおなぎなた》を手《て》にして、やはり一人《ひとり》で橋《はし》の上《うえ》に進《すす》み出《で》た。大音声《だいおんじょう》で、

「遠《とお》くの者《もの》は耳《みみ》で聞《き》け。近《ちか》くの者《もの》は目《め》で見《み》よ。三井寺《みいでら》では知《し》らぬ者《もの》がない。僧兵《そうへい》の筒井《つつい》の浄妙《じょうみょう》 明秀《めいしゅう》という一人《ひとり》で千人《せんにん》を相手《あいて》する戦士《せんし》だ。自信《じしん》のある者《もの》はかかって来《こ》い。相手《あいて》になってやる」と叫《さけ》んで、背《せ》にした二十四本《にじゅうしほん》の矢《や》

を次々《つぎつぎ》に連射《れんしゃ》した。たちまち敵兵十二人《てきへいじゅうににん》を射殺《しゃさつ》し、十一人《じゅういちにん》を負傷《ふしょう》させ、箙《えびら》に一本残《いっぽんのこ》すだけとなった。

すると、弓《ゆみ》をからりと投《な》げ捨《す》て、箙《えびら》も外《はず》して捨《す》てた。毛皮《けがわ》の軍靴《ぐんか》も脱《ぬ》ぎ捨《す》て、裸足《はだし》になると、橋桁《はしげた》の上《うえ》をするすると走《はし》り渡《わた》った。人《ひと》は恐《こわ》がって渡《わた》らないが、彼《かれ》にとっては、まるで一条《いちじょう》・二条《にじょう》の大通《おおどお》りを行《い》くような気分《きぶん》である。大長刀《おおなぎなた》で向《む》かってきた敵五人《てきごにん》を切《き》り倒《たお》し、六人目《ろくにんめ》で長刀《なぎなた》が折《お》れたので、これも捨《す》ててしまった。

その後《のち》は太刀《たち》を抜《ぬ》いて、大勢《おおぜい》の敵《てき》を向《む》こうに回《まわ》し、蜘蛛手《くもで》・かく縄《なわ》・十《じゅう》文字《もんじ》・蜻蛉返《とんぼがえ》り・水車《みずぐるま》と、曲芸《きょくげい》さながらの太刀《たち》さばきで、四方八方《しほうはっぽう》を斬《き》りまくった。向《む》かってきた敵《てき》を八人斬《はちにんき》り伏《ふ》せ、九人目《くにんめ》の甲《かぶと》の鉢《はち》に強《つよ》く当《あ》たって、太刀《たち》は、目釘《めくぎ》の元《もと》からがしゃんと折《お》れ、すぽっと抜《ぬ》けて、川《かわ》へざぶんと落《お》ちてしまった。もはや、頼《たの》みの武器《ぶき》は腰刀《こしがたな》だけ、浄妙房《じょうみょうぼう》は死《し》に物狂《ものぐる》いで暴《あば》れまわった。

〈連銭葦毛《れんせんあしげ》の馬〉
頭部から体にかけて
白く銭を連ねたような
丸い毛の紋様のある馬

〈まるほやの紋〉

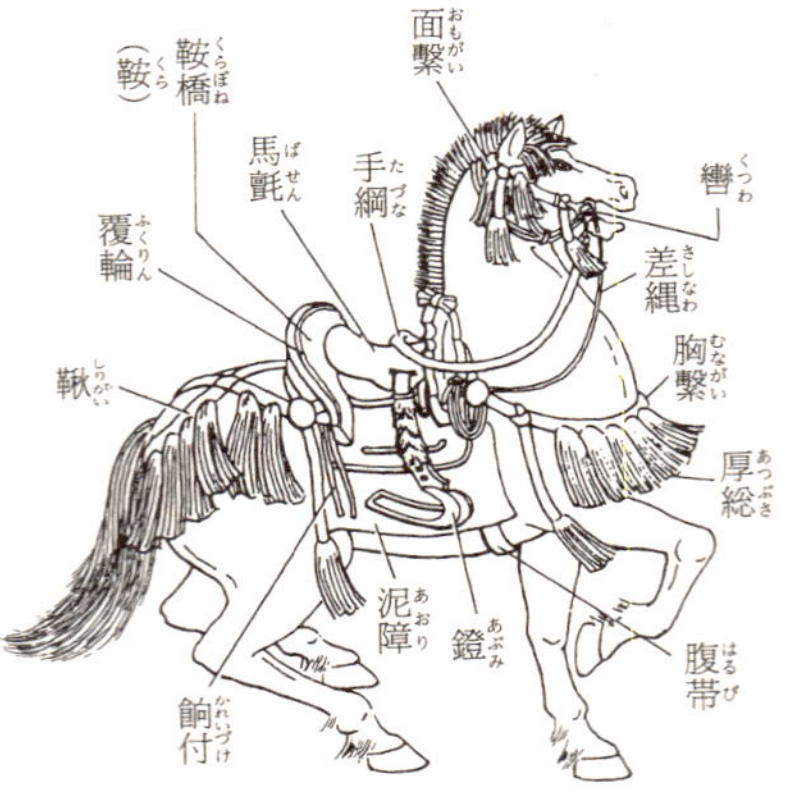

〈馬具名〉

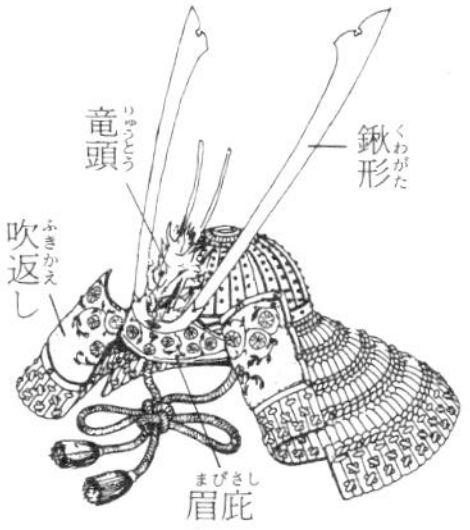

〈甲《かぶと》〉

〈滋籐《しげどう》の弓〉

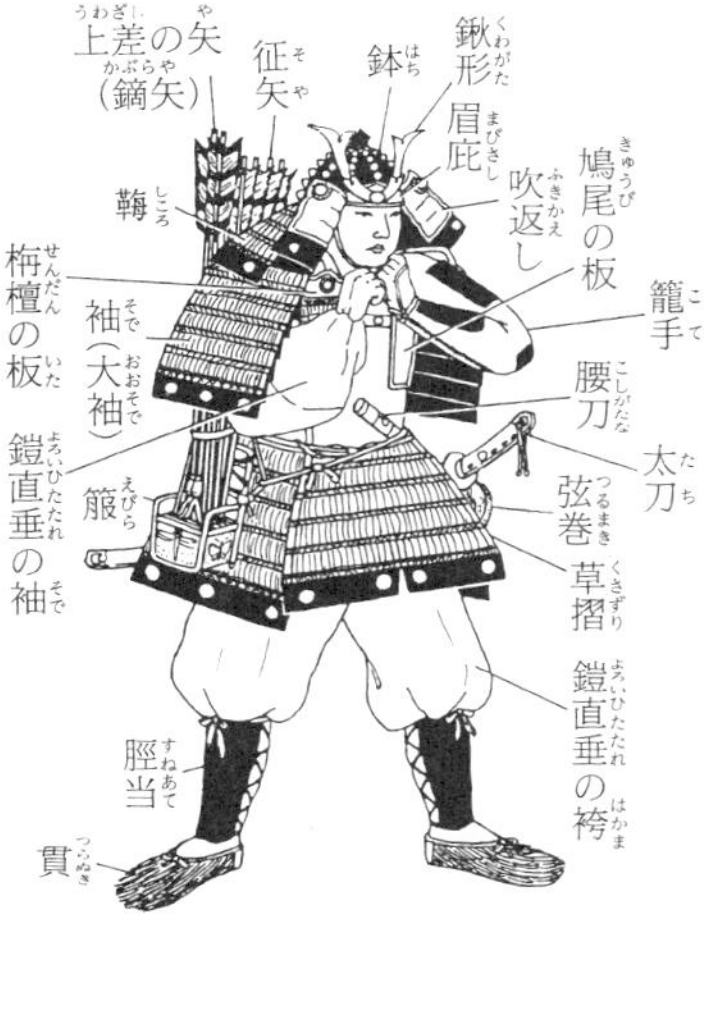

〈大鎧姿《おおよろいすがた》〉

〈長刀《なぎなた》〉

❖宮《みや》の御方《おんかた》より、大矢俊長《おほやのしゆんちやう》・五智院《ごちゐん》の但馬《たじま》・渡辺省《わたなべのはぶく》・授《さづく》・続源太《つづくのげんた》が射《い》ける矢《や》ぞ、楯《たて》もたまらず、鎧《よろひ》もかけず通《とほ》りけり。源三位入道頼政《げんざんみにふだうよりまさ》は、今日《けふ》を最後《さいご》とや思《おも》はれけん、長絹《ちやうけん》の鎧直垂《よろひびたたれ》に、科皮縅《しながはをどし》の鎧着《よろひき》て、わざと甲《かぶと》をば着《き》給《たま》はず。嫡子伊豆守仲綱《ちやくしいづのかみなかつな》は、赤地《あかぢ》の錦《にしき》の直垂《ひたたれ》に、黒糸縅《くろいとをどし》の鎧《よろひ》なり。弓《ゆみ》を強《つよ》う引《ひ》かんが為《ため》に、これも甲《かぶと》をば着《き》ざりけり。ここに五智院《ごちゐん》の但馬《たじま》、大長刀《おほなぎなた》の鞘《さや》をはづいて、ただ一人橋《いちにんはし》の上《うへ》にぞ進《すす》んだる。平家《へいけ》の方《かた》には、これを見《み》て、「ただ、射取《いと》れや、射取《いと》れ」とて、さしつめひきつめ、さんざんに射《い》けれども、但馬少《たじますこ》しも騒《さわ》がず、上《あ》がる矢《や》をばつい潜《くぐ》り、下《さ》がる矢《や》をば跳《をど》り越《こ》え、向《む》かうて来《く》るをば長刀《なぎなた》で切《き》つて落《お》とす。敵《かたき》も御方《みかた》も見物《けんぶつ》す。それよりしてこそ、矢切《やぎ》りの但馬《たじま》とはいはれけれ。

また堂衆《だうじゆ》の中《なか》に、筒井浄妙明秀《つつゐのじやうめうめいしう》は、褐《かち》の直垂《ひたたれ》に、黒皮縅《くろかはをどし》の鎧着《よろひき》て、五枚甲《ごまいかぶと》の緒《を》をしめ、黒漆《こくしつ》の太刀《たち》を帯《は》き、二十四挿《にじふしさ》いたる黒《くろ》ぼろの矢負《やお》ひ、塗籠籐《ぬりごめどう》の弓《ゆみ》に、好《この》む白《しら》柄《え》の大長刀《おほなぎなた》取《と》り副《そ》へて、これもただ一人橋《いちにんはし》の上《うへ》にぞ進《すす》んだる。大音声《だいおんじやう》を揚《あ》げて、「遠《とほ》からん者《もの》は音《おと》にも聞《き》け。近《ちか》からん人《ひと》は目《め》にも見給《みたま》へ。三井寺《みゐでら》には隠《かく》れなし。堂衆《だうじゆ》の中《なか》に筒井浄妙明秀《つつゐのじやうめうめいしう》とて、一人当千《いちにんたうぜん》の兵《つはもの》ぞや。我《われ》と思《おも》はん人々《ひとびと》は、寄《よ》り合《あ》へや。

見参《げんざん》せん」とて、二十四挿《にじふしさ》いたる矢《や》を、さしつめひきつめ、さんざんに射《い》る。やにはに敵十二人《かたきじふににん》射殺《いころ》し、十一人《じふいちにん》に手負《てお》うせたれば、箙《えびら》に一《ひと》つぞ残《のこ》りたる。その後《のち》、弓《ゆみ》をばからと投《な》げ捨《す》てて、箙《えびら》も解《と》いて捨《す》ててんげり。貫《つらぬき》脱《ぬ》いで跣《はだし》になり、橋《はし》の行桁《ゆきげた》を、さらさらと走《はし》りける。人《ひと》は恐《おそ》れて渡《わた》らねども、浄妙房《じやうめうばう》が心地《ここち》には、一条《いちでう》・二条《にでう》の大路《おほち》とこそふるまうたれ。長刀《なぎなた》にて、向《む》かふ敵五人《かたきごにん》薙《な》ぎふせ、六人《ろくにん》に当《あ》たる敵《かたき》に逢《あ》うて、長刀中《なぎなたなか》よりうち折《を》つて捨《す》ててんげり。

その後《のち》、太刀《たち》を抜《ぬ》いて戦《たたか》ふに、敵《かたき》は大勢《おほぜい》なり、蜘蛛手《くもで》・かく縄《なは》・十文字《じふもんじ》・蜻蛉返《とんぼうかへ》り・水車《みづくるま》、八方《はつぱう》すかさず斬《き》つたりけり。向《む》かふ敵八人《かたきはちにん》斬《き》りふせ、九人《くにん》に当《あ》たる敵《かたき》が甲《かぶと》の鉢《はち》に、余《あま》りに強《つよ》う打《う》ち当《あ》てて、目貫《めぬき》の元《もと》よりちやうど折《を》れ、くつと抜《ぬ》けて、河《かは》へざつぶとぞ入《い》りにける。頼《たの》む所《ところ》は腰刀《こしがたな》、死《し》なんとのみぞ狂《くる》ひける。

✲当時の合戦は、最終的に個人の武技を競う白兵戦になる。だから、武具・武装は個人の好みを反映して彩り豊かである。近代戦の迷彩服とは違って、大将は赤を主にした華麗な軍装が多い。一方、僧兵の浄妙房などは黒ずくめで、なかなか渋い。合戦も、戦場の血なまぐさい現実を無視すれば、まるで格闘技か曲芸を見物するような明朗な場面が展開した。

ようやく乱戦《らんせん》から逃《のが》れ出《で》た浄妙房《じょうみょうぼう》は、傷《きず》の手当《てあ》てを終《お》えると、戦場《せんじょう》を落《お》ちて奈良《なら》へ向《む》かった。しかし、宇治橋《うじばし》では、火《ひ》の出《で》るような攻防《こうぼう》がなおも続《つづ》いていた。

平家軍《へいけぐん》の部隊長《ぶたいちょう》上総《かずさ》の守忠清《かみただきよ》が司令官《しれいかん》に、

「あれを御覧《ごらん》なさい。橋《はし》の上《うえ》の戦況《せんきょう》は、味方《みかた》が不利《ふり》に見《み》えます。かくなる上《うえ》は、渡河《とか》すべきですが、今《いま》は五月雨《さみだれ》の時節《じせつ》、増水《ぞうすい》しているので、渡河《とか》を強行《きょうこう》すれば、人馬《じんば》の被害《ひがい》は甚大《じんだい》です。迂回《うかい》して淀《よど》・一口《いもあらい》（京都府《きょうとふ》）へ向《む》かうか、河内路《かわちじ》（大阪府《おおさかふ》）へ回《まわ》るか、どうなさる」と提案《ていあん》した。

その時《とき》、下野《しもつけ》（栃木県《とちぎけん》）出身《しゅっしん》の若武者《わかむしゃ》、弱冠十七歳《じゃっかんじゅうななさい》の足利又太郎忠綱《あしかがのまたたろうただつな》が進《すす》み出《で》て、

「淀《よど》・一口《いもあらい》・河内路《かわちじ》へは、天竺《てんじく》（インド）・震旦《しんたん》（中国《ちゅうごく》）の武士《ぶし》でも集《あつ》めて派遣《はけん》するおつもりか。外《ほか》ならぬ我《われ》らが向《む》かうのであろう。目《め》の前《まえ》の敵《てき》をたたかずに、高倉《たかくら》の宮《みや》を奈良《なら》に逃《のが》せば、吉野《よしの》・十津川《とつがわ》（奈良県《ならけん》）の兵《へい》どもが合流《ごうりゅう》して、最悪《さいあく》の事態《じたい》を招《まね》きます。武蔵《むさし》（埼玉県《さいたまけん》）・上野《こうずけ》（群馬県《ぐんまけん》）の国境《こっきょう》に利根川《とねがわ》という大河《たいが》があります。秩父氏《ちちぶし》と足利氏《あしかがし》は仲《なか》が悪《わる》く、いつも合戦《かっせん》していましたが、正面《しょうめん》の部隊《ぶたい》は長井《ながい》の渡《わたり》（埼玉県《さいたまけん》）から、背面《はいめん》の部隊《ぶたい》は故我《こが》・杉《すぎ》の渡《わたり》（群馬県《ぐんまけん》）から足利勢《あしかがぜい》が押《お》し寄《よ》せました。ところが、上野《こうずけ》の新田入道《にったのにゅうどう》が足利《あしかが》に加勢《かせい》して、杉《すぎ》の渡《わたり》から攻撃《こうげき》しようと準備《じゅんび》しておいた船《ふね》が、秩父《ちちぶ》によってすべて破壊《はかい》されました。その時《とき》、新田入道《にったのにゅうどう》がこう言《い》ったのです。『今《いま》ここを渡《わた》らなければ、末代《まつだい》まで武士《ぶし》の恥《はじ》となる。溺死《できし》して死《し》ぬならそれでかまわん。さあ、渡《わた》るぞ』と号令《ごうれい》して、馬《うま》を並《なら》べた馬筏《うまいかだ》を組《く》んで、みごとに渡《わた》り切《き》りました。坂東武者《ばんどうむしゃ》（関東武士《かんとうぶし》）の心得《こころえ》として、目《もく》前《ぜん》の敵《てき》を対岸《たいがん》にして、川《かわ》の深《ふか》い浅《あさ》いなど問題《もんだい》にはしない。この宇治川《うじがわ》の深《ふか》さ・速《はや》さは、利根川《とねがわ》に比《くら》べてどれほどのものか。さほど優劣《ゆうれつ》の差《さ》はありますまい。後《あと》に続《つづ》け、方々《かたがた》」
と叫《さけ》んで、真《ま》っ先《さき》に馬《うま》を乗《の》り入《い》れた。

❖平家《へいけ》の方《かた》の侍《さぶらひ》大将《だいしやう》上総守忠清《かづさのかみただきよ》、大将軍《たいしやうぐん》の御前《おんまへ》に参《まゐ》り、「あれ御覧候《ごらんさうら》へ。橋《はし》の上《うへ》の戦《いくさ》、手《て》いたう候《さうらふ》。今《いま》は川《かは》を渡《わた》すべきにて候《さうら》ふが、をりふし五月雨《さみだれ》のころ、水《みづ》まさつて候《さうら》へば、渡《わた》さば馬《むま》・人《ひと》多《おほ》く亡《ほろ》び候《さうら》ひなん。淀《よど》・一口《いもあらひ》へや向《む》かふべき。また河内《かはち》路《ぢ》へや廻《まは》るべき。いかがせん」と申《まう》しければ、下野国《しもつけのくに》の住人《ぢゆうにん》、足利又太郎忠綱《あしかがのまたたらうただつな》、生《しやう》年十七歳《ねんじふしちさい》にてありけるが、進《すす》み出《い》でて申《まう》しけるは、「淀《よど》・一口《いもあらひ》・河内路《かはちぢ》へは、天《てん》竺《ぢく》・震旦《しんだん》の武士《ぶし》を召《め》して向《む》かはれ候《さうら》はんずるか。それも我《われ》らこそ承《うけたまは》つて向《む》かひ候《さうら》はんずれ。目《め》にかけたる敵《かたき》を討《う》たずして、宮《みや》を南都《なんと》へ入《い》れ参《まゐ》らせなば、吉野《よしの》・十《と》津川《つかは》の勢《せい》ども馳《は》せ集《あつ》まりて、いよいよ御大事《おんだいじ》でこそ候《さうら》はんずらめ。

武蔵《むさし》と上野《かうづけ》の境《さかひ》に、利根河《とねがは》と申《まう》す大河《だいが》候《さうらふ》。秩父《ちちぶ》、足利《あしかが》、仲違《なかたが》うて常《つね》は合戦《かつせん》を仕《つかまつ》り候《さうら》ひしに、大手《おほて》は長井《ながゐ》の渡《わたり》、搦手《からめで》は故我《こが》・杉《すぎ》の渡《わたり》より、寄《よ》せ候《さうら》ひしに、ここに上野国《かうづけのくに》の住人《ぢゆうにん》、新田入道《につたのにふだう》、足利《あしかが》に語《かた》らはれて、杉《すぎ》の渡《わたり》より寄《よ》せんとて、設《まう》けたりける船《ふね》どもを、秩父《ちちぶ》が方《かた》より皆破《みなやぶ》られて申《まう》しけるは、ただ今《いま》ここを渡《わた》さずば、長《なが》き弓矢《ゆみや》の疵《きず》なるべし、水《みづ》に溺《おぼ》れても死《し》なば死《し》ね、いざ渡《わた》さうとて、馬筏《うまいかだ》を作《つく》りて渡《わた》せばこそ渡《わた》しけめ。坂東武者《ばんどうむしゃ》の習《なら》ひ、敵《かたき》を目《め》にかけ、川《かは》を隔《へだ》てたる軍《いくさ》に、淵瀬《ふちせ》嫌《きら》ふやうやある。この河《かは》の深《ふか》さ、早《はや》さ、利根河《とねがは》に幾程《いくほど》の劣《おと》り優《まさ》りはよもあらじ。続《つづ》けや殿《との》ばら」とて、真《ま》つ先《さき》にこそうち入《い》れたれ。

こうして、若武者《わかむしゃ》足利忠綱《あしかがのただつな》のみごとな指揮《しき》によって、一騎《いっき》も流《なが》されず、三百余《さんびゃくよ》の全騎《ぜんき》が渡河《とか》に成功《せいこう》した。

✿青年将校の颯爽《さっそう》とした指揮ぶりが描かれている。勇猛な坂東武者は源氏軍の主力をなしたが、忠綱は平家軍に属したために、足利の家名を興すことはできなかった。

宮の御最期〈みやのごさいご〉

足利忠綱《あしかがのただつな》は弱冠《じゃっかん》十七歳《じゅうななさい》、その若武者《わかむしゃ》ぶりに力《ちから》を得《え》て、平家《へいけ》全軍《ぜんぐん》が渡河《とか》に成功《せいこう》、一気《いっき》に平等院《びょうどういん》に乱入《らんにゅう》して両軍《りょうぐん》の死闘《しとう》が展開《てんかい》した。この勢《いきお》いに押《お》され、さしもの頼《より》政軍《まさぐん》もしだいに劣勢《れっせい》に追《お》い込《こ》まれた。

七十七歳《ななじゅうななさい》の老将頼政《ろうしょうよりまさ》は、高倉《たかくら》の宮《みや》を脱出《だっしゅつ》させると、自害《じがい》して果《は》てた。長男仲《ちょうなんなか》綱《つな》・次男兼綱《じなんかねつな》をはじめ、一族《いちぞく》も次々《つぎつぎ》と討《う》ち死《じ》にした。

平等院《びょうどういん》を脱出《だっしゅつ》した宮《みや》は、奈良《なら》に向《む》かう途中《とちゅう》、矢《や》の雨《あめ》を浴《あ》びて、あえなく戦死《せんし》した。

若宮御出家〈わかみやごしゅっけ〉

勝利《しょうり》した平家軍《へいけぐん》が、討《う》ち取《と》った頼政軍《よりまさぐん》の首級《しゅきゅう》を掲《かか》げて帰京《ききょう》した。高倉《たかくら》の宮《みや》の首《くび》は寵愛《ちょうあい》の女房《にょうぼう》が確認《かくにん》した。

宮《みや》にはたくさんの子《こ》がいたが、八条女院《はちじょうのにょういん》（宮《みや》の叔母《おば》）のもとにいた若宮《わかみや》は、清盛邸《きよもりてい》に連行《れんこう》されたものの、宗盛《むねもり》（清盛《きよもり》の三男《さんなん》）の嘆願《たんがん》で助命《じょめい》され、のち高僧《こうそう》となった。

もう一人《ひとり》、奈良《なら》にいた子《こ》は出家《しゅっけ》して北国《ほっこく》に下《くだ》ったが、後《のち》に木曾義仲《きそよしなか》が天皇《てんのう》に戴《いただ》くため俗人《ぞくじん》に還《かえ》したので、木曾《きそ》の宮《みや》とも還俗《げんぞく》の宮《みや》とも呼《よ》ばれた。

鵼〈ぬえ〉

敗将頼政《はいしょうよりまさ》は和歌《わか》の名人《めいじん》であり、弓矢《ゆみや》の達人《たつじん》でもあった。近衛天皇《このえてんのう》および二条天皇《にじょうてんのう》の時《とき》、天皇《てんのう》を悩《なや》ます怪鳥鵼《かいちょうぬえ》を二度《にど》も退治《たいじ》し、そのうえ即妙《そくみょう》に連歌《れんが》を返《かえ》して賛嘆《さんたん》された。

近衛天皇《このえてんのう》の時《とき》に退治《たいじ》した怪鳥《かいちょう》は、頭《あたま》は猿《さる》、体《からだ》は狸《たぬき》、尾《お》は蛇《へび》、手足《てあし》は虎《とら》の姿《すがた》をしていた。

三井寺炎上〈みいでらえんしょう〉

今回《こんかい》の合戦《かっせん》を延暦寺《えんりゃくじ》は静観《せいかん》した。平家軍《へいけぐん》はこの機《き》を逃《のが》さず、三井寺攻略《みいでらこうりゃく》に踏《ふ》み切《き》った。

五月二十七日《ごがつにじゅうしちにち》、軍司令官知盛《ぐんしれいかんとももり》、副司令官忠度《ふくしれいかんただのり》のもとに早朝《そうちょう》から攻撃《こうげき》を開始《かいし》、夜《よる》に入《はい》って全山《ぜんざん》を焼《や》き払《はら》い、完全《かんぜん》に屈服《くっぷく》させた。寺《てら》の首脳部《しゅのうぶ》も罷免《ひめん》・流罪《るざい》などの厳罰《げんばつ》に処《しょ》せられた。反平家《はんへいけ》の一大拠点《いちだいきょてん》だった三井寺《みいでら》はこうして壊滅《かいめつ》した。

巻第五

都遷り〈みやこうつり〉（一一八〇）

一一八〇（治承四《じしょうよ》）年六月二日《ねんろくがつふつか》、遷都《せんと》が行《おこな》われ、安徳天皇《あんとくてんのう》・高倉上皇《たかくらじょうこう》・後白河《ごしらかわ》法皇《ほうおう》をはじめ、平家一門《へいけいちもん》が新都《しんと》の福原《ふくはら》（神戸市《こうべし》）に移《うつ》った。清盛《きよもり》の癇《かん》にさわった法皇《ほうおう》は、当地《とうち》で再《ふたた》び監禁《かんきん》された。

平安京《へいあんきょう》を造営《ぞうえい》したのは平家《へいけ》の始祖《しそ》桓武天皇《かんむてんのう》なのに、平然《へいぜん》と遷都《せんと》し、とりわけすばらしい地勢《ちせい》なのに、清盛《きよもり》は花《はな》の都《みやこ》を田舎《いなか》にしてしまった、と人々《ひとびと》は嘆《なげ》いた。

新都〈しんと〉

新都《しんと》建設《けんせつ》は土地《とち》の選定《せんてい》がはかどらず、内裏《だいり》建造《けんぞう》も国費《こくひ》の乱費《らんぴ》が国民《こくみん》の疲弊《ひへい》を招《まね》くと懸念《けねん》する声《こえ》があった。

月見〈つきみ〉

秋《あき》もなかばとなり、新都《しんと》の人々《ひとびと》は『源氏物語《げんじものがたり》』の光源氏《ひかるげんじ》をしのびながら、須《す》磨《ま》・明石《あかし》など周辺《しゅうへん》の名所《めいしょ》で月見《つきみ》を楽《たの》しんだ。

大納言徳大寺《だいなごんとくだいじ》実定《さねさだ》は、荒《あ》れ果《は》てた京都《きょうと》に戻《もど》り、二《に》代《だい》（近衛《このえ》・二条《にじょう》）の妃《きさき》であった近衛河原《このえがわら》の大宮《おおみや》（妹《いもうと》）を訪《たず》ね、今様《いまよう》（流行歌謡《りゅうこうかよう》）をうたって旧都《きゅうと》を懐《なつ》かしんだ。帰《かえ》りしなに、実定《さねさだ》の家《か》臣《しん》と大宮《おおみや》に仕《つか》える待宵《まつよい》の小《こ》侍従《じじゅう》という歌人《かじん》の女房《にょうぼう》とが歌《うた》を詠《よ》み交《か》わした。

物怪〈もっけ〉

遷都《せんと》以来《いらい》、平家《へいけ》の人々《ひとびと》の夢見《ゆめみ》が悪《わる》くなり、怪奇《かいき》で不《ふ》吉《きつ》な予兆《よちょう》が続《つづ》いた。

◆妖怪《ようかい》をにらみかえして退散《たいさん》させた清盛《きよもり》

ある夜《よる》のこと、清盛《きよもり》の寝室《しんしつ》に、柱《はしら》と柱《はしら》の間《あいだ》いっぱいにふさがるほど大《おお》きな顔《かお》が出《で》てきて、清盛《きよもり》の顔《かお》をのぞきこんだ。清盛《きよもり》は少《すこ》しも騒《さわ》がず、はったとにらみ続《つづ》けると、みるみる消《き》えてしまった。

岡《おか》の御所《ごしょ》（福原《ふくはら》）は新築《しんちく》なので、それほどの大樹《たいじゅ》はなかったが、ある晩《ばん》、大樹《たいじゅ》の倒《たお》れる音《おと》がして、人《ひと》にしたら二《に》、三千人《さんぜんにん》の、虚空《こくう》でどっと笑《わら》う声《こえ》がした。「どうみても、これは天狗《てんぐ》（怪物《かいぶつ》）のしわざ」という評判《ひょうばん》になり、昼五十人《ひるごじゅうにん》、夜百人《よるひゃくにん》の武士《ぶし》による警備体制《けいびたいせい》を組織《そしき》し、蟇目《ひきめ》（高音《こうおん》を発《はっ》する魔除《まよ》けの矢《や》）の番《ばん》と命名《めい》して、蟇目《ひきめ》を射《い》させたが、天狗《てんぐ》のいる方角《ほうがく》に向《む》かって射《い》た時《とき》は音《おと》がしないけれども、天狗《てんぐ》のいない方角《ほうがく》に向《む》かって射《い》た時《とき》は、どっと笑《わら》う声《こえ》がした。

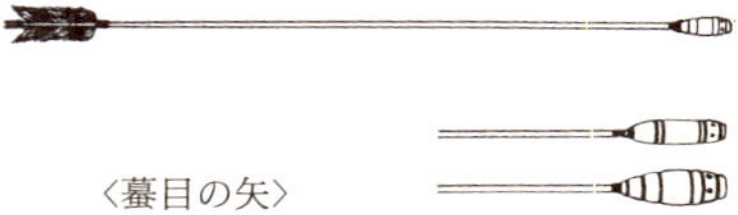

〈蟇目の矢〉

ある朝《あさ》、清盛《きよもり》が寝床《ねどこ》から起《お》きて戸《と》を開《あ》け、中庭《なかにわ》をのぞくと、無数《むすう》の人間《にんげん》の頭蓋骨《ずがいこつ》が庭《にわ》に充満《じゅうまん》していた。上《うえ》から下《した》へ、下《した》から上《うえ》へ、内《うち》から外《そと》へ、外《そと》から内《うち》へと、ぶつかったり、離《はな》れたりしながら、からからと音《おと》をたてた。

清盛《きよもり》が、「誰《だれ》かいないか」と呼《よ》んだが、あいにく誰《だれ》も来《こ》ない。そのうち、無数《むすう》の髑髏《どくろ》はひと固《かた》まりになって、庭《にわ》に入《はい》りきれないほどにふくれあがり、高《たか》さ四《し》、五十《ごじゅう》メートルの山《やま》となった。そのなかの大《おお》きな髑髏《どくろ》に、生《い》きた人《にん》間《げん》の大《おお》きな眼球《がんきゅう》が無数《むすう》に現《あらわ》れて、清盛《きよもり》をきっとにらみつけて瞬《まばた》きもしない。

清盛《きよもり》は少《すこ》しも騒《さわ》がず、じいっとにらんで立《た》っていると、まるで露霜《つゆしも》が太《たい》陽《よう》に当《あ》たって溶《と》けるように、跡形《あとかた》もなく消《き》えてしまった。

❖或《あ》る夜《よ》、入道《にふだう》の臥《ふ》し給《たま》ひたりける所《ところ》に、一間《ひとま》にはばかるほどの、ものの面《おもて》の出《い》で来《き》て、のぞき奉《たてまつ》る。入道《にふだう》ちつとも騒《さわ》がず、はつたと睨《にら》まへておはしければ、ただ消《ぎ》えに消《き》え失《う》せぬ。岡《をか》の御所《ごしよ》と申《まう》すは、新《あたら》しう作《つく》られたりければ、しかるべき大木《たいぼく》なんどもなかりけるに、或《あ》る夜《よ》大木《おほぎ》の倒《たふ》るる音《おと》して、人《ひと》ならば二《に》、三千人《さんぜんにん》が声《こゑ》して、虚空《こくう》にどつと笑《わら》ふ音《おと》しけり。「いかさまにも、これは天狗《てんぐ》の所為《しよゐ》」といふ沙汰《さた》にて、昼五十《ひるごじふ》人《にん》、夜百人《よるひやくにん》の番衆《ばんじゆ》を揃《そろ》へ、蟇目《ひきめ》の番《ばん》と名《な》づけて、蟇目《ひきめ》を射《い》させられけるに、天狗《てんぐ》のある方《かた》へ向《む》かつて射《い》たると思《おぼ》しき時《とき》は、音《おと》もせず。また、ない方《かた》へ向《む》かつて射《い》たる時《とき》は、どつと笑《わら》ひなんどしけり。

また或《あ》る朝《あした》、入道相国《にふだうしやうこく》、帳台《ちやうだい》より出《い》でて、妻戸《つまど》をおし開《ひら》き、坪《つぼ》の内《うち》を見給《みたま》へば、死人《しにん》の枯髑髏《しやれかうべ》どもが、幾《いく》らといふ数《かず》を知《し》らず、坪《つぼ》の内《うち》に充《み》ち満《み》ちて、上《うへ》なるは下《した》になり、下《した》なるは上《うへ》になり、中《なか》なるは端《はし》へ転《ころ》び出《い》で、端《はし》なるは中《なか》へ転《ころ》び入《い》り、転《ころ》び合《あ》ひ転《ころ》び退《の》き、からめき合《あ》へり。入道相国《にふだうしやうこく》、「人《ひと》やある、人《ひと》やある」と召《め》されけれども、をりふし人《ひと》も参《まゐ》らず。かくして多《おほ》くの髑髏《どくろ》どもが、一《ひと》つにかたまり合《あ》ひ、坪《つぼ》の内《うち》にはばかるほどになりて、高《たか》さは十四《じふし》、五丈《ごぢやう》もあるらんと覚《おぼ》ゆる山《やま》の如《ごと》くになりにけり。かの一《ひと》つの大頭《おほがしら》に、生《い》きたる人《ひと》の目《め》のやうに、大《だい》の眼《まなこ》が千万《せんまん》出《い》で来《き》て、入《にふ》道相国《だうしやうこく》をきつと睨《にら》まへ、しばしは瞬《また》きもせず。入道《にふだう》、ちつとも騒《さわ》がず、ちやうど睨《にら》まへて立《た》たれたりければ、露霜《つゆしも》などの日《ひ》に当《あ》たつて消《き》ゆるやうに、跡形《あとかた》もなくなりにけり。

✽清盛の豪胆《ごうたん》を伝える説話だが、怪異現象が戦死者の怨念《おんねん》らしい点に、武人清盛の面目をうかがわせている。

また、ある若侍《わかざむらい》の見《み》た夢《ゆめ》は、政権《せいけん》が平家《へいけ》から源頼朝《みなもとのよりとも》に移《うつ》ることを暗示《あんじ》する神々《かみがみ》の会議《かいぎ》であった。うわさを聞《き》いた清盛《きよもり》が呼《よ》び出《だ》すと、男《おとこ》は失踪《しっそう》した。さらに、清盛《きよもり》が常《つね》に枕元《まくらもと》に置《お》いている厳島明神《いつくしまみょうじん》から授《さず》かった小長刀《こなぎなた》が、ある夜《よ》、突然《とつぜん》消えてしまった。

章段名《しょうだんめい》「物怪《もっけ》」は、本段《ほんだん》に出現《しゅつげん》するさまざまな怪異現象《かいいげんしょう》をさしていう。

大庭が早馬〈おおばがはやうま〉

九月二日《くがつふつか》、相模《さがみ》の大庭景親《おおばかげちか》から、頼朝《よりとも》の挙兵《きょへい》を通報《つうほう》する早馬《はやうま》が到着《とうちゃく》した。八月《はちがつ》十七日《じゅうしちにち》に伊豆《いず》（静岡県《しずおかけん》）で頼朝《よりとも》が舅《しゅうと》の北条時政《ほうじょうときまさ》を派遣《はけん》して、代官《だいかん》平兼隆《たいらのかねたか》を討《う》ったこと、その後《のち》、大庭《おおば》の攻撃《こうげき》により石橋山《いしばしやま》で敗北《はいぼく》、安房《あわ》（千葉県《ちばけん》）へ撤退《てったい》したこと、および関東武士団《かんとうぶしだん》の動静《どうせい》を報告《ほうこく》した。

朝敵揃へ〈ちょうてきぞろえ〉

頼朝《よりとも》の旗揚《はたあ》げを聞《き》いた平家《へいけ》一門《いちもん》の反応《はんのう》はさまざまだった。が、清盛《きよもり》は、継母池《ままははいけ》の禅尼《ぜんに》の懇願《こんがん》を入《い》れて頼朝《よりとも》を助命《じょめい》したので、彼《かれ》の忘恩《ぼうおん》に激怒《げきど》した。

古来《こらい》、多《おお》くの朝敵《ちょうてき》を調《しら》べても、成功《せいこう》した例《れい》は一《ひと》つもなく、必《かなら》ず討《う》たれた。昔《むかし》は王威《おうい》がすぐれていたので、醍醐《だいご》天皇《てんのう》の時《とき》、勅命《ちょくめい》を聞《き》いた鷺《さぎ》が平伏《へいふく》して飛《と》び立《た》たず、五位《ごい》を授《さず》けられたという。

章段名《しょうだんめい》「揃《そろ》へ」は、朝敵《ちょうてき》の人名《じんめい》を並《なら》べたてるところから付《つ》けた。

咸陽宮〈かんようきゅう〉

外国《がいこく》の朝敵《ちょうてき》の例《れい》としては、燕《えん》の太子《たいし》丹《たん》の故事《こじ》がある。秦《しん》の始皇帝《しこうてい》に囚《とら》われていた丹《たん》は、母《はは》に会《あ》いたい孝心《こうしん》の起《お》こした奇跡《きせき》によって無事《ぶじ》に帰国《きこく》できた。

丹《たん》は始皇帝《しこうてい》を暗殺《あんさつ》するために、荊軻《けいか》と秦舞陽《しんぶよう》を刺客《しかく》として咸陽宮《かんようきゅう》（秦《しん》の都《みやこ》）に送《おく》ったが、失敗《しっぱい》に終《お》わり、結局《けっきょく》、丹《たん》も始皇帝《しこうてい》に討《う》たれたという。

「頼朝《よりとも》もこれと同《おな》じ運命《うんめい》になろう」と追従《ついしょう》を言《い》う者《もの》もいた。

文覚の荒行〈もんがくのあらぎょう〉

頼朝《よりとも》が謀反《むほん》を起《お》こした原因《げんいん》は、文覚《もんがく》の説得《せっとく》にあった。文覚《もんがく》はもと遠藤盛遠《えんどうもりとお》という武士《ぶし》だったが、出家《しゅっけ》して荒行《あらぎょう》を重《かさ》ね、那智《なち》の滝《たき》で不動明王《ふどうみょうおう》の加護《かご》を得《え》て、さらに諸国《しょこく》の霊地《れいち》を巡《めぐ》った修験者《しゅげんじゃ》だった。

勧進帳〈かんじんちょう〉

文覚《もんがく》は帰京後《ききょうご》、高雄山《たかおざん》に入《はい》り、荒《あ》れた神護寺《じんごじ》の修理《しゅうり》を思《おも》い立《た》ち、勧進《かんじん》して歩《ある》いた。ある時《とき》、後白河法皇《ごしらかわほうおう》の御所《ごしょ》に強引《ごういん》に入《はい》り込《こ》み、大音声《だいおんじょう》で勧進帳《かんじんちょう》（寄付《きふ》を集《あつ》める書状《しょじょう》）を読《よ》み上《あ》げた。

文覚流され〈もんがくながされ〉

御所《ごしょ》で催《もよお》されていた音楽会《おんがくかい》は、勧進帳《かんじんちょう》を読《よ》み上《あ》げる文覚《もんがく》の大音声《だいおんじょう》で、ぶちこわしになった。しかも、警備《けいび》の武士《ぶし》ととっくみあいの大《おお》あばれを演《えん》じて、文覚《もんがく》は投《とう》獄《ごく》された。

ほどなく大赦《たいしゃ》で出獄《しゅつごく》した文覚《もんがく》は、性懲《しょうこ》りもなく不穏《ふおん》な言動《げんどう》をくり返《かえ》すので、伊《い》豆《ず》に流《なが》された。護送《ごそう》の途中《とちゅう》、賄賂《わいろ》を要求《ようきゅう》した役人《やくにん》をからかったり、暴風雨《ぼうふうう》に遭《あ》って竜王《りゅうおう》（海神《かいじん》）を叱《しか》りつけたりした。三十一日間《さんじゅういちにちかん》の断食《だんじき》にも気力《きりょく》は衰《おとろ》えなかった。

伊豆院宣〈いずいんぜん〉

伊豆《いず》に着《つ》いた文覚《もんがく》は、たびたび頼朝《よりとも》と面談《めんだん》した。ある日《ひ》、頼朝《よりとも》に父義朝《ちちよしとも》の髑髏《どくろ》と称《しょう》するものを見《み》せ、平家討滅《へいけとうめつ》の旗揚《はたあ》げを勧《すす》めた。頼朝《よりとも》はためらったが、文覚《もんがく》は、伊豆山《いずやま》に籠《こも》るといつわって福原《ふくはら》（神戸市《こうべし》）に出《で》かけて、法皇《ほうおう》から平家討滅《へいけとうめつ》の命令《めいれい》書《しょ》（院宣《いんぜん》）をもらってきたので、ついに挙兵《きょへい》を決意《けつい》した。

富士川〈ふじがわ〉

一方《いっぽう》、福原《ふくはら》でも平家一門《へいけいちもん》の首脳会議《しゅのうかいぎ》が開《ひら》かれ、源氏追討軍《げんじついとうぐん》の派遣《はけん》を決議《けつぎ》した。

九月十八日《くがつじゅうはちにち》、軍司令官維盛《ぐんしれいかんこれもり》・副司令官忠度《ふくしれいかんただのり》は三万余騎《さんまんよき》を率《ひき》いて関東《かんとう》へ出発《しゅっぱつ》した。貴族武士《きぞくぶし》である維盛《これもり》の出陣姿《しゅつじんすがた》は輝《かがや》くほど美《うつく》しく、忠度《ただのり》は愛人《あいじん》と別《わか》れの歌《うた》を詠《よ》み交《か》わした。

十月十六日《じゅうがつじゅうろくにち》、平家軍《へいけぐん》は、増援《ぞうえん》を加《くわ》え七万余騎《しちまんよき》となって富士川《ふじがわ》（山梨《やまなし》・静岡県《しずおかけん》）に到着《とうちゃく》、参謀長《さんぼうちょう》 忠清《ただきよ》の意見《いけん》を入《い》れて、ここに布陣《ふじん》した。

一方《いっぽう》、頼朝軍《よりともぐん》は総勢二十万騎《そうぜいにじゅうまんき》で黄瀬川《きせがわ》（沼津市《ぬまずし》）に到着《とうちゃく》した。

平家軍《へいけぐん》は、坂東武者《ばんどうむしゃ》の親子《おやこ》は互《たが》いの死骸《しがい》を乗《の》り越《こ》えてでも闘《たたか》うほど非情《ひじょう》だと関《かん》東出身《とうしゅっしん》の斎藤実盛《さいとうさねもり》が語《かた》るのを聞《き》いて、恐怖《きょうふ》に震《ふる》えた。

十月二十三日《じゅうがつにじゅうさんにち》、合戦《かっせん》の前夜《ぜんや》、平家軍《へいけぐん》は、地元《じもと》の避難民《ひなんみん》が山野《さんや》で炊事《すいじ》する火《ひ》を見《み》て、源氏《げんじ》の大軍《たいぐん》と誤認《ごにん》し、臆病風《おくびょうかぜ》に吹《ふ》かれて、水鳥《みずとり》の羽音《はおと》を敵襲《てきしゅう》と確信《かくしん》し、大混《だいこん》乱《らん》のうちに戦場《せんじょう》から逃亡《とうぼう》した。

源氏軍《げんじぐん》は一戦《いっせん》も交《まじ》えることなく不戦勝《ふせんしょう》となったが、頼朝《よりとも》は追撃《ついげき》せず鎌倉《かまくら》に凱旋《がいせん》して、内部統制《ないぶとうせい》の強化《きょうか》につとめた。

不戦敗《ふせんぱい》となった平家軍《へいけぐん》の醜態《しゅうたい》は、宿場《しゅくば》の遊女《ゆうじょ》たちの笑《わら》いの種《たね》となり、数多《かずおお》くの戯歌《ざれうた》で嘲笑《ちようしよう》された。

五節の沙汰〈ごせつのさた〉

十一月八日《じゆういちがつようか》、敵前逃亡《てきぜんとうぼう》して福原《ふくはら》に帰《かえ》った維盛《これもり》を、清盛《きよもり》は流刑《るけい》に処《しよ》すべしと激怒《げきど》した。しかし、処罰《しよばつ》どころか、官位昇進《かんいしようしん》して人々《ひとびと》の不審《ふしん》を買《か》った。

十一月十三日《じゆういちがつじゆうさんにち》、新内裏《しんだいり》が完成《かんせい》したが、福原《ふくはら》は施設不備《しせつふび》なので、大嘗祭《だいじようさい》（新帝即位《しんていそくい》の神事《しんじ》）は中止《ちゆうし》となり、新嘗祭《しんじようさい》（天皇例年《てんのうれいねん》の神事《しんじ》）と五節《ごせち》（祭《まつ》りの後《あと》の女舞《おんなまい》）だけを旧都《きゆうと》で行《おこな》うことになった。福原《ふくはら》の不便《ふべん》は明白《めいはく》になってきた。

都還り〈みやこがえり〉

十二月二日《じゆうにがつふつか》、新都《しんと》福原《ふくはら》に諸方面《しよほうめん》から批判《ひはん》の声《こえ》が高《たか》まったので、強気《つよき》の清盛《きよもり》も折《お》れて、京都《きようと》に還《かえ》ることになった。今回《こんかい》の遷都《せんと》は比叡山《ひえいざん》や奈良《なら》の仏教界《ぶつきようかい》の圧力《あつりよく》を避《さ》けるためだったという。

十二月二十三日《じゆうにがつにじゆうさんにち》、勇将知盛《ゆうしようとももり》・忠度《ただのり》の指揮《しき》する近江源氏《おうみげんじ》追討軍《ついとうぐん》が出撃《しゆつげき》、敵《てき》を粉砕《ふんさい》した後《のち》、さらに進撃《しんげき》を試《こころ》みた。

奈良炎上〈ならえんしょう〉

高倉《たかくら》の宮《みや》の謀反《むほん》に加勢《かせい》した罪《つみ》で、奈良《なら》(南都《なんと》)を攻略《こうりゃく》するという風聞《ふうぶん》が立《た》ったので、僧兵《そうへい》たちはいきりたった。平家方《へいけがた》の使者《ししゃ》はすべて追《お》い返《かえ》し、球技用《きゅうぎよう》の球《たま》を清盛《きよもり》に見立《みた》てて打《う》ったり踏《ふ》んだりした。また、派遣《はけん》された警察部隊《けいさつぶたい》をも攻撃《こうげき》した。十二月二十八日《じゅうにがつにじゅうはちにち》、ついに清盛《きよもり》は、重衡《しげひら》を軍司令官《ぐんしれいかん》に任命《にんめい》、四万《よんまん》の大軍《たいぐん》で奈良《なら》を攻略《こうりゃく》した。乱戦《らんせん》となったが、衆寡敵《しゅうかてき》せず僧兵団《そうへいだん》は撃破《げきは》された。

その夜《よ》、平家軍《へいけぐん》が民家《みんか》に放《はな》った火《ひ》は、折《おり》からの強風《きょうふう》にあおられて、猛火《もうか》となって南都《なんと》を襲《おそ》った。東大寺《とうだいじ》も興福寺《こうふくじ》も焼《や》け落《お》ち、南都《なんと》はさながら焦熱地獄《しょうねつじごく》の惨状《さんじょう》を呈《てい》した。

翌二十九日《よくにじゅうくにち》、重衡《しげひら》は京《きょう》に凱旋《がいせん》したが、喜《よろこ》んだのは清盛《きよもり》だけで、法皇《ほうおう》・上皇《じょうこう》はじめ、みな驚《おどろ》きと嘆《なげ》きの色《いろ》を隠《かく》せなかった。これは天下《てんか》の衰微《すいび》する前兆《ぜんちょう》であろう、と思《おも》われた。

巻第六

新院崩御〈しんいんほうぎょ〉 一一八一

一一八一（治承五《じしょうご》）年正月《ねんしょうがつ》。宮中《きゅうちゅう》の諸行事《しょぎょうじ》は、関東《かんとう》の争乱《そうらん》、奈良《なら》の戦火《せんか》によってすべて中止《ちゅうし》され、陰鬱《いんうつ》な新年《しんねん》を迎《むか》えた。

南都《なんと》の高僧《こうそう》たちの処分《しょぶん》が行《おこな》われ、寺院《じいん》は荒廃《こうはい》するばかりだった。

正月十四日《しょうがつじゅうよっか》、高倉上皇《たかくらじょうこう》は、不穏《ふおん》な政情《せいじょう》を嘆《なげ》くあまり病床《びょうしょう》に臥《ふ》し、二十一歳《にじゅういっさい》の若《わか》さで崩御《ほうぎょ》した。

紅葉〈こうよう〉

故《こ》高倉上皇《たかくらじようこう》は風流《ふうりゆう》を愛《あい》し、また慈悲《じひ》深《ぶか》い人柄《ひとがら》だった。まだ十歳《じつさい》のころ、大切《たいせつ》にしていた紅葉《もみじ》の山《やま》の落葉《おちば》を、掃除係《そうじがかり》が酒《さけ》を温《あたた》める燃料《ねんりよう》にしてしまったが、とがめるどころか、かえって詩句《しく》を引《ひ》いてその風流《ふうりゆう》を愛《め》でたという。また、強盗《ごうとう》に女主人《おんなしゆじん》の衣装《いしよう》を奪《うば》われて泣《な》いていた女童《めのわらわ》を憐《あわ》れみ、新《あら》たに衣装《いしよう》を授《さず》けたこともあった。

葵の前〈あおいのまえ〉

また、上皇《じようこう》は、中宮《ちゆうぐう》（建礼門院《けんれいもんいん》）付《づ》きの女房《にようぼう》に仕《つか》える葵《あおい》の前《まえ》という少女《しようじよ》を心《こころ》から愛《あい》した。しかし、その寵愛《ちようあい》ぶりが公然《こうぜん》ともてはやされたので、帝王《ていおう》の徳《とく》を失《うしな》うことを懸念《けねん》し、恋情《れんじよう》を抑《おさ》えて逢《あ》うのをやめた。やがて、少女《しようじよ》は上皇《じようこう》の真心《まごころ》を知《し》ったが、病《やまい》に倒《たお》れ数日《すうじつ》で死《し》んだ。

小督〈こごう〉

葵《あおい》の前《まえ》を失《うしな》って嘆《なげ》きに沈《しず》む上皇《じようこう》を見《み》かねて、中宮《ちゆうぐう》（清盛《きよもり》の次女《じじよ》）は小督《こごう》という女房《にょうぼう》を紹介《しょうかい》した。絶世《ぜっせい》の美女《びじょ》で琴《こと》の名手《めいしゅ》だった。小督《こごう》は、冷泉隆房《れいぜいたかふさ》（清盛《きよもり》の長女《ちょうじょ》の婿《むこ》）の恋人《こいびと》でもあったが、上皇《じょうこう》の寵愛《ちょうあい》を受《う》けてからは、隆房《たかふさ》との関係《かんけい》を絶《た》った。しかし、隆房《たかふさ》は未練《みれん》の涙《なみだ》を流《なが》し続《つづ》けていた。

うわさを聞《き》いた清盛《きよもり》は、二人《ふたり》の婿《むこ》を小督《こごう》に奪《うば》われたと激怒《げきど》した。二人《ふたり》の婿《むこ》とは上皇《じょうこう》と隆房《たかふさ》のことである。そこで、身《み》の危険《きけん》を感《かん》じた小督《こごう》は身《み》を隠《かく》してしまい、上皇《じょうこう》は悲嘆《ひたん》にくれた日々《ひび》を送《おく》る。

八月中旬《はちがつちゅうじゅん》の月《つき》の夜《よる》、近臣《きんしん》の源 仲国《みなもとのなかくに》は上皇《じょうこう》の密命《みつめい》を受《う》け、小督《こごう》を探《さが》し求《もと》めて嵯《さ》峨野《がの》に馬《うま》を飛《と》ばした。探《さが》しあぐねてなかば諦《あきら》めかけたころ、松風《まつかぜ》に乗《の》って聞《き》こえる琴《こと》の音《ね》から彼女《かのじょ》を発見《はっけん》することができた。

◆仲国《なかくに》、想夫恋《そうふれん》を奏《かな》でる小督《こごう》を嵯峨《さが》に発見《はっけん》

ここ嵯峨《さが》の秋《あき》は、歌《うた》に詠《よ》まれるほど哀愁《あいしゅう》をそそるものがある。「を鹿鳴《じかな》くこの山里《やまざと》のさがなれば悲《かな》しかりける秋《あき》の夕暮《ゆうぐ》れ（鹿《しか》の鳴《な》くこの山里《やまざと》の本《ほん》

性《しよう》〈「さが」に「嵯峨《さが》」を掛《か》けた〉だから嵯峨《さが》の秋《あき》の夕暮《ゆうぐ》れは心にしみる)」(『藤原基俊家集《ふじわらのもととしかしゆう》』)。

帝《みかど》の命令《めいれい》により、小督《こごう》を探《さが》し求《もと》めて秋《あき》の嵯峨《さが》を訪《おとず》れた仲国《なかくに》もまた、深《ふか》い哀感《あいかん》に包《つつ》まれていた。琴《こと》の名手《めいしゆ》である小督《こごう》のこと、今夜《こんや》の明月《めいげつ》に魅《ひ》かれ、帝《みかど》を偲《しの》んで、きっと琴《こと》を弾《ひ》いているにちがいない。そう推理《すいり》して、仲国《なかくに》は嵯峨《さが》に馬《うま》を走《はし》らせてきたのだった。

簡素《かんそ》な片折戸《かたおりど》(一枚扉《いちまいとびら》)の小家《こいえ》を見《み》つけては、小督殿《こごうどの》がおいでだろうかと、幾度《いくど》も手綱《たづな》を引《ひ》いて馬《うま》をとめては、耳《みみ》を傾《かたむ》けたけれども、どこにも琴《こと》を弾《ひ》いている家《いえ》はなかった。

釈迦堂《しやかどう》(清涼寺《せいりようじ》)に参詣《さんけい》しているかもしれないと、そこをはじめとして、あちこちの寺《てら》を見《み》て回《まわ》ったが、小督殿《こごうどの》に似《に》ている貴婦人《きふじん》さえ見《み》あたらなかった。

目的《もくてき》を果《は》たさずに宮中《きゆうちゆう》に帰《かえ》るのは、帰《かえ》らないよりもかえって具合《ぐあい》が悪《わる》い。ここから、どこでもいいから、蒸発《じようはつ》してしまいたい。そう思《おも》ったものの、国土《こくど》はどこもみな帝《みかど》の領地《りょうち》なのだから、身《み》を隠《かく》すような宿《やど》もない。どうしたらよいものか。仲国《なかくに》は途方《とほう》にくれた。

その時《とき》、ふと閃《ひらめ》いたものがあった。そうだ、法輪寺《ほうりんじ》はここからすぐだから、小督殿《こごうどの》は月《つき》の光《ひかり》に誘《さそ》われて、そこへおいでなのかもしれない。仲国《なかくに》は気《き》をとり直《なお》すと、法輪寺《ほうりんじ》へと馬《うま》を進《すす》めた。

亀山《かめやま》のあたり近《ちか》く、こんもりとした松林《まつばやし》のある方角《ほうがく》から、かすかに琴《こと》の音《ね》が聞《き》こえてきた。峯《みね》の嵐《あらし》か松風《まつかぜ》の音《おと》か、それとも行方《ゆくえ》を探《さが》している小督《こごう》殿《どの》の琴《こと》の音《ね》か、はっきり聞《き》き分《わ》けることはできない。確信《かくしん》はもてなかったけれども、馬《うま》を急《いそ》がせてゆくうちに、とある片折戸《かたおりど》の一軒《いっけん》から、心《こころ》のこもった琴《こと》の演奏《えんそう》が聞《き》こえてきた。

仲国《なかくに》は馬《うま》をとめて耳《みみ》を傾《かたむ》けていたが、まちがいなく小督殿《こごうどの》の演奏《えんそう》である。曲《きょく》は何《なん》であろうかとよく聞《き》いてみると、夫《おっと》を想《おも》って恋《こ》うと訓《よ》む「想夫恋《そうふれん》」という曲《きょく》であった。

仲国《なかくに》は、思《おも》ったとおり、小督殿《こごうどの》は帝《みかど》のことを忘《わす》れられず、ほかに曲《きょく》はたくさんあるのに、ことさらこの曲《きょく》を選《えら》ぶとは、何《なん》と情《じょう》のこまやかなことだ、と感動《かんどう》して、腰《こし》から横笛《よこぶえ》を抜《ぬ》き出《だ》して、ちょっと吹《ふ》いて、門《もん》をとんとんとたたくと、たちまち琴《こと》の音《ね》は止《や》んだ。

「宮中《きゅうちゅう》から仲国《なかくに》が使者《ししゃ》として参上《さんじょう》いたしました。お開《あ》けください」と言《い》って、何度《なんど》も戸《と》をたたいたが、応対《おうたい》に出《で》る者《もの》はない。

しばらくして、家《いえ》のなかから人《ひと》の出《で》てくる気配《けはい》がした。仲国《なかくに》は、意思《いし》が通《つう》じたと喜《よろこ》んで待《ま》っていると、錠《じょう》を外《はず》し門《もん》を細目《ほそめ》に開《あ》けて、少女《しょうじょ》っぽい侍《じ》女《じょ》が顔《かお》だけさし出《だ》した。

「ここは、そのように宮中《きゅうちゅう》から使者《ししゃ》をいただくような所《ところ》ではございません。お門違《かどちが》いでございましょう」

仲国《なかくに》は、言《い》い訳《わけ》をしたら、門《もん》を閉《し》められ錠《じょう》を下《お》ろされてしまうと直感《ちょっかん》したのであろう、無理《むり》やり門《もん》を押《お》し開《あ》けて、家《いえ》のなかに入《はい》り込《こ》んだ。

❖「を鹿鳴《しかな》くこの山里《やまざと》」と詠《えい》じけん嵯峨《さが》の辺《あたり》の秋《あき》の頃《ころ》、さこそはあはれにも覚《おぼ》えけめ。片折戸《かたをりど》したる屋《や》を見《み》つけては、この内《うち》にもやおはすらんと、控《ひか》へ控《ひか》へ聞《き》けれども、琴弾《ことひ》く所《ところ》はなかりけり。

御堂《みだう》などへも参《まゐ》り給《たま》へることもやと、釈迦堂《しやかだう》をはじめて、堂々見回《だうだうみまは》れども、小督《こがう》の殿《との》に似《に》たる女房《にようばう》だにもなかりけり。

空《むな》しう帰《かへ》り参《まゐ》りたらんは、参《まゐ》らざらんより、なかなか悪《あ》しかるべし、これよりいづちへも、迷《まよ》ひ行《ゆ》かばやと思《おも》へども、いづくか王地《わうち》ならぬ、身《み》を隠《かく》すべき宿《やど》もなし。いかがせんと案《あん》じ煩《わづら》ふ。

まことや、法輪《ほふりん》は程近《ほどちか》ければ、月《つき》の光《ひかり》に誘《さそ》はれて、参《まゐ》り給《たま》へることもやと、そなたへ向《む》いてぞあくがれける。

亀山《かめやま》のあたり近《ちか》く、松《まつ》の一群《ひとむら》ある方《かた》に、かすかに琴《こと》ぞ聞《き》こえける。峯《みね》の嵐《あらし》か松風《まつかぜ》か、尋《たづ》ぬる人《ひと》の琴《こと》の音《ね》か、おぼつかなくは思《おも》へども、駒《こま》を早《はや》めて行《ゆ》くほどに、片折戸《かたをり》戸《ど》したる内《うち》に、琴《こと》をぞ弾《ひ》き澄《す》まされたる。

控《ひか》へてこれを聞《き》きければ、少《すこ》しも紛《まが》ふべうもなく、小督《こがう》の殿《との》の爪音《つまおと》なり。楽《がく》は何《なに》ぞと聞《き》きければ、夫《つま》を想《おも》うて恋《こ》ふと訓《よ》む想夫恋《さうふれん》といふ楽《がく》なりけり。

仲国《なかくに》、さればこそ、君の御事思《おんことおも》ひ出《い》で参《まゐ》らせて、楽《がく》こそ多《おほ》けれ、この楽《がく》を弾《ひ》き給《たま》ふことの優《やさ》しさよ、と思《おも》ひ、腰《こし》より横笛《やうでうぬ》抜き出《い》だし、ちつと鳴《な》らいて、門《かど》をほとほととたたけば、琴《こと》をばやがて弾《ひ》き止《や》み給《たま》ひぬ。

「これは、内裏《だいり》より仲国《なかくに》が御使《おんつかひ》に参《まゐ》りて候《さうらふ》。開《あ》けさせ給《たま》へ」とて、たたけどもたたけども、咎《とが》むる者《もの》もなかりけり。

ややあつて、内《うち》より人《ひと》の出《い》づる音《おと》しけり。嬉《うれ》しう思《おも》ひて待《ま》つところに、錠《ぢやう》をはづし、門《かど》を細目《ほそめ》に開《あ》け、幼気《いたいけ》したる小女房《こにようばう》の、顔《かほ》ばかりさし出《い》でいて、「これは、さやうに内裏《だいり》より御使《おんつかひ》など賜《たま》はるべき所《ところ》でも候《さぶら》はず。もし門違《かどたが》へでぞ候《さぶら》ふらん」と言《い》ひければ、仲国《なかくに》、返事《へんじ》せば門立《かどた》てられ、錠《ぢやう》さされなんずとや思《おも》ひけん、是非《ぜひ》なく押《お》し開《あ》けてぞ入《い》りにける。

✤清盛の追及を逃れて、嵯峨に身を潜《ひそ》めた小督だが、こうして仲国によって発見され、帝と再びひそかに愛の巣を営み、二人の間には姫宮が誕生した。しかし、やがて秘め事が発覚し、清盛の逆恨《さかうら》みを買い、ついには尼《あま》の身に落とされる。

琴の名手小督の演奏と、それを聞き分ける笛《ふえ》の名手仲国。音楽の才能が導く二人の出会いは、結局、哀話のクライマックスを奏でることになってしまった。

廻文〈めぐらしぶみ〉

清盛《きよもり》は、上皇《じょうこう》の二《に》七日《しちにち》の法要《ほうよう》も済《す》まないのに、法皇《ほうおう》に自分《じぶん》の娘《むすめ》を差《さ》し出《だ》して政《せい》略結婚《りゃくけつこん》させ、周囲《しゅうい》の顰蹙《ひんしゅく》を買《か》った。

そのころ、源義賢《みなもとのよしかた》（義朝《よしとも》の弟《おとうと》）の子《こ》、木曾冠者義仲《きそのかんじゃよしなか》（頼朝《よりとも》のいとこ）は信濃《しなの》国《くに》（長野県《ながのけん》）でたくましく成長《せいちょう》し、頼朝《よりとも》とともに平家《へいけ》を討滅《とうめつ》しようと謀反《むほん》を計画《けいかく》した。さっそく回覧文書《かいらんぶんしょ》（廻文《めぐらしぶみ》）を諸国《しょこく》の源氏《げんじ》に出《だ》したところ、まずは信濃《しなの》・上《こう》野《ずけ》（群馬県《ぐんまけん》）の源氏《げんじ》が呼応《こおう》してきた。

飛脚到来〈ひきゃくとうらい〉

義仲謀反《よしなかむほん》の報《ほう》はじきに清盛《きよもり》の耳《みみ》に達《たっ》したが、義仲《よしなか》をあなどって動《どう》じなかった。しかし、諸国《しょこく》から次々《つぎつぎ》に謀反《むほん》の通報《つうほう》が入《はい》ってきた。河内国《かわちのくに》（大阪府《おおさかふ》）の義基父子《よしもとふし》は鎌倉《かまくら》に走《はし》る前《まえ》に討《う》ったが、四国《しこく》・九州《きゅうしゅう》の有力武将《ゆうりょくぶしょう》たちが続々《ぞくぞく》と平家《へいけ》に背《そむ》いて源《げん》氏《じ》に同心《どうしん》していった。

入道逝去〈にゅうどうせいきょ〉

全国《ぜんこく》に平家討伐《へいけとうばつ》の火《ひ》の手《て》があがったので、宗盛《むねもり》は自《みずか》ら軍司令官《ぐんしれいかん》となって、源氏《げんじ》鎮圧《ちんあつ》のため関東《かんとう》へ出兵《しゅっぺい》する計画《けいかく》を提案《ていあん》した。

◈注《そそ》いだ水《みず》が沸騰《ふっとう》する高熱《こうねつ》で清盛悶死《きよもりもんし》す

二月二十七日《にがつにじゅうしちにち》、宗盛《むねもり》が源氏追討《げんじついとう》のため京《きょう》を出発《しゅっぱつ》しようとした日《ひ》の夜半《やはん》ごろから、清盛《きよもり》が発病《はつびょう》、出発《しゅっぱつ》は中止《ちゅうし》となった。翌二十八日《よくにじゅうはちにち》、清盛重態《きよもりじゅうたい》のニュースが流《なが》れると、京中《きょうじゅう》とくに六波羅《ろくはら》は騒然《そうぜん》となった。「おお、やったぞ。それ見《み》たことか」と、ささやいた。

清盛《きよもり》は、発病以来《はつびょういらい》、湯水《ゆみず》ものどを通《とお》らない。体《からだ》の熱《あつ》いことは火《ひ》を焚《た》いたようだ。病床近《びょうしょうちか》く、八《はち》、九《きゅう》メートル内《ない》に入《はい》ると、熱《あつ》くて耐《た》えられない。病《びょう》人《にん》の口《くち》から出《で》る言葉《ことば》は、「あた（熱《あつ》いの意《い》）、あた」だけ。とても通常《つうじょう》の病《びょう》気《き》とは思《おも》われない。

あまりの熱《あつ》さに、比叡山《ひえいざん》から千手井《せんじゅい》の名水《めいすい》（弁慶水《べんけいすい》）を汲《く》んで、石《いし》の水《すい》槽《そう》に満《み》たし、体《からだ》を冷《ひ》やしたところ、水《みず》はぐらぐらと沸《わ》き上《あ》がり、まもなく湯《ゆ》になってしまった。もしかしたら効果《こうか》があるかもと、筧《かけい》（水道管《すいどうかん》）で水《みず》を注《そそ》ぎかけるが、熱《ねっ》した石《いし》や鉄《てつ》にかけたように、水《みず》がはじけ散《ち》って届《とど》かない。たまたま体《からだ》にくっついた水《みず》は、火炎《かえん》となって燃《も》えたので、黒煙《こくえん》が邸内《ていない》に充満《じゅうまん》し、炎《ほのお》は渦《うず》を巻《ま》いて立《た》ちのぼった。

❖同《おな》じき二《に》十七日《じふしちにち》門出《かどで》して、既《すで》にうち立《た》たんとし給《たま》ひける夜半《やはん》ばかりより、入道《にふだう》相国《しやうこく》、違例《ゐれい》の心地《ここち》とて、留《とど》まり給《たま》ひぬ。明《あ》くる二《に》十八日《じふはちにち》、重病《ぢゆうびやう》を受《う》け給《たま》へりと聞《き》こえしかば、京中六波羅《きやうぢゆうろくはら》ひしめきあへり。「すは、しつるは。さ見《み》つる事《こと》よ」とぞささやきける。

入道相国《にふだうしやうこく》、病付《やまひづ》き給《たま》へる日《ひ》よりして、湯水《ゆみづ》も喉《のど》へ入《い》れられず。身《み》の内《うち》の熱《あつ》き事《こと》は、火《ひ》を焼《た》くが如《ごと》し。臥《ふ》し給《たま》へる所《ところ》、四《し》、五間《ごけん》が内《うち》へ入《い》る者《もの》は、熱《あつ》さ堪《た》へ難《がた》し。ただ宣《のたま》ふ事《こと》とては、「あた、あた」とばかりなり。まことにただ事《ごと》とも見《み》え給《たま》はず。

あまりの堪《た》へ難《がた》さにや、比叡山《ひえいさん》より千手井《せんじゆゐ》の水《みづ》を汲《く》み下《くだ》し、石《いし》の槽《ふね》にたたへ、それに下《お》りて冷《ひ》え給《たま》へば、水《みづ》おびただしう沸《わ》き上《あ》がつて、ほどなく湯《ゆ》になりにける。もしやと筧《かけひ》の水《みづ》をまかすれば、石《いし》や鉄《くろがね》などの焼《や》けたるやうに、水《みづ》ほとばしりて寄《よ》り付《つ》かず。自《おのづか》ら中《あた》る水《みづ》は焔《ほむら》となつて燃《も》えければ、黒煙殿中《こくえんでんちゆう》に充《み》ち満《み》ちて、炎渦巻《ほのほうづま》いてぞあがりける。

清盛夫人《きよもりふじん》の二位殿《にいどの》が見《み》た夢《ゆめ》はじつに恐《おそ》ろしかった。猛火《もうか》に包《つつ》まれた空車《くうしや》が邸内《ていない》に入《はい》って来《く》るのを見《み》た。車《くるま》の前後《ぜんご》に立《た》っている者《もの》は、牛《うし》や馬《うま》の顔《かお》をしていた。車《くるま》の前《まえ》には、「無《む》」という文字《もじ》だけ見《み》える鉄《てつ》の札《ふだ》が取《と》り付《つ》けられていた。夫人《ふじん》は夢《ゆめ》のなかで、

「この車《くるま》はどこから来《き》てどこへ行《い》くのか」と聞《き》いたところ、

「平家《へいけ》の太政大臣清盛入道殿《だいじょうだいじんきよもりにゅうどうどの》の悪行《あくぎょう》が度《ど》を超《こ》したので、閻魔王庁《えんまおうちょう》から来《き》た迎《むか》えの車《くるま》です」

と答《こた》えた。

「では、あの札《ふだ》は何《なに》か」と問《と》うと、

「東大寺《とうだいじ》の大仏《だいぶつ》を焼《や》き払《はら》った罪《つみ》により、無間《むげん》地獄《じごく》の底《そこ》に沈《しず》むという判決《はんけつ》が閻魔庁《えんまちょう》より下《くだ》りましたが、その『無間《むげん》』の『無《む》』を書《か》いて、『間《げん》』の字《じ》はまだ書《か》いていないのです」

という返事《へんじ》である。

〈牛頭《ごず》・馬頭《めず》〉

夫人《ふじん》は夢《ゆめ》から覚《さ》めて、体《からだ》じゅう冷《ひ》や汗《あせ》だらけになりながら、この夢《ゆめ》を人《ひと》に語《かた》ったが、話《はなし》を聞《き》いた人々《ひとびと》は皆《みな》、ぞっとして身《み》の毛《け》がよだった。
そこで、霊験《れいげん》あらたかな寺社《じしゃ》へ金《きん》・銀《ぎん》・七宝《しっぽう》を寄進《きしん》し、馬《うま》・鞍《くら》・鎧《よろい》・甲《かぶと》・弓《ゆみ》・矢《や》・太刀《たち》・刀《かたな》までも運《はこ》び出《だ》して奉納《ほうのう》し、病気《びょうき》の回復《かいふく》を祈願《きがん》したが、効果《こうか》はなかった。男女《だんじょ》の子《こ》どもたちが、病床《びょうしょう》の枕元《まくらもと》・足元《あしもと》に集《あつ》まって嘆《なげ》き悲《かな》しむばかりだった。

❖また入道相国《にふだうしやうこく》の北《きた》の方《かた》、八条《はちでう》の二位殿《にゐどの》の、夢《ゆめ》に見《み》給《たま》ひける事《こと》こそ恐《おそ》ろしけれ。たとへば、猛火《みやうくわ》のおびただしう燃《も》えたる車《くるま》の、主《ぬし》もなきを、門《もん》の内《うち》へ遣《や》り入《い》れたるを見《み》れば、車《くるま》の前後《ぜんご》に立《た》ちたる者《もの》は、あるは牛《うし》の面《おもて》のやうなる者《もの》もあり、あるは馬《むま》のやうなる者《もの》もあり。車《くるま》の前《まへ》には、無《む》といふ文字《もじ》ばかり顕《あらは》れたる、鉄《くろがね》の札《ふだ》をぞ打《う》つたりける。二位殿《にゐどの》、夢《ゆめ》の内《うち》に、「これはいづくよりいづちへ」と問《と》ひ給《たま》へば、「平《へい》家太政入道殿《けだいじやうにふだうどの》の悪行超過《あくぎやうてうくわ》し給《たま》へるによつて、閻魔王宮《えんまわうぐう》よりの御迎《おんむか》ひの御車《おんくるま》なり」と申《まう》す。「さて、あの札《ふだ》はいかに」と問《と》ひ給《たま》へば、「南閻浮提金銅十六丈《なんえんぶだいこんどうじふろくじやう》の盧遮那仏《るしやなぶつ》焼《や》き亡《ほろ》ぼし給《たま》へる罪《つみ》によつて、無間《むけん》の底《そこ》に沈《しづ》め給《たま》ふべき由《よし》、閻魔《えんま》の庁《ちやう》にて御沙汰《ごさた》ありしが、無間《むけん》の無《む》をば書《か》かれたれども、いまだ間《けん》の字《じ》をば書《か》かれぬなり」とぞ申《まう》しける。

二位殿《にゐどの》、夢覚《ゆめさ》めて後《のち》、汗水《あせみづ》になりつつ、これを人《ひと》に語《かた》り給《たま》へば、聞《き》く人皆身《ひとみなみ》の毛《け》竪《よだ》ちけり。霊仏霊社《れいぶつれいしや》へ金銀七宝《こんごんしつぽう》を投《な》げ、馬《むま》・鞍《くら》・鎧《よろひ》・甲《かぶと》・弓矢《ゆみや》・太刀《たち》・刀《かたな》に至《いた》るまで、取《と》り出《い》で運《はこ》び出《い》だして祈《いの》り申《まう》されけれども、叶《かな》ふべしとも見《み》え給《たま》はず。ただ男《なん》女《にょ》の君達《きんだち》、跡枕《あとまくら》にさし集《つど》ひて、嘆《なげ》き悲《かな》しみ給《たま》ひけり。

閏二月《うるうにがつ》二日《ふつか》、夫人《ふじん》は熱《あつ》さをこらえて、夫清盛《おっときよもり》の枕元《まくらもと》に近寄《ちかよ》り、

「あなたの容体《ようだい》は日《ひ》に日《ひ》に悪化《あっか》しています。まだ意識《いしき》のはっきりしている間《あいだ》に、願《ねが》い事《ごと》があれば、遺言《ゆいごん》してください」

と言葉《ことば》をかけた。

清盛《きよもり》は、元気《げんき》なころは近寄《ちかよ》りがたい威厳《いげん》があったが、今《いま》や最期《さいご》を迎《むか》え、世《よ》にも苦《くる》しげな息《いき》の下《した》で、

「わが平家《へいけ》は、保元《ほうげん》・平治《へいじ》の乱以来《らんいらい》、たびたび朝敵《ちょうてき》を平《たい》らげ、身《み》に余《あま》る褒《ほう》賞《しょう》をいただき、恐《おそ》れ多《おお》くも天皇《てんのう》の外戚《がいせき》として、大臣《だいじん》の位《くらい》に昇《のぼ》り、その栄華《えいが》は子孫《しそん》にまで及《およ》んでいる。だから、この世《よ》に思《おも》い残《のこ》すことは一《ひと》つもない。ただ、強《し》いて言《い》うならば、頼朝《よりとも》の首《くび》を見《み》なかったことが、何《なに》よりも無念《むねん》だ。私《わたし》の死後《しご》は、法事《ほうじ》・供養《くよう》はするな。堂《どう》や塔《とう》も建《た》てるな。ただちに討《う》っ手《て》を

派遣《はけん》して、頼朝《よりとも》の首《くび》をはね、わが墓前《ぼぜん》に供《そな》えよ。それが、私《わたし》への最高《さいこう》の供《く》養《よう》であるぞ」

と答《こた》えたが、じつに罪深《つみぶか》い遺言《ゆいごん》であった。

わずかな望《のぞ》みを託《たく》して、水《みず》を注《そそ》いだ板《いた》に寝転《ねころ》がったが、なんの効《き》きめもない。二月四日《にがつよっか》、七転八倒《しちてんばっとう》したあげく、悶絶死《もんぜつし》した。

❖閏二月二日《うるふにぐわつふつか》の日《ひ》、二位殿《にゐどの》、熱《あつ》さ堪《た》へ難《がた》けれども、入道相国《にふだうしやうこく》の御枕《おんまくら》に寄《よ》って、「御《おん》有様見奉《ありさまみたてまつ》るに、日《ひ》に添《そ》へて頼《たの》み少《すく》なうこそ見《み》えさせおはしませ。物《もの》の少《すこ》しも覚《おぼ》えさせ給《たま》ふ時《とき》、思《おぼ》し召《め》す事《こと》あらば、仰《おほ》せ置《お》かれよ」とぞ宣《のたま》ひける。

入道相国《にふだうしやうこく》、日《ひ》ごろはさしもゆゆしうおはせしかども、今《いま》はの時《とき》にもなりしかば、世《よ》にも苦《くる》しげにて、息《いき》の下《した》にて宣《のたま》ひけるは、「当家《たうけ》は保元《ほうげん》・平治《へいぢ》より以来《このかた》、度々《どど》の朝敵《てうてき》を平《たひ》らげ、勧賞《けんじやう》身《み》に余《あま》り、忝《かたじけな》くも一天《いつてん》の君《きみ》の御外戚《ごぐわいせき》として、丞相《しようじやう》の位《くらゐ》に至《いた》り、栄華《えいぐわ》すでに子孫《しそん》に残《のこ》す。今生《こんじやう》の望《のぞ》みは、一事《いちじ》も思《おも》ひ置《お》く事《こと》なし。ただ思《おも》ひ置《お》く事《こと》とては、兵衛佐頼朝《ひやうゑのすけよりとも》が頭《かうべ》を見《み》ざりつる事《こと》こそ、何《なに》よりもまた本意《ほい》なけれ。我《われ》いかにもなりなん後《のち》、仏事《ぶつじ》孝養《けうやう》をもすべからず。堂塔《だうたふ》をも立《た》つべからず。急《いそ》ぎ討《う》つ手《て》を下《くだ》し、頼朝《よりとも》が頭《かうべ》を刎《は》ねて、我《わ》が墓《はか》の前《まへ》に懸《か》くべし。それぞ今生後生《こんじやうごしやう》の孝養《けうやう》にてあらんずるぞ」と宣《のたま》ひけるこそ、いとど罪深《つみふか》うは聞《き》こえし。

もしや助《たす》かると、板《いた》に水《みづ》を置《お》きて、臥《ふ》し転《まろ》び給《たま》へども、助《たす》かる心地《ここち》もし給《たま》はず。同《おな》じき四日《よつか》の日《ひ》、悶絶躄地《もんぜつびやくち》して、遂《つひ》にあつち死《じ》にぞし給《たま》ひける。

✿清盛の最期は凄絶《そうぜつ》の一語に尽きる。極楽往生《ごくらくおうじょう》を願い念仏を唱えながら死んでいく王朝貴族とは無縁の、武人に徹した死にざまである。夫人の夢で、閻魔庁《えんまちょう》に連行される場面は、かの八幡太郎《はちまんたろう》源 義家《みなもとのよしいえ》にも同様の説話が伝えられる。この時代の武士は、後世の武士道精神を順守する型ではなく、殺戮《さつりく》が生業《なりわい》であると認識している。

清盛の遺言は、頼朝の首を墓前に供えよというものだった。法要いっさい無用とは、成仏《じょうぶつ》する気はないとの宣言である。だが、これほどの闘志を受け継ぐ人間は、一門のなかに存在しなかった。

弔問《ちょうもん》の大混雑《だいこんざつ》は、天地《てんち》を揺《ゆ》るがすほどだったが、同月七日《どうげつなのか》、火葬《かそう》して経《きょう》の島《しま》（神戸市《こうべし》）に納骨《のうこつ》した。

経の島〈きょうのしま〉

葬送《そうそう》の夜《よる》、突然《とつぜん》、豪奢《ごうしゃ》をきわめた清盛邸《きよもりてい》が全焼《ぜんしょう》した。その時《とき》、舞《ま》い踊《おど》り高笑《たかわら》いする音《おと》がしたので調査《ちょうさ》したところ、院《いん》の御所《ごしょ》でばか騒《さわ》ぎしている二《に》、三十人《さんじゅうにん》の酔《よ》っぱらいを発見《はっけん》した。さっそく逮捕《たいほ》・尋問《じんもん》したものの、結局《けっきょく》、飲酒《いんしゅ》による不始末《ふしまつ》のかどで釈放《しゃくほう》された。

時期《じき》が時期《じき》とて、連日連夜《れんじつれんや》、源氏討伐《げんじとうばつ》の作戦会議《さくせんかいぎ》が続《つづ》き、清盛《きよもり》の法要《ほうよう》はいっさい行《おこな》われなかった。

清盛《きよもり》は、その異常死《いじょうし》が伝《つた》えるように、やはり凡人《ぼんじん》ではなかった。朝廷《ちょうてい》に背《そむ》く大《だい》悪行《あくぎょう》とともに、同程度《どうていど》に大《おお》きなインパクトのある善行《ぜんこう》・功績《こうせき》を残《のこ》している。

たとえば、航海《こうかい》の安全《あんぜん》のために福原《ふくはら》に島《しま》を築《きず》かせたが、工事《こうじ》の成功《せいこう》を祈願《きがん》する人柱《ひとばしら》の代《か》わりに経《きょう》を書《か》いた石《いし》を沈《しず》めさせたので、その島《しま》を「経《きょう》が島《しま》」と名《な》づけた。

慈心坊〈じしんぼう〉

また、清盛《きよもり》は慈恵僧正《じえそうじょう》（天台座主良源《てんだいざすりようげん》）の生《う》まれ変《か》わりだといわれた。清澄寺《せいちょうじ》（兵庫県宝塚市《ひょうごけんたからづかし》）の慈心房尊恵《じしんぼうそんえ》という僧《そう》は、夢《ゆめ》うつつの間《あいだ》に、閻魔庁《えんまちょう》の大法会《だいほうえ》の読経《どきょう》に招待《しょうたい》されたが、その時《とき》に閻魔《えんま》法王《ほうおう》から、清盛《きよもり》は慈恵僧正《じえそうじょう》の化身《けしん》であり、天《てん》台宗《だいしゅう》の仏法《ぶっぽう》を擁護《ようご》するために再来《さいらい》したのだと教《おし》えられた。尊恵《そんえ》が清盛《きよもり》にその話《はなし》をすると、非常《ひじょう》に喜《よろこ》び、尊恵《そんえ》に官位《かんい》を授《さず》けた。

祇園女御〈ぎおんにょうご〉

清盛《きよもり》はまた、白河院《しらかわいん》の実子《じつし》であるともいわれた。ある五月雨《さみだれ》の夜《よる》、白河院《しらかわいん》の供《とも》をした忠盛《ただもり》（清盛《きよもり》の父《ちち》）は、妖怪《ようかい》を老法師《ろうほうし》と見抜《みぬ》いた褒美《ほうび》に、院《いん》の愛人《あいじん》、祇園女御《ぎおんにょうご》をいただいた。この時《とき》、女御《にょうご》はすでに妊娠《にんしん》していて、生《う》まれたのが清盛《きよもり》だった。

清盛《きよもり》の名前《なまえ》は、白河院《しらかわいん》が忠盛《ただもり》に与《あた》えた歌《うた》から付《つ》けられた。

夜泣《よな》きすとただもり立《た》てよ末《すえ》の代《よ》に清《きよ》く盛《さか(ウ)》ふる事《こと》もこそあれ

（いくら夜泣《よな》きしても、忠盛《ただもり》よ、ただ守《も》り立《た》てて、大事《だいじ》に育《そだ》てよ。成長《せいちょう》したら、清《きよ》く盛《さか》んに栄《さか》えるだろうから）

洲の股合戦〈すのまたがっせん〉

清盛《きよもり》が死《し》んだ同《おな》じ月《つき》の二十日《はつか》、清盛《きよもり》と親交《しんこう》の深《ふか》かった五条大納言国綱《ごじょうだいなごんくにつな》も、後《あと》を追《お》うように死《し》んだ。清盛《きよもり》は息子《むすこ》重衡《しげひら》の嫁《よめ》に国綱《くにつな》の娘《むすめ》を迎《むか》えた。二十二日《にじゅうににち》、清盛《きよもり》の御殿《ごてん》にいた法皇《ほうおう》が、念願《ねんがん》かなって自分《じぶん》の御所《ごしょ》に戻《もど》った。

三月《さんがつ》、南都《なんと》の再建《さいけん》が始《はじ》まった。高僧《こうそう》たちが復帰《ふっき》し、大仏殿《だいぶつでん》の再建《さいけん》も始《はじ》まった。工事責任者《こうじせきにんしゃ》の行隆《ゆきたか》は、任命《にんめい》される正夢《まさゆめ》を見《み》た。

そのころ、美濃《みの》（岐阜県《ぎふけん》）に進攻《しんこう》した源氏軍《げんじぐん》を撃滅《げきめつ》するため、平家《へいけ》は知盛《とももり》ら（史実《しじつ》では重衡《しげひら》・維盛《これもり》）が大軍《たいぐん》を編制《へんせい》して出動《しゅつどう》、洲《す》の股《また》（墨俣《すのまた》）で両軍《りょうぐん》が対陣《たいじん》した。源氏軍《げんじぐん》は渡河《とか》して夜襲《やしゅう》をかけたが、逆《ぎゃく》に包囲《ほうい》され、司令官《しれいかん》の義円《ぎえん》（頼朝《よりとも》の弟《おとうと》）は戦死《せんし》、行家《ゆきいえ》（頼朝《よりとも》の叔父《おじ》）は退却《たいきゃく》して大敗《たいはい》を喫《きっ》した。

このまま追撃《ついげき》すれば、東国《とうごく》が平家《へいけ》に帰順《きじゅん》する可能性《かのうせい》もあったが、平家軍《へいけぐん》は京《きょう》に撤退《てったい》してしまい、勝機《しょうき》を逃《のが》した。重盛《しげもり》も清盛《きよもり》も亡《な》くなった今《いま》、平家《へいけ》の命運《めいうん》は尽《つ》きようとしていた。東国《とうごく》はますます源氏《げんじ》一色《いっしょく》に染《そ》まりつつあった。

しはがれ声〈しわがれごえ〉

越後《えちご》の守《かみ》（新潟県《にいがたけん》の知事《ちじ》）に任命《にんめい》された城太郎助長《じょうのたろうすけなが》は、木曾義仲追討《きそよしなかついとう》のために出動準備《しゅつどうじゅんび》をしていた。その深夜《しんや》、突如《とつじょ》、「奈良《なら》の大仏《だいぶつ》を焼《や》いた平家《へいけ》の味方《みかた》をする者《もの》を捕《つか》まえろ」というしわがれ声《ごえ》が天《てん》に響《ひび》きわたった。恐《おそ》れた部下《ぶか》は出動中止《しゅつどうちゅうし》を勧《すす》めたが、助長《すけなが》は強行《きょうこう》した。すると、黒雲《こくうん》が下《お》りて助長《すけなが》を覆《おお》い、まもなく彼《かれ》は変死《へんし》した。訃報《ふほう》を聞《き》いた平家《へいけ》の一門《いちもん》は大騒《おおさわ》ぎになった。

この年《とし》（一一八一年《ねん》）の七月十四日《しちがつじゅうよっか》、養和《ようわ》と改元《かいげん》した。

同《おな》じ月《つき》、去《さ》る一一七九（治承三《じしょうさん》）年《ねん》に配流《はいる》された関白《かんぱく》をはじめ、太政大臣《だいじょうだいじん》・大納言《だいなごん》らが赦免《しゃめん》を受《う》けて帰京《ききょう》し、法皇《ほうおう》の御前《ごぜん》で琵琶《びわ》・今様《いまよう》の楽才《がくさい》を披露《ひろう》した。

横田河原の合戦〈よこたがわらのかっせん〉　一一八二・一一八三

八月以降《はちがついこう》、朝敵《ちょうてき》（源氏《げんじ》）征討《せいとう》を祈願《きがん》する神事《しんじ》・仏事《ぶつじ》が大々的《だいだいてき》に執行《しっこう》されたが、儀式《ぎしき》の責任者《せきにんしゃ》が急死《きゅうし》するという不吉《ふきつ》な事態《じたい》が相次《あいつ》いだ。これは神仏《しんぶつ》が祈願《きがん》を受納《じゅのう》しないことを示《しめ》す証拠《しょうこ》である。実厳阿闍梨《じつげんあじゃり》の場合《ばあい》は、法事《ほうじ》の目録《もくろく》に朝敵《ちょうてき》は平家《へいけ》とあったので、平家《へいけ》征討《せいとう》を祈願《きがん》すると明言《めいげん》して、処罰《しょばつ》されそうになった。

十二月《じゅうにがつ》、中宮《ちゅうぐう》（安徳天皇《あんとくてんのう》の母《はは》）が建礼門院《けんれいもんいん》の院号《いんごう》を贈《おく》られた。

一一八二（養和《ようわ》二《に》）年四月十五日《ねんしがつじゅうごにち》、法皇《ほうおう》が比叡山《ひえいざん》の僧兵《そうへい》に命《めい》じて平家《へいけ》を追討《ついとう》するというデマが飛《と》び、平家一門《へいけいちもん》は厳戒態勢《げんかいたいせい》に入《はい》った。すると今度《こんど》は、比叡山《ひえいざん》に、平家《へいけ》が大軍《たいぐん》で山《やま》を攻《せ》めに来《く》るというデマが流《なが》れ、都《みやこ》も山《やま》も大騒動《だいそうどう》になった。

この年《とし》の五月二十四日《ごがつにじゅうよっか》、寿永《じゅえい》と改元《かいげん》された。

九月《くがつ》、変死《へんし》した兄《あに》を継《つ》いで越後《えちご》の守《かみ》になった城四郎長茂《じょうのしろうながもち》が、義仲追討《よしなかついとう》のために四万騎《よんまんき》を率《ひき》いて信濃《しなの》の横田河原《よこたがわら》（長野市《ながのし》）に布陣《ふじん》した。三千騎《さんぜんき》の小勢《こぜい》だった義仲《よしなか》軍《ぐん》は平家《へいけ》の赤旗《あかはた》を持《も》って接近《せっきん》し、突撃直前《とつげきちょくぜん》に源氏《げんじ》の白旗《しろはた》に切《き》り替《か》える陽動作戦《ようどうさくせん》を敢行《かんこう》した。この奇略《きりゃく》にはまって、追討軍《ついとうぐん》は惨敗《ざんぱい》し、多《おお》くの有力武将《ゆうりょくぶしょう》を失《うしな》い、長茂《ながもち》自身《じしん》も越後《えちご》に退却《たいきゃく》した。

十月《じゅうがつ》、敗戦《はいせん》の深刻《しんこく》な事態《じたい》をよそに、平家《へいけ》一門《いちもん》は宗盛《むねもり》の内大臣昇進《ないだいじんしょうしん》の祝賀《しゅくが》などに酔《よ》いしれていた。

一一八三（寿永二《じゅえいに》）年正月《ねんしょうがつ》、新年恒例《しんねんこうれい》の諸行事《しょぎょうじ》が華《はな》やかに執《と》り行《おこな》われた。二月《にがつ》、宗盛《むねもり》は、兵乱《へいらん》の続発《ぞくはつ》を理由《りゆう》に、内大臣《ないだいじん》を引責辞任《いんせきじにん》した。

しかし、今《いま》や宗教界《しゅうきょうかい》は京都《きょうと》も奈良《なら》もすべて源氏《げんじ》に内通《ないつう》し、天皇《てんのう》の命令《めいれい》も院《いん》の命《めい》令《れい》も、平家《へいけ》の命令《めいれい》と見《み》なして服従《ふくじゅう》しなかった。

★源平武士の自己本位――実力主義

『平家物語』の武士は非常に自己本位だ。自己中心とは違うが、自分の実力が正当に評価されない場合には、主君でも堂々と裏切る。後世、江戸時代のサラリーマン武士が、藩《はん》のために滅私《めっし》奉公《ほうこう》するのは、支配者に都合よく作られた武士道マニュアルに束縛された場合が多い。

巻第七

北国下向〈ほっこくげこう〉（一一八三）

同年三月《どうねんさんがつ》、源頼朝《みなもとのよりとも》と木曾義仲《きそよしなか》との仲《なか》を裂《さ》くような事態《じたい》が起《お》こり、頼朝《よりとも》が十万《じゅうまん》余騎《よき》の大軍《たいぐん》で信濃《しなの》に出兵《しゅっぺい》した。義仲《よしなか》は今井兼平《いまいのかねひら》を使者《ししゃ》に立《た》て弁明《べんめい》したが、頼朝《よりとも》の疑心《ぎしん》は解《と》けない。そこで、義仲《よしなか》は、嫡子《ちゃくし》の清水冠者義重《しみずのかんじゃよししげ》を人質《ひとじち》として頼朝《よりとも》に差《さ》し出《だ》し、頼朝《よりとも》はようやく納得《なっとく》して軍《ぐん》を撤退《てったい》させた。

一方《いっぽう》、平家《へいけ》に義仲軍《よしなかぐん》が京《きょう》へ進軍中《しんぐんちゅう》との情報《じょうほう》が入《はい》った。前年《ぜんねん》から平家《へいけ》は戦争準備《せんそうじゅんび》を開始《かいし》、諸国《しょこく》から徴兵《ちょうへい》したが、中国《ちゅうごく》・四国《しこく》・九州地方《きゅうしゅうちほう》は応《おう》じたものの、東国《とうごく》・北《ほく》陸地方《りくちほう》はほとんどが忌避《きひ》した。

四月十七日《しがつじゅうしちにち》、司令官維盛《しれいかんこれもり》・通盛《みちもり》の率《ひき》いる十万余騎《じゅうまんよき》の平家軍《へいけぐん》が義仲追討《よしなかついとう》のために出京《しゅっきよう》した。しかし、行軍中《こうぐんちゅう》、官軍《かんぐん》の権威《けんい》をかさに民家《みんか》から物資《ぶっし》を徴発《ちょうはつ》したので、地元民《じもとみん》は山野《さんや》に逃《に》げ隠《かく》れた。

竹生島詣で〈ちくぶしまもうで〉

四月十八日《しがつじゅうはちにち》、平家軍《へいけぐん》の副司令官《ふくしれいかん》平《たいらの》経正《つねまさ》（清盛《きよもり》の弟《おとうと》の経盛《つねもり》の長男《ちょうなん》）は、風流心《ふうりゅうしん》から竹生島《ちくぶしま》（滋賀県《しがけん》）に渡《わた》った。竹生島明神《ちくぶしまみょうじん》に琵琶《びわ》の演奏《えんそう》を奉納《ほうのう》すると、経正《つねまさ》の袖《そで》に白竜《はくりゅう》が現《あらわ》れるという瑞兆《ずいちょう》があった。

火燧合戦〈ひうちがっせん〉

木曾義仲《きそよしなか》は、自身《じしん》は信濃《しなの》にあって、越前《えちぜん》（福井県《ふくいけん》）に火燧《ひうち》が城《じょう》（南条郡《なんじょうぐん》）を構築《こうちく》した。天然《てんねん》の要害《ようがい》だったので、維盛《これもり》・通盛《みちもり》の率《ひき》いる平家軍《へいけぐん》は攻《せ》めあぐねたが、城内《じょうない》にこもる平泉寺斎明《へいせんじのさいめい》の裏切《うらぎ》りによって落城《らくじょう》した。

五月八日《ごがつようか》、勢《いきお》いに乗《の》った十万余騎《じゅうまんよき》の平家軍《へいけぐん》は加賀《かが》に侵入《しんにゅう》、敗報《はいほう》を受《う》けた義仲《よしなか》も五万騎《ごまんき》で現場《げんば》に急行《きゅうこう》し、源平両軍《げんぺいりょうぐん》は砥浪山《となみやま》（富山県《とやまけん》）周辺《しゅうへん》で対陣《たいじん》することになった。

木曾の願書〈きそのがんしょ〉

兵力《へいりょく》の劣《おと》る木曾義仲《きそよしなか》は奇襲作戦《きしゅうさくせん》を企図《きと》した。羽丹生《はにう》（埴生《はにゅう》。小矢部市《おやべし》）の八幡《はちまん》宮《ぐう》に書記《しょき》の覚明《かくめい》が書《か》いた願書《がんしょ》を奉納《ほうのう》すると、八幡大菩薩《はちまんだいぼさつ》の使者《ししゃ》、鳩《はと》が飛来《ひらい》するという吉兆《きっちょう》を得《え》た。この覚明《かくめい》は、高倉《たかくら》の宮事件《みやじけん》の折《おり》、興福寺《こうふくじ》にあって廻状《かいじょう》に「清盛《きよもり》は平家《へいけ》のカス、武家《ぶけ》のゴミ」と書《か》いて、清盛《きよもり》の逆鱗《げきりん》に触《ふ》れ、義仲《よしなか》のもとに逃《に》げ込《こ》んだ人物《じんぶつ》である。

倶利伽羅落とし〈くりからおとし〉

平家軍《へいけぐん》は、義仲《よしなか》の奇計《きけい》に乗《の》せられ、前後《ぜんご》から挟撃《きょうげき》され、倶利伽羅《くりから》が谷《たに》に人馬《じんば》もろとも追《お》い落《お》とされて、七万余騎《しちまんよき》を失《うしな》うという悲惨《ひさん》きわまる大敗北《だいはいぼく》を喫《きっ》した。軍《ぐん》司令官維盛《しれいかんこれもり》らはわずか二千騎《にせんき》となって加賀《かが》へ落《お》ち延《の》びた。義仲《よしなか》は余勢《よせい》を駆《か》って、叔父《おじ》の行家《ゆきいえ》を助勢《じょせい》するなど快進撃《かいしんげき》を続《つづ》けた。

篠原合戦〈しのはらがっせん〉

平家方《へいけがた》についた武名高《ぶめいたか》い関東武士《かんとうぶし》、斎藤実盛《さいとうさねもり》らは、今回《こんかい》の合戦《かっせん》で討《う》ち死《じ》にの覚《かく》悟《ご》を固《かた》めた。

五月二十一日《ごがつにじゅういちにち》、源平両軍《げんぺいりょうぐん》が篠原《しのはら》（石川県加賀市《いしかわけんかがし》）で激突《げきとつ》した。炎天下《えんてんか》の激戦《げきせん》の果《は》てに、有力武将《ゆうりょくぶしょう》を数多《かずおお》く失《うしな》った平家軍《へいけぐん》は敗走《はいそう》した。

実盛最期〈さねもりさいご〉

七十余歳《ななじゅうよさい》の老将斎藤実盛《ろうしょうさいとうさねもり》は、老醜《ろうしゅう》を隠《かく》すため白髪《しらが》を染《そ》め、戦場《せんじょう》が出身地《しゅっしんち》の越前《えちぜん》だったので、故郷《こきょう》に錦《にしき》を飾《かざ》るために、宗盛《むねもり》から特別《とくべつ》に許《ゆる》された大将用《たいしょうよう》の錦《にしき》の直垂《ひたたれ》を着《き》て、かねての覚悟《かくご》どおり壮絶《そうぜつ》な討《う》ち死《じ》にを遂《と》げた。

玄昉〈げんぼう〉

平家《へいけ》の大敗戦《だいはいせん》で、数《かぞ》えきれないほど親子《おやこ》・夫婦《ふうふ》が死別《しべつ》したため、都《みやこ》をはじめ近《きん》隣諸国《りんしょこく》に念仏《ねんぶつ》と弔鐘《ちょうしょう》の音《ね》が陰々滅々《いんいんめつめつ》と響《ひび》きわたった。

六月一日《ろくがつついたち》、終戦後《しゅうせんご》に伊勢大神宮《いせだいじんぐう》を天皇《てんのう》が参拝《さんぱい》することになった。伊勢行幸《いせぎょうこう》は、七四三（天平十五《てんぴょうじゅうご》）年《ねん》、藤原広嗣《ふじわらのひろつぐ》の追討以来《ついとういらい》という。広嗣《ひろつぐ》の亡霊《ぼうれい》は、祈禱《きとう》にあたった玄昉僧正《げんぼうそうじょう》に落雷《らくらい》し、首《くび》を取《と》って雲中《うんちゅう》に消《き》えたという。先例《せんれい》に従《したが》って、戦死者《せんししゃ》を慰霊《いれい》するために、さまざまの祈禱《きとう》が始《はじ》められた。

木曾山門牒状〈きそさんもんちょうじょう〉

義仲《よしなか》は入京《にゅうきょう》にあたり、書記《しょき》の覚明《かくめい》の進言《しんげん》を入《い》れて、自軍《じぐん》に協力《きょうりょく》するか、平家《へいけ》に味方《みかた》して妨害《ぼうがい》するか、どちらかの返答《へんとう》を比叡山《ひえいざん》に要求《ようきゅう》した。

山門返牒〈さんもんへんちょう〉

比叡山《ひえいざん》は賛否両論《さんぴりょうろん》に割《わ》れたが、協議《きょうぎ》の結果《けっか》、武運開《ぶうんひら》けた義仲軍《よしなかぐん》に協力《きょうりょく》する旨《むね》の返答書《へんとうしょ》を送《おく》った。

平家山門への連署〈へいけさんもんへのれんしょ〉

平家《へいけ》首脳部《しゅのうぶ》は、義仲《よしなか》と比叡山《ひえいざん》との密約《みつやく》を知《し》らず、比叡山《ひえいざん》に協力《きょうりょく》を要請《ようせい》する連名《れんめい》の願書《がんしょ》を送《おく》ったが、時《とき》すでに遅《おそ》く、工作《こうさく》は失敗《しっぱい》に終《お》わった。

主上の都落ち〈しゅしょうのみやこおち〉

七月十四日《しちがつじゅうよっか》、九州《きゅうしゅう》鎮圧《ちんあつ》に派遣《はけん》されていた平家軍《へいけぐん》が都《みやこ》に凱旋《がいせん》してきた。しかし、義仲軍《よしなかぐん》が都《みやこ》に接近中《せっきんちゅう》と通報《つうほう》する者《もの》があり、平家一門《へいけいちもん》は大混乱《だいこんらん》に陥《おちい》った。

同月二十四日《どうげつにじゅうよっか》、平家《へいけ》の最高責任者《さいこうせきにんしゃ》宗盛《むねもり》は、幼帝安徳天皇《ようていあんとくてんのう》を擁《よう》して西国《さいこく》へ都落《みやこお》ちすることを決意《けつい》した。しかし、後白河法皇《ごしらかわほうおう》は事前《じぜん》に察知《さっち》したか、平家《へいけ》に同行《どうこう》せず、姿《すがた》を隠《かく》した。

摂政藤原基通《せっしょうふじわらのもとみち》も、氏神春日明神《うじがみかすがみようじん》の化身《けしん》の童子《どうじ》にさとされて、京《きょう》に踏《ふ》みとどまることを決意《けつい》した。

維盛都落ち〈これもりみやこおち〉

平維盛《たいらのこれもり》は、泣《な》きすがる妻子《さいし》をなだめ、斎藤五《さいとうご》・斎藤六《さいとうろく》の兄弟《きょうだい》（斎藤実盛《さいとうさねもり》の子《こ》）に息子《むすこ》六代《ろくだい》の守護《しゅご》を頼《たの》むと、涙《なみだ》を抑《おさ》えながら一人《ひとり》都落《みやこお》ちした。

平家《へいけ》は、都落《みやこお》ちに際《さい》して、一門《いちもん》の邸宅《ていたく》をはじめ民家《みんか》に火《ひ》をかけた。

聖主臨幸〈せいしゅりんこう〉

今《いま》や花《はな》の都《みやこ》は焦土《しょうど》と化《か》し、平家《へいけ》の栄華《えいが》は完全《かんぜん》に散《ち》り落《お》ちてしまった。

都《みやこ》に留《と》めおかれていた関東武士《かんとうぶし》の畠山《はたけやま》・小山田《おやまだ》・宇都宮《うつのみや》らが、知盛《とももり》の進言《しんげん》によって解放《かいほう》され、帰国《きこく》していった。

忠度都落ち〈ただのりみやこおち〉

平忠度《たいらのただのり》は、自作《じさく》の和歌《わか》を藤原俊成《ふじわらのしゅんぜい》に預《あず》けて都落《みやこお》ちした。その歌《うた》は、のちに俊成《しゅんぜい》が編集《へんしゅう》した『千載和歌集《せんざいわかしゅう》』に、「よみ人《びと》しらず」として収《おさ》められた。

◆俊成《しゅんぜい》に形見《かたみ》の歌《うた》を託《たく》して都落《みやこお》ちする忠度《ただのり》

薩摩《さつま》の守忠度《かみただのり》（清盛《きよもり》の弟《おとうと》）は、都《みやこ》を落《お》ちたはずが、どこから戻《もど》ったのか、武者《むしゃ》五騎と童子《どうじ》一人《ひとり》に自分《じぶん》を合《あ》わせ、完全武装《かんぜんぶそう》の七騎《しちき》で引《ひ》き返《かえ》し、俊成《しゅんぜい》の邸《やしき》の前《まえ》に立《た》ったが、門《もん》は閉《と》じたままで開《ひら》かない。

「忠度《ただのり》が参上《さんじょう》しました」と名乗《なの》ると、「平家《へいけ》の落《お》ち武者《むしゃ》が戻《もど》ってきた」と、邸内《ていない》では大騒《おおさわ》ぎである。

そこで、忠度《ただのり》は馬《うま》から下《お》り、みずから声高《こえたか》らかに言上《ごんじょう》した。

「じつは俊成殿《しゅんぜいどの》にお願《ねが》いがあって参《まい》りました。たとい門《もん》は開《あ》けなくとも、門《もん》のそばまでおいでください」

その声《こえ》を聞《き》いた俊成《しゅんぜい》は、

「忠度殿《ただのりどの》なら問題《もんだい》はない。門《もん》を開《あ》けて通《とお》しなさい」と命《めい》じた。

二人《ふたり》は門《もん》を開《あ》けて対面《たいめん》した。二人《ふたり》の異《こと》なる立場《たちば》を思《おも》うと、その情景《じょうけい》は深《ふか》く心《こころ》を打《う》つものがあった。

忠度《ただのり》が言《い》うには、

「長年《ながねん》、和歌《わか》の御指導《ごしどう》をいただいて以来《いらい》、俊成殿《しゅんぜいどの》をなおざりに思《おも》ったことはけっしてないのですが、この二《に》、三年《さんねん》、京都《きょうと》や諸国《しょこく》に騒乱《そうらん》が起《お》こり、それどころか、わが平家《へいけ》の運命《うんめい》に関《かか》わる一大事《いちだいじ》になりましたので、自由《じゆう》に訪《ほう》問《もん》することもかないませんでした。はや帝《みかど》は都《みやこ》をお出《で》ましになり、平家一《いち》門《もん》の運命《うんめい》も、今日《こんにち》尽きてしまいました。つきましては、勅撰集《ちょくせんしゅう》（天皇《てんのう》の命《めい》令《れい》による和歌集《わかしゅう》）選定《せんてい》の御命令《ごめいれい》があるとうかがいましたので、自分《じぶん》の一《いっ》生《しょう》の名誉《めいよ》に、せめて一首《いっしゅ》でも、俊成殿《しゅんぜいどの》のお世話《せわ》で勅撰集《ちょくせんしゅう》に採《と》っていただこうと思《おも》っていました。しかし、こうした戦乱《せんらん》が起《お》きて、選定《せんてい》の御下命《ごかめい》がないというのは、自分《じぶん》にとって、これ以上《いじょう》の嘆《なげ》きはありません。今後《こんご》、戦乱《せんらん》が収《おさ》まり、選定《せんてい》の御下命《ごかめい》がありましたときに、ここにある巻物《まきもの》に、入集《にっしゅう》にふさわしい歌《うた》がありましたなら、たとい一首《いっしゅ》でもお世話《せわ》いただいて、載《の》せていただき、死後《しご》にでも喜《よろこ》びを得《え》ることができましたならば、御恩返《ごおんがえ》しに、遠《とお》いあの世《よ》からあなたをお守《まも》りいたすつもりです」

と言《い》って、日《ひ》ごろ詠《よ》みおいた歌《うた》のなかで、秀歌《しゅうか》と思《おも》う百余首《ひゃくよしゅ》を選《えら》んだ巻物《まきもの》を、今《いま》は最後《さいご》と都落《みやこお》ちした際《さい》に身《み》につけていたが、それを鎧《よろい》の右脇《みぎわき》のすきまから取《と》り出《だ》して、俊成《しゅんぜい》に献呈《けんてい》した。

俊成《しゅんぜい》は、巻物《まきもの》を開《ひら》いて、

「このような大切《たいせつ》な形見《かたみ》の品《しな》をいただいた以上《いじょう》、けっしてそまつにはいたしません。それにしても、今《いま》こうしておいでになったあなたの風雅《ふうが》を愛《あい》する心《こころ》の深《ふか》さを思《おも》うと、感慨《かんがい》もひとしおまさって、涙《なみだ》が止《と》まりません」

と声《こえ》をふるわせた。忠度《ただのり》は、

「そのお言葉《ことば》をいただいた今《いま》はもう、西海《さいかい》の波《なみ》の底《そこ》に沈《しず》もうと、山野《さんや》に屍《しかばね》をさらそうとかまわない。この世《よ》に思《おも》い残《のこ》すことはありません。では、お別《わか》れいたします」

と言《い》うや、騎乗《きじょう》の人《ひと》となって甲《かぶと》の緒《お》を締《し》めると、西《にし》に向《む》かって駒《こま》を進《すす》めた。

俊成《しゅんぜい》は、その後《うし》ろ姿《すがた》をはるか遠《とお》くまで見送《みおく》っていたが、やがて忠度《ただのり》の朗《ろう》唱《しょう》する声《こえ》が聞《き》こえてきた。

「前途《せんど》ほど遠《とお》し、思《おも》いを雁山《がんざん》の夕《ゆう》べの雲《くも》に馳《は》す（あなたの旅《たび》ははるかに遠《とお》い。途中《とちゅう》で越《こ》える雁山《がんざん》の暮雲《ぼうん》に、惜別《せきべつ》の情《じょう》をこめよう）」

声高《こえたか》らかな吟詠《ぎんえい》に、俊成《しゅんぜい》もまた惜別《せきべつ》の情《じょう》をこらえかね、涙《なみだ》を抑《おさ》えながら邸内《ていない》に戻《もど》った。

その後《ご》、戦乱《せんらん》が治《おさ》まり、俊成《しゅんぜい》が『千載和歌集《せんざいわかしゅう》』を編集《へんしゅう》した際《さい》に、あの忠度《ただのり》の面影《おもかげ》や遺言《ゆいごん》が、ありありと思《おも》い出《だ》されて、心《こころ》を強《つよ》く揺《ゆ》り動《うご》かされた。

そこで、あの巻物《まきもの》には秀歌《しゅうか》がたくさんあるけれども、故郷《こきょう》の花《はな》という題《だい》で詠《よ》んだ歌一首《うたいっしゅ》だけを、天皇《てんのう》のお咎《とが》めを受《う》けた人間《にんげん》だから、姓名《せいめい》を記《しる》さずに「よみ人《びと》しらず」として入集《にっしゅう》した。

その歌《うた》は、

ささ波《なみ》や志賀《しが》の都《みやこ》は荒《あ》れにしを昔《むかし》ながらの山桜《やまざくら》かな

（古《ふる》き都《みやこ》、志賀《しが》の都《みやこ》は荒《あ》れ果《は》てたのに、昔《むかし》のままに美《うつく》しく咲《さ》いている長良山《ながらやま》の山桜《やまざくら》よ）

本人《ほんにん》が朝敵《ちょうてき》（国賊《こくぞく》）となってしまった以上《いじょう》、とやかく言《い》っても始《はじ》まらないが、匿名《とくめい》の一首《いっしゅ》というのは、なんとも寂《さび》しいかぎりである。

り。

❖薩摩守忠度《さつまのかみただのり》は、いづくよりか帰《かへ》られたりけん、侍《さぶらひ》五《ご》騎《き》、童一人《わらはいちにん》、我《わ》が身《み》共《とも》に直《ひた》甲《かぶと》七騎《しちき》、取《と》つて返《かへ》し、五条《ごでう》の三位《さんみ》俊成《しゅんぜい》の卿《きやう》の許《もと》におはして見給《みたま》へば、門戸《もんこ》を閉《と》ぢて開《ひら》かず。「忠度《ただのり》」と名《な》のり給《たま》へば、「落人帰《おちうどかへ》り来《き》たれり」とて、その内騒《うちさわ》ぎあへり。

薩摩守《さつまのかみ》、急《いそ》ぎ馬《むま》より飛《と》んで下《お》り、自《みづか》ら高《たか》らかに申《まう》されけるは、「これは三位殿《さんみどの》に申《まう》すべき事《こと》あつて、忠度《ただのり》が参《まゐ》つて候《さうらふ》。たとひ門《かど》をば開《あ》けられずとも、この際《きは》まで立《た》ち寄《よ》り給《たま》へ。申《まう》すべき事《こと》の候《さうらふ》」と申《まう》されたりければ、俊成《しゅんぜい》の卿《きやう》、「その人《ひと》ならば苦《くる》しかるまじ、開《あ》けて入《い》れ申《まう》せ」とて、門《かど》を開《あ》けて対面《たいめん》ありけり。事《こと》の体何《ていなに》となう物《もの》あはれなり。

薩摩守申《さつまのかみまう》されけるは、「先年申《せんねんまう》し承《うけたまは》つてより後《のち》は、ゆめゆめ疎略《そりやく》を存《ぞん》ぜずとは申《まう》しながら、この二《に》、三箇《さんか》年《ねん》は、京都《きやうと》の騒《さわ》ぎ、国々《くにぐに》の乱《みだ》れ出《い》で来《き》、あまつさへ当家《たうけ》の身《み》の上《うへ》にまかりなつて候《さうら》へば、常《つね》に参《まゐ》り寄《よ》ることも候《さうら》はず。君既《きみすで》に帝都《ていと》を出《い》でさせ給《たま》ひぬ。一門《いちもん》の運命今日早尽《うんめいけふはやつ》きはて候《さうらふ》。それにつき候《さうら》うては、撰集《せんじふ》の御沙汰《ごさた》あるべき由《よし》、承《うけたまは》つて候《さうら》ひしほどに、生涯《しやうがい》の面目《めんぼく》に、一首《いつしゆ》なりとも、御恩《ごおん》を蒙《かうぶ》らうと存《ぞん》じ候《さうら》ひつるに、かかる世《よ》の乱《みだ》れ出《い》で来《き》て、その沙汰《さた》なく候《さうら》ふ条《でう》、ただ一身《いつしん》の嘆《なげ》きと存《ぞん》ずる候《ざうらふ》。こののち世静《よしづ》まつて、撰集《せんじふ》の御沙汰《ごさた》候《さうら》はば、これに候《さうら》ふ巻物《まきもの》の中《なか》に、さりぬべき歌候《うたさうら》はば、一首《いつしゆ》なりとも御恩《ごおん》を蒙《かうぶ》つて、草《くさ》の陰《かげ》にても嬉《うれ》しと存《ぞん》じ候《さうら》はば、遠《とほ》き御守《おんまも》りとこそなり参《まゐ》らせ候《さうら》はんずれ」とて、日《ひ》ごろ詠《よ》み置《お》かれたる歌《うた》どもの中《なか》に、秀歌《しうか》とおぼしきを、百余首《ひやくよしゆ》書《か》き集《あつ》められたりける巻物《まきもの》を、今《いま》はとてうち立《た》たれける時《とき》、これを取《と》つて持《も》たれたりけるを、鎧《よろひ》の引合《ひきあはせ》より取《と》り出《い》でて、俊成《しゆんぜい》の卿《きやう》に奉《たてまつ》らる。

三位《さんみ》、これを開《ひら》いて見給《みたま》ひて、「かかる忘《わす》れ形見《かたみ》どもを賜《たまは》り候《さうら》ふ上《うへ》は、ゆめゆめ疎略《そりやく》を存《ぞん》ずまじう候《さうらふ》。さても、ただ今《いま》の御渡《おんわた》りこそ、情《なさ》けも深《ふか》う、あはれも殊《こと》にすぐれて、感涙抑《かんるいおさ》へ難《がた》うこそ候《さうら》へ」と宣《のたま》へば、薩摩守《さつまのかみ》、「骸《かばね》を野山《のやま》にさらさばさらせ。憂《う》き名《な》を西海《さいかい》の波《なみ》に流《なが》さば流《なが》せ。今《いま》は憂《う》き世《よ》に思《おも》ひ置《お》く事《こと》なし。さらば暇申《いとままう》して」

とて、馬《むま》にうち乗り、甲《かぶと》の緒《を》を締《し》めて、西《にし》を指《さ》してぞ歩《あゆ》ませ給《たま》ふ。

三位《さんみ》後《うし》ろを遥《はる》かに見《み》送《おく》つて立《た》たれたれば、忠度《ただのり》の声《こゑ》とおぼしくて、「前途《せんど》程遠《ほどとほ》し、思《おも》ひを雁山《がんさん》の夕《ゆふ》べの雲《くも》に馳《は》す」と、高《たか》らかに口《くち》ずさみ給《たま》へば、俊成《しゆんぜい》の卿《きやう》も、いとどあはれに覚《おぼ》えて、涙《なみだ》を抑《おさ》へて入《い》り給《たま》ひぬ。

そののち、世静《よしづ》まつて、『千載集《せんざいしふ》』を撰《せん》ぜられけるに、忠度《ただのり》のありし有様《ありさま》、言《い》ひ置《お》きし言《こと》の葉《は》、今更思《いまさらおも》ひ出《い》でて、あはれなりけり。件《くだん》の巻物《まきもの》の中《なか》に、さりぬべき歌《うた》幾《いく》らもありけれども、その身勅勘《みちよくかん》の人《ひと》なれば、名字《みやうじ》をば顕《あらは》されず、故郷《こきやう》の花《はな》といふ題《だい》にて、詠《よ》まれたりける歌一首《うたいつしゆ》ぞ、読人《よみひと》しらずと入《い》れられたる、

さざなみや志賀《しが》の都《みやこ》は荒《あ》れにしを昔《むかし》ながらの山桜《やまざくら》かな

その身朝敵《みてうてき》となりぬる上《うへ》は、子細《しさい》に及《およ》ばずといひながら、恨《うら》めしかりし事《こと》どもなり。

✿文武両道は日本男児の理想である。『平家物語』の忠度像は、入念な修整を経て、武士の鑑《かがみ》となった。一軍の指揮官として、片腕を落とされながら奮戦、壮烈な戦死を遂げたが、遺体の箙《えびら》には歌を結びつけてあった（巻九・忠度の最期《さいご》）。また、家集を

編むほどの歌才は母譲りでもある、と父忠盛と母の贈答歌が載っている（巻一・鱸《すずき》）。ここでは、俊成（定家の父）との師弟愛が忠度像に深みを加えた。後世の能《のう》・浄瑠璃《じょうるり》にも登場回数は多い。

経正の都落ち〈つねまさのみやこおち〉

平経正《たいらのつねまさ》（清盛の甥《おい》）は、幼少時《ようしょうじ》に仕《つか》えていた仁和寺《にんなじ》の御室《おむろ》（守覚法親王《しゅかくほっしんのう》）。後《ご》白河上皇《しらかわじょうこう》の皇子《おうじ》）と、情愛《じょうあい》に満《み》ちた別離《べつり》の挨拶《あいさつ》を交《か》わした。その折《おり》、青山《せいざん》という琵琶《びわ》の名器《めいき》を預《あず》けた。やがて、都落《みやこお》ちの行列《ぎょうれつ》に追《お》いつくため、寺《てら》を挙《あ》げて名残《なごり》を惜《お》しむのを、振《ふ》り切《き》るように馬《うま》に鞭《むち》を当《あ》てて駆《か》け去《さ》った。

青山の沙汰〈せいざんのさた〉

青山《せいざん》は、唐《とう》から伝来《でんらい》し、村上天皇《むらかみてんのう》が唐《とう》の元《もと》の所有者《しょゆうしゃ》の霊《れい》から秘曲《ひきょく》を授《さず》かったという琵琶《びわ》の名器《めいき》である。

経正《つねまさ》は宇佐八幡《うさはちまん》（大分県《おおいたけん》）へ天皇《てんのう》のお使《つか》いを命《めい》じられた時《とき》、社前《しゃぜん》でこの琵琶《びわ》を弾《ひ》いて、周囲《しゅうい》の感涙《かんるい》を誘《さそ》ったことがあった。

一門の都落ち〈いちもんのみやこおち〉

平頼盛《たいらのよりもり》（清盛《きよもり》の弟《おとうと》）は、母《はは》の池《いけ》の禅尼《ぜんに》が頼朝《よりとも》の命《いのち》の恩人《おんじん》だったので、頼朝《よりとも》から特別扱《とくべつあつか》いされてきた。そこで、一門《いちもん》の都落《みやこお》ちにあたって、頼朝《よりとも》との縁故《えんこ》を頼《たよ》ったため、都《みやこ》に一人《ひとり》残《のこ》った。

重盛《しげもり》の子《こ》たち、六人兄弟《ろくにんきょうだい》も遅《おく》ればせながら、一門《いちもん》の行列《ぎょうれつ》に追《お》いついた。

こうして、一一八三（寿永二《じゅえいに》）年七月二十五日《ねんしちがつにじゅうごにち》、平家一門《へいけいちもん》は、七千余騎《しちせんよき》とともに西国《さいこく》へ落《お》ちて行《い》った。

清盛《きよもり》・重盛父子《しげもりふし》の忠臣《ちゅうしん》だった平貞能《たいらのさだよし》は、都《みやこ》に戻《もど》り重盛《しげもり》の墓《はか》を掘《ほ》り返《かえ》し、骨《ほね》を高野山《こうやさん》に納《おさ》めると、縁故《えんこ》を頼《たよ》って主家《しゅけ》とは反対《はんたい》の東国《とうごく》へ落《お》ちていった。

福原落ち〈ふくはらおち〉

平家一門《へいけいちもん》は、かつて遷都《せんと》した福原《ふくはら》に一泊《いっぱく》し、宗盛《むねもり》を中心《ちゅうしん》に運命《うんめい》をともにする覚《かく》悟《ご》を互《たが》いに確《たし》かめ合《あ》った。
翌朝《よくあさ》、福原《ふくはら》の御所《ごしょ》に火《ひ》をかけてから、海路《かいろ》、西《にし》へと向《むか》った。そして、再《ふたた》び都《みやこ》に還《かえ》ることはなかった。

★政界の陰に咲くあだ花——白拍子《しらびょうし》

白い水干《すいかん》に立烏帽子《たてえぼし》をかぶり、白鞘《しらざや》の短刀を差して男舞を舞う歌姫。平安末期から鎌倉時代を通じて、芸能界でスター並みの人気を誇った。時の権力者たちは、妖しい倒錯的魅力《とうさくてきみりょく》にひかれてか、競って男装の麗人、白拍子を愛人にした。

一方、白拍子は政治と癒着していた。当時の芸能集団は、全国に情報網を張りめぐらしていた。それを権力者たちが政略に転用した。巻十二「土佐坊斬《とさぼうき》られ」(二六一ページ)の静《しずか》も、白拍子のもう一つ別の顔を見せている。

だが、しょせんは色香を売る遊女の身、清盛に囲われた祇王《ぎおう》・祇女《ぎにょ》・仏御前《ほとけごぜん》、義経に愛された静など、その末路は悲哀に満ちて涙を誘う。

巻第八

山門御幸〈さんもんごこう〉（一一八三）

一一八三（寿永二《じゅえいに》）年七月二十四日《ねんしちがつにじゅうよっか》、都《みやこ》を脱出《だっしゅつ》した後《ご》白河法皇《しらかわほうおう》は比叡山《ひえいざん》に御所《ごしょ》を移《うつ》したが、聞《き》きつけた藤原一族《ふじわらいちぞく》が法皇《ほうおう》のもとに参集《さんしゅう》した。

二十八日《にじゅうはちにち》、法皇《ほうおう》は義仲軍《よしなかぐん》五万騎《ごまんき》に守《まも》られ、源氏《げんじ》の白旗《しろはた》とともに入京《にゅうきょう》した。ただちに法皇《ほうおう》は義仲《よしなか》・行家《ゆきいえ》に平家《へいけ》追討《ついとう》を命《めい》じた。

八月五日《はちがついつか》、法皇《ほうおう》は故《こ》高倉院《たかくらいん》の遺児《いじ》と対面《たいめん》、兄《あに》の三《さん》の宮《みや》をはずして、人《ひと》なつこい四歳《よんさい》の弟《おとうと》の四《し》の宮《みや》を新帝《しんてい》（後鳥羽天皇《ごとばてんのう》）に選《えら》んだ。

名虎〈なとら〉

八月十日《はちがつとおか》、義仲《よしなか》は左馬頭《さまのかみ》に任《にん》ぜられ、朝日《あさひ》将軍《しょうぐん》の称号《しょうごう》を授《さず》けられた。

十六日《じゅうろくにち》、平家《へいけ》一門《いちもん》は、時忠《ときただ》以下《いか》三人《さんにん》を除《のぞ》き、すべて解官《かいかん》となった。

十七日《じゅうしちにち》、平家《へいけ》は太宰府《だざいふ》（福岡県太宰府市《ふくおかけんだざいふし》）に到着《とうちゃく》するが、合流《ごうりゅう》する九州《きゅうしゅう》の武士《ぶし》団《だん》は少《すく》なかった。

法皇《ほうおう》の宣命《せんみょう》によって、二十日《はつか》、四《し》の宮《みや》が即位《そくい》した。これで、京《きょう》と西国《さいごく》に二人《ふたり》の天皇《てんのう》がいることになった。

その昔《むかし》、文徳天皇《もんとくてんのう》の崩御《ほうぎょ》の後《のち》、帝位《ていい》をめぐって二人《ふたり》の皇子《おうじ》が争《あらそ》いとなったが、競馬《けいば》と相撲《すもう》で決着《けっちゃく》をつけることになった。相撲《すもう》は大男《おおおとこ》の名虎《なとら》と小男《こおとこ》の善男《よしお》が取《と》り組《く》んで、あわや善男《よしお》が敗《やぶ》れると思《おも》われたとき、高僧《こうそう》の法力《ほうりき》によって勝負《しょうぶ》は逆転《ぎゃくてん》、名虎側《なとらがわ》が敗《やぶ》れてしまった、という話《はなし》がある。

宇佐行幸〈うさぎょうこう〉

九月三日《くがつみっか》、伊勢大神宮《いせだいじんぐう》へ新帝即位《しんていそくい》を報告《ほうこく》する法皇《ほうおう》の使者《ししゃ》が派遣《はけん》された。

同《おな》じころ、九州《きゅうしゅう》では安徳天皇《あんとくてんのう》が宇佐八幡宮《うさはちまんぐう》（大分県《おおいたけん》）へ参拝《さんぱい》した。そまつな仮《かり》の皇居《こうきょ》につどう平家《へいけ》一門《いちもん》は、晩秋《ばんしゅう》の明月《めいげつ》に都《みやこ》をしのび、涙《なみだ》にむせんだ。宗盛《むねもり》は夢《ゆめ》に託宣歌《たくせんか》を授《さず》かったが、平家《へいけ》の暗《くら》い未来《みらい》を暗示《あんじ》するものだった。

緒環〈おだまき〉

やがて、豊後《ぶんご》（大分県《おおいたけん》）の代官《だいかん》から、豪族緒方三郎維義《ごうぞくおがたのさぶろうこれよし》に、平家追放《へいけついほう》の命《めい》が下《くだ》った。緒方《おがた》の祖先《そせん》は、明神《みょうじん》の化身《けしん》たる大蛇《だいじゃ》であるという怪奇《かいき》な伝説《でんせつ》があり、九州《きゅうしゅう》の有力武士団《ゆうりょくぶしだん》はみな維義《これよし》の武威《ぶい》に服従《ふくじゅう》した。

章段名《しょうだんめい》「緒環《おだまき》」は、男《おとこ》（緒方《おがた》の祖先《そせん》）の身元《みもと》を確《たし》かめるために、女《おんな》が男《おとこ》の衣服《いふく》に緒環《おだまき》の糸《いと》を取《と》り付《つ》けて、その糸《いと》をたぐって跡《あと》をつけたと伝《つた》えられているところから名《な》づけた。緒環《おだまき》は、内側《うちがわ》を空《から》にして糸《いと》を巻《ま》いたもの。

〈緒環〉

太宰府落ち〈ださいふおち〉

緒方維義《おがたのこれよし》はもと重盛《しげもり》の家臣《かしん》だったが、昔《むかし》は昔《むかし》、今《いま》は今《いま》、と平家《へいけ》の説得《せっとく》に応《おう》じない。それどころか、平家《へいけ》を九州《きゅうしゅう》から追放《ついほう》するために挙兵《きょへい》したので、多勢《たぜい》に無勢《ぶぜい》の平家一門《へいけいちもん》は、大慌《おおあわ》てで太宰府《だざいふ》を脱出《だっしゅつ》、悲惨《ひさん》な逃避行《とうひこう》の旅《たび》が始《はじ》まった。海路《かいろ》の途中《とちゅう》、平清経《たいらのきよつね》（重盛《しげもり》の子《こ》）は絶望《ぜつぼう》のあまり入水自殺《じゅすいじさつ》した。

ようやくたどり着《つ》いた先《さき》は、四国《しこく》の屋島《やしま》（香川県高松市《かがわけんたかまつし》）である。百余隻《ひゃくよせき》の大《おお》船《ぶね》に分乗《ぶんじょう》した平家一門《へいけいちもん》は、磯辺《いそべ》と浪《なみ》の上《うえ》に仮《かり》の皇居《こうきょ》を営《いとな》んだ。高貴《こうき》の人々《ひとびと》も疲労《ひろう》と不安《ふあん》にさいなまれ、やつれた姿《すがた》に宮廷人《きゅうていじん》のみやびな面影《おもかげ》はなかった。

征夷大将軍の院宣〈せいいたいしょうぐんのいんぜん〉

鎌倉《かまくら》の源頼朝《みなもとのよりとも》が征夷大将軍《せいいたいしょうぐん》（武家《ぶけ》の統率者《とうそつしゃ》）に任命《にんめい》された。

十月四日《じゅうがつよっか》、鶴岡八幡宮《つるがおかはちまんぐう》（鎌倉市《かまくらし》）で法皇《ほうおう》の任命書《にんめいしょ》（院宣《いんぜん》）を拝受《はいじゅ》した頼朝《よりとも》は、源氏《げんじ》の最高指導者《さいこうしどうしゃ》たる威勢《いせい》を天下《てんか》に誇示《こじ》した。

◆威風堂々《いふうどうどう》と都《みやこ》の使者《ししゃ》を引見《いんけん》する頼朝公《よりともこう》

翌日《よくじつ》、法皇《ほうおう》の使者中原康定《ししゃなかはらのやすさだ》は、頼朝《よりとも》の館《やかた》に向《む》かった。館《やかた》の内《うち》には、大《おお》きな詰《つ》め所《しょ》が二《ふた》つあり、一方《いっぽう》には大勢《おおぜい》の家臣《かしん》たちがぎっしりと詰《つ》め合《あ》い、もう一方《いっぽう》には源氏一門《げんじいちもん》が上座《かみざ》に、関東一円《かんとういちえん》の豪族《ごうぞく》たちが下座《しもざ》にずらりと居並《いなら》んでいた。

康定《やすさだ》は、源氏《げんじ》の上座《かみざ》に席《せき》を与《あた》えられた。しばらくして、正殿《せいでん》に案内《あんない》された。殿内《でんない》の上座《かみざ》には高麗縁《こうらいべり》の畳《たたみ》が敷《し》かれ、康定《やすさだ》は、下座《しもざ》の床《ゆか》に敷《し》かれた紫縁《むらさきべり》の畳《たたみ》に、座《ざ》を与《あた》えられた。

上座《かみざ》の御簾《みす》が高《たか》く巻《ま》き上《あ》げられ、頼朝《よりとも》が姿《すがた》を現《あらわ》した。無紋《むもん》の狩衣《かりぎぬ》に立烏帽子《たてえぼし》という質素《しっそ》な服装《ふくそう》で、顔《かお》が大《おお》きく、背《せ》は低《ひく》いが、優《やさ》しい品《ひん》のよい顔立《かおだ》ちだった。まず、頼朝《よりとも》が政情《せいじょう》について口火《くちび》を切《き》ったが、その言葉《ことば》に訛《なま》りがなかった。

「さて、平家一門《へいけいちもん》は源氏《げんじ》の威勢《いせい》に恐《おそ》れて、都落《みやこお》ちしました。その後《あと》で、義《よし》仲《なか》・行家《ゆきいえ》が都入《みやこい》りし、まるで自《じ》分《ぶん》の手柄《てがら》のような顔《かお》つきで、官《かん》位《い》を思《おも》い通《どお》りに上《あ》げ、事《こと》もあろうに、任国《にんごく》まで選《え》り好《ごの》みしたよし、まことにけしからんことです。また、奥州《おうしゅう》の藤原秀衡《ふじわらのひでひら》は陸《みち》奥《のく》の守《かみ》、佐竹隆義《さたけのたかよし》は常陸《ひたち》の守《かみ》となって、この頼朝《よりとも》の命令《めいれい》に従《したが》いません。どうか、彼《かれ》らを即刻追《そっこくつい》討《とう》せよ、との法皇《ほうおう》の御命令《ごめいれい》をいただきたい」といった趣旨《しゅし》を述《の》べた。康定《やすさだ》は、

「私《わたくし》としては、この場《ば》ですぐにも、貴殿《きでん》に臣下《しんか》の礼《れい》をとりたい

〈前田青邨筆「洞窟の頼朝」〉

と思《おも》うのですが、今現在《いまげんざい》は法皇《ほうおう》の使者《ししゃ》の身《み》ゆえ、帰京《ききょう》して、ただちに書状《じょう》をお送《おく》りしようと思《おも》います。弟《おとうと》の重能《しげよし》も同様《どうよう》の意見《いけん》です」と、かしこまって返答《へんとう》した。頼朝《よりとも》は苦笑《くしょう》して、

「今現在《いまげんざい》、私《わたくし》としては、貴殿《きでん》らが臣下《しんか》の礼《れい》をとることなど、まったく望《のぞ》んでおりません。しかし、せっかく、そうしたいというのなら、そのつもりでおりましょう」と笑《わら》い飛《と》ばした。

康定《やすさだ》が今日中《きょうじゅう》に上京《じょうきょう》する予定《よてい》を述《の》べると、「今日一日《きょういちにち》だけは泊《と》まっていくように」と、帰京《ききょう》を延期《えんき》させた。

翌日《よくじつ》、再《ふたた》び康定《やすさだ》は頼朝《よりとも》の館《やかた》を訪《おとず》れた。帰京《ききょう》にあたって、頼朝《よりとも》から、萌黄《もえぎ》縅《おどし》の鎧一領《よろいいちりょう》、銀装《ぎんそう》の太刀《たち》一振《ひとふり》、滋籐《しげどう》の弓《ゆみ》に狩猟用《しゅりようよう》の矢《や》を添《そ》えて、贈与《ぞうよ》された。馬《うま》は十三頭《じゅうさんとう》いただいた。うち三頭《さんとう》には鞍《くら》まで置《お》いてあった。十二人《じゅうににん》の家来衆《けらいしゅう》にも、衣服《いふく》・馬《うま》・武具《ぶぐ》などの配慮《はいりょ》をいただいた。

引出物《ひきでもの》を積《つ》んだ馬《うま》は三百頭《さんびゃくとう》も続《つづ》いた。鎌倉《かまくら》を出《で》た次《つぎ》の宿駅《しゅくえき》から鏡《かがみ》の宿《しゅく》(滋賀県《しがけん》)に着《つ》くまでの間《あいだ》、康定一行《やすさだいっこう》のために各宿駅《かくしゅくえき》に十石《じっこく》の米《こめ》を用意《ようい》し

てあったが、あまりに多《おお》いので、貧《まず》しい人々《ひとびと》への施《ほどこ》しに充《あ》てたという。

❖次《つぎ》の日《ひ》、兵衛佐《ひやうゑのすけ》の館《たち》へ向《む》かふ。内外《うちと》に侍《さぶらひ》あり。共《とも》に十六間《じふろくけん》までありけり。外侍《とさぶらひ》には家《いへ》の子《こ》郎等《らうどう》、肩《かた》を並《なら》べ膝《ひざ》を組《く》んで並《な》み居《ゐ》たり。内侍《うちさぶらひ》には一門《いちもん》の源氏《げんじ》上座《しやうざ》して、末座《ばつざ》には八箇国《はつかこく》の大名小名《だいみやうせうみやう》居《ゐ》流《なが》れたり。源氏《げんじ》の上座《しやうざ》には康定《やすさだ》をすゑらる。ややあつて寝殿《しんでん》に向《む》かふ。上《かみ》には高麗縁《かうらいべり》の畳《たたみ》を敷《し》き、広廂《ひろびさし》には紫縁《むらさきべり》の畳《たたみ》を敷《し》いて、康定《やすさだ》をすゑらる。御簾《みす》高《たか》く巻《ま》き上《あ》げさせて、兵衛佐殿《ひやうゑのすけどの》出《い》でられたり。その日《ひ》は布衣《ほうい》に立烏帽子《たてゑぼし》なり。顔《かほ》大《おほ》きにして背《せい》短《ひき》かりけり。容貌優美《ようばういうび》にして言語分明《げんぎよふんみやう》なり。先《ま》づ子細《しさい》を一事《いちじ》述《の》べたり。

そもそも平家《へいけ》、頼朝《よりとも》が威《ゐ》勢《せい》に恐《おそ》れて、都《みやこ》を落《お》つ、その後《あと》に木曾義仲《きそよしなか》・十郎蔵人等《じふらうくらんどら》が打《う》ち入《い》つて、我《わ》が高名顔《かうみやうがほ》に、官加階《くわんかかい》を思《おも》ふさまに仕《つかまつ》り、あまつさへ国《くに》を嫌《きら》ひ申《まう》す条奇怪《でうきつくわい》なり、また奥《おく》の秀衡《ひでひら》が陸奥守《みちのくのかみ》になり、佐竹《さたけ》の冠者《くわんじや》が常陸守《ひたちのかみ》になつて、これも頼朝《よりとも》が下知《げぢ》に随《したが》はず、彼等《かれら》をも急《いそ》ぎ追討《ついたう》すべき由《よし》の院宣《ゐんぜん》、賜《たまは》るべき由《よし》を申《まう》さる。

康定《やすさだ》、「やがてこれにて名簿《みやうぶ》をも参《まゐ》らせたうは候《さうら》へども、当時《たうじ》は御使《おんつかひ》の身《み》にて候《さうら》へば、まかり上《のぼ》つて、やがて認《したた》めてこそ参《まゐ》らせめ。弟《おとうと》で候《さうら》ふ史大夫《しのたいふ》重能《しげよし》も、この儀《ぎ》を申《まう》し候《さうらふ》」と申《まう》しければ、兵衛佐殿《ひやうゑのすけどの》あざ笑《わら》うて、「当時《たうじ》頼朝《よりとも》が身《み》として、各々《おのおの》の名簿《みやうぶ》思《おも》ひもよらず。さりながらも、致《いた》されば、さこそ存《ぞん》ぜめ」とぞ宣《のたま》ひける。康定《やすさだ》、やがて今日上洛《こんにちじやうらく》の由《よし》を申《まう》す。「今日《けふ》ばかりは逗留《とうりう》あるべし」とて留《とど》めらる。

次《つぎ》の日《ひ》、また兵衛佐《ひやうゑのすけ》の館《たち》へ向《む》かふ。萌黄糸縅《もえぎいとをどし》の腹巻一領《はらまきいちりやう》、白《しろ》う作《つく》つたる太刀《たち》一振《ひとふり》、滋藤《しげどう》の弓《ゆみ》に野矢《のや》添《そ》へて賜《た》ぶ。馬十三匹《むまじふさんびき》引かる。三匹《さんびき》に鞍《くら》置いたり。十二人《じふににん》の家《いへ》の子《こ》郎等《らうどう》どもにも、直垂《ひたたれ》・小袖《こそで》・大口《おほぐち》・馬《むま》・物《もの》の具《ぐ》に及《およ》べり。馬《むま》だにも三百匹《さんびやくひき》までありけり。鎌倉出《かまくらいで》の宿《しゆく》よりも近江国鏡《あふみのくにかがみ》の宿《しゆく》に至《いた》るまで、宿々《しゆくじゆく》に十石《じつこく》づつの米《よね》をぞ置《お》かれたりければ、沢山《たくさん》なるによつて、施行《せぎやう》に引《ひ》きけるとぞ聞《き》こえし。

❀頼朝と都の特使との会談の場面である。頼朝の館には東国源氏の総司令部があり、将軍・将校連の大整列に出迎えられた特使は、頼朝の威風に平常心を失う。現れた頼朝に、場違いにも臣下の礼をとろうとして笑われる。すっかり飲まれているのだ。関東武士団を中核にした強大な軍事力を背景に、経済力も獲得した頼朝は、帰京する使者に、使いきれないほどの引出物《ひきでもの》を、都入りするまで贈り続けた。無言の威圧である。ところで、頼朝の言葉に東国訛《なま》りがなかったというが、十四歳で伊豆に流されるまで京にいた。また、源氏の未来の棟梁《とうりよう》として、配流《はいる》先で特別教育を受けたこともあろう。

猫間〈ねこま〉

帰京《ききよう》した康定《やすさだ》は、法皇《ほうおう》に鎌倉《かまくら》の情勢《じようせい》を詳細《しようさい》に報告《ほうこく》した。法皇《ほうおう》はじめ近臣《きんしん》たちも、威厳《いげん》のある頼朝《よりとも》という人物評価《じんぶつひようか》に大満足《だいまんぞく》であった。頼朝《よりとも》には武門《ぶもん》の指導者《しどうしゃ》にふさわしい風格《ふうかく》があった。ところが、もう一方《いっぽう》の指導者義仲《しどうしゃよしなか》は、色白《いろじろ》の好男子《こうだんし》ではあるものの、無作法《ぶさほう》で横暴《おうぼう》な言動《げんどう》が都人《みやこびと》の反感《はんかん》を買《か》っていた。

たとえば、猫間中納言《ねこまちゆうなごん》（猫間《ねこま》は地名《ちめい》）を動物《どうぶつ》の猫扱《ねこあつか》いするなど、無礼《ぶれい》きわまりなかった。また、牛車《ぎつしゃ》の乗《の》り方《かた》をも知《し》らず、牛飼《うしか》いを困《こま》らせたあげくに斬《き》り殺《ころ》した。

水島合戦〈みずしまかっせん〉

屋島《やしま》に布陣《ふじん》した平家《へいけ》が、勢力《せいりょく》を回復《かいふく》して中国《ちゅうごく》・四国地方《しこくちほう》を制覇《せいは》した。義仲《よしなか》は追討軍《ついとうぐん》（司令官矢田義清《しれいかんやたのよしきよ》）を派遣《はけん》し、閏十月一日《うるうじゅうがつついたち》、備中《びっちゅう》の水島《みずしま》（岡山県倉敷市《おかやまけんくらしきし》）で両軍《りょうぐん》の海戦《かいせん》が行《おこな》われたが、知盛《とももり》の巧妙《こうみょう》な戦法《せんぽう》で平家《へいけ》水軍《すいぐん》の圧勝《あっしょう》に終《お》わった。平《へい》家《け》はようやく連戦連敗《れんせんれんぱい》の雪辱《せつじょく》をとげた。

瀬尾最期〈せのおさいご〉

そのころ、平家方《へいけがた》に備中《びっちゅう》（岡山県《おかやまけん》）の瀬尾太郎兼康《せのおのたろうかねやす》という老将《ろうしょう》がいた。彼《かれ》は義《よし》仲《なか》の捕虜《ほりょ》となったが、味方《みかた》するふりをして義仲《よしなか》をだまし、帰郷《ききょう》して兵《へい》を集《あつ》めた。やがて、瀬尾《せのお》は息子《むすこ》ともども、源氏《げんじ》を襲撃《しゅうげき》したが、義仲配下《よしなかはいか》の今井兼平軍《いまいのかねひらぐん》と激闘《げきとう》のすえに戦死《せんし》、義仲《よしなか》は彼《かれ》の猛勇《もうゆう》ぶりを讃《たた》えた。

室山合戦〈むろやまかっせん〉

義仲《よしなか》は、備中《びっちゅう》で屋島攻略《やしまこうりゃく》の準備《じゅんび》を進《すす》めていた。そこへ、叔父《おじ》の行家《ゆきいえ》が義仲《よしなか》を中《ちゅう》傷《しょう》しているとの通報《つうほう》が入《はい》り、義仲《よしなか》は急《いそ》ぎ上京《じょうきょう》した。

危険《きけん》を察《さっ》して西《にし》に下《くだ》った行家《ゆきいえ》は、播磨国室山《はりまのくにむろやま》（兵庫県揖保郡室津《ひょうごけんいぼぐんむろつ》）に布陣《ふじん》した知盛《とももり》・重衡《しげひら》の率《ひき》いる平家軍《へいけぐん》二万騎《にまんき》に対《たい》して、わずか五百騎《ごひゃっき》で突撃《とつげき》を敢行《かんこう》した。勇猛果敢《ゆうもうかかん》に戦《たたか》ったが、完全《かんぜん》に包囲《ほうい》された行家軍《ゆきいえぐん》は、敗走《はいそう》を重《かさ》ねて河内国長野城《かわちのくにながののじょう》（大阪府河内長野市《おおさかふかわちながのし》）に退却《たいきゃく》した。

水島合戦《みずしまがっせん》に続《つづ》く勝利《しょうり》で、平家軍《へいけぐん》の気勢《きせい》は大《おお》いにあがった。

鼓判官〈つづみはんがん〉

このころ都《みやこ》では、駐留《ちゅうりゅう》する義仲軍《よしなかぐん》の乱暴狼藉《らんぼうろうぜき》を非難《ひなん》する声《こえ》が高《たか》まっていた。後白河法皇《ごしらかわほうおう》は、軍紀《ぐんき》の厳正《げんせい》を要請《ようせい》するために、義仲《よしなか》のもとへ壱岐判官知康《いきはんがんともやす》を派遣《はけん》した。知康《ともやす》は鼓《つづみ》の名人《めいじん》で、鼓判官《つづみはんがん》と呼《よ》ばれていた。

ところが、義仲《よしなか》は、鼓《つづみ》のように張《は》られたか、打《う》たれたか、と嘲笑《ちょうしょう》したので、怒《いか》りに燃《も》えた知康《ともやす》は、法皇《ほうおう》に義仲追討《よしなかついとう》を直訴《じきそ》した。だが、召集《しょうしゅう》できたのは武士《ぶし》ではなく、僧兵《そうへい》や無頼漢《ぶらいかん》・浮浪者《ふろうしゃ》だった。指揮《しき》は知康《ともやす》がとることになった。

法住寺合戦〈ほうじゅうじかっせん〉

法皇軍《ほうおうぐん》に手向《てむ》かうことを今井兼平《いまいのかねひら》は止《と》めたが、義仲《よしなか》は激怒《げきど》して、攻撃作戦《こうげきさくせん》を決《けっ》行《こう》した。

十一月十九日《じゅういちがつじゅうくにち》、両軍《りょうぐん》が戦闘《せんとう》を開始《かいし》したが、知康《ともやす》のぶざまな指揮《しき》のせいで、法皇《ほうおう》軍《ぐん》の惨敗《ざんぱい》に終《お》わった。天台座主《てんだいざす》明雲《めいうん》や三井寺《みいでら》の管長《かんちょう》まで殺害《さつがい》され、衣装《いしょう》をはぎ取《と》られ、裸《はだか》で戦場《せんじょう》をうろつく貴人《きじん》もいた。しかも、法皇《ほうおう》が義仲軍《よしなかぐん》に監禁《かんきん》されるという屈辱的《くつじょくてき》な敗北《はいぼく》だった。

翌二十日《よくにじゅうにち》、義仲《よしなか》は、六条河原《ろくじょうがわら》で明雲大僧正《めいうんだいそうじょう》をはじめ、六百三十余人《ろっぴゃくさんじゅうよにん》もの首実検《くびじっけん》を行《おこな》った。その上《うえ》、閣僚《かくりょう》・高官《こうかん》を大量《たいりょう》に罷免《ひめん》して、平家《へいけ》以上《いじょう》の悪行《あくぎょう》と非難《ひなん》された。

鎌倉《かまくら》の頼朝《よりとも》は、都《みやこ》の惨状《さんじょう》に対《たい》して冷静《れいせい》な態度《たいど》を崩《くず》さず、むしろ知康《ともやす》の軽率《けいそつ》な判《はん》断《だん》を責《せ》めた。

慢心《まんしん》した義仲《よしなか》は、平家《へいけ》に鎌倉攻略《かまくらこうりゃく》を持《も》ちかけたが、平家《へいけ》首脳《しゅのう》の慎重《しんちょう》な判断《はんだん》で交《こう》渉《しょう》は決裂《けつれつ》した。

宮廷人事《きゅうていじんじ》は、罷免《ひめん》を許《ゆる》したり、昇進《しょうしん》させたりするのも、すべて義仲《よしなか》の独断《どくだん》で行《おこな》われた。

今《いま》や天下《てんか》三分《さんぶん》の情勢《じょうせい》である。西国《さいこく》は平家《へいけ》、東国《とうごく》は頼朝《よりとも》、都《みやこ》は義仲《よしなか》がそれぞれ支《し》配《はい》した。そのために物資《ぶっし》の流通《りゅうつう》が滞《とどこお》り、都《みやこ》は深刻《しんこく》な食糧難《しょくりょうなん》に陥《おちい》った。

★現代日本語の直系の先祖――「和漢混交文《わかんこんこうぶん》」

『平家物語』の文章は、戦記文学なので、男性用語を優先している。「候」は、女性で「さぶらふ」（サブロー）、男性で「さうらふ」（ソーロー）ときっちり使い分けた。また、「てけり」を「てんげり」と撥音《はつおん》「ん」を加えて強調する。しかし、全体から見ると、和語の柔軟さと漢語の力強さとを、ほどよく調和させた漢字仮名交じりの文章である。この「和漢混交文」こそ、現代日本語の直系の先祖にあたる文体だ。

巻第九

小朝拝〈こちょうはい〉　一一八四

一一八四（寿永三《じゅえいさん》）年元旦《ねんがんたん》を迎《むか》えたが、法皇《ほうおう》も天皇《てんのう》も不自由《ふじゆう》な生活《せいかつ》を強《し》いられていたので、年始《ねんし》の挨拶《あいさつ》を受《う》ける小朝拝《こちょうはい》など、新年《しんねん》の宮廷行事《きゅうていぎょうじ》はいっさい中止《ちゅうし》された。

屋島《やしま》の平家《へいけ》にいたっては、天皇《てんのう》を擁《よう》するものの、磯辺《いそべ》の御所《ごしょ》では儀式《ぎしき》の準備《じゅんび》どころではない。ただ昔《むかし》の栄華《えいが》をしのんでは、長《なが》い春《はる》の一日《ひとひ》を過《す》ごすだけであった。

宇治川〈うじがわ〉

正月十一日《しょうがつじゅういちにち》、義仲《よしなか》は平家《へいけ》追討《ついとう》のために西国《さいこく》に進発《しんぱつ》する旨《むね》を法皇《ほうおう》に伝《つた》えた。同十三日《どうじゅうさんにち》、義仲《よしなか》のもとに急報《きゅうほう》が入《はい》った。義仲軍鎮圧《よしなかぐんちんあつ》のために、鎌倉《かまくら》の頼朝《よりとも》が数《すう》万《まん》の大軍《たいぐん》を都《みやこ》に急行《きゅうこう》させているという。ただちに宇治《うじ》・勢田《せた》の橋《はし》で迎撃《げいげき》する態勢《たいせい》に入《はい》った。

ところで、鎌倉《かまくら》を出発《しゅっぱつ》する時《とき》、梶原景季《かじわらのかげすえ》は頼朝《よりとも》の名馬《めいば》「生食《いけずき》」を所望《しょもう》したが、頼朝《よりとも》は代《か》わりに愛馬《あいば》「磨墨《するすみ》」を与《あた》え、佐々木高綱《ささきたかつな》に「生食《いけずき》」を授《さず》けた。そうとも知《し》らず、景季《かげすえ》は「磨墨《するすみ》」に騎乗《きじょう》して、意気揚々《いきようよう》としていた。

ところが、行軍中《こうぐんちゅう》にそのことを知《し》り、自尊心《じそんしん》を傷《きず》つけられたので、高綱《たかつな》と刺《さ》し違《ちが》えて、頼朝《よりとも》に痛手《いたで》を与《あた》えようと怒《いか》りに燃《も》えた。高綱《たかつな》は、近《ちか》づいてきた景季《かげすえ》の魂《こん》胆《たん》を察《さつ》して、馬《うま》は盗《ぬす》んだものだと偽《いつわ》った。景季《かげすえ》は高綱《たかつな》の言《げん》を信《しん》じて、怒《いか》りを解《と》いた。

鎌倉《かまくら》の派遣軍《はけんぐん》は総勢六万余騎《そうぜいろくまんよき》、二手《ふたて》に分《わか》かれて都《みやこ》に進撃《しんげき》を開始《かいし》した。対《たい》する義《よし》仲軍《なかぐん》は、宇治川《うじがわ》の橋板《はしいた》を外《はず》し、川底《かわぞこ》に杭《くい》を打《う》って、渡河《とか》を阻止《そし》する作戦《さくせん》に出《で》た。

正月《しょうがつ》二十日《はつか》過《す》ぎの夜明《よあ》け、雪解《ゆきど》けのため増水《ぞうすい》し、滝《たき》のような水勢《すいせい》に、さらに川霧《かわきり》深《ふか》くたちこめた悪天候《あくてんこう》のなかを、宇治川《うじがわ》の渡河《とか》作戦《さくせん》が強行《きょうこう》された。

鎌倉方《かまくらがた》の勇将《ゆうしょう》畠山《はたけやま》重忠《しげただ》は五百騎《ごひゃっき》を率《ひき》いて、川底《かわぞこ》や流速《りゅうそく》の調査《ちょうさ》を開始《かいし》しようとした。

その時《とき》、景季《かげすえ》と高綱《たかつな》が現《あらわ》れ、先陣《せんじん》争《あらそ》いを始《はじ》めた。高綱《たかつな》は、馬《うま》の腹帯《はらおび》がゆるんでいると、景季《かげすえ》に警告《けいこく》し、景《かげ》季《すえ》が腹帯《はらおび》を締《し》め直《なお》しているすきに、対岸《たいがん》に渡《わた》って先陣《せんじん》の名乗《なの》りをあげた。

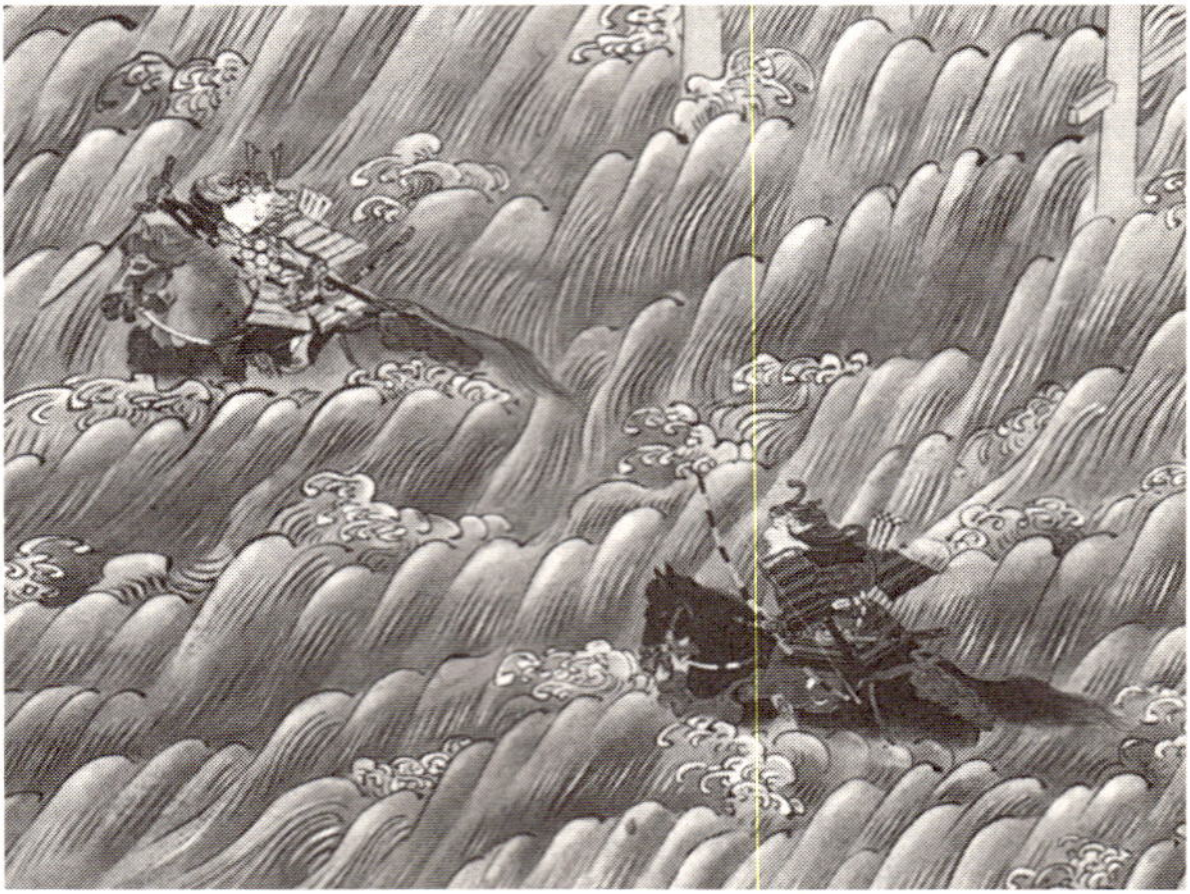

〈宇治川の先陣争い『平家物語絵巻』〉

◆宇治川《うじがわ》の先陣争《せんじんあらそ》い——梶原景季《かじわらかげすえ》と佐々木高綱《さきたかつな》

平等院《びょうどういん》（京都府宇治市《きょうとふうじし》）の東北《とうほく》にある橘《たちばな》の小島《おじま》が崎《さき》（宇治川《うじがわ》の洲《す》）から、武者《むしゃ》が二騎《にき》、ぴったり続《つづ》いて駆《か》けてきた。一騎《いっき》は梶原《かじわら》の源太景季《げんたかげすえ》、もう一騎《いっき》は佐々木《ささき》の四郎高綱《しろうたかつな》である。

傍目《はため》には、別《べつ》に変《か》わったようすも見《み》えないが、この二人《ふたり》、心中《しんちゅう》ひそかに一番乗《いちばんの》りの手柄《てがら》をねらっていたので、梶原《かじわら》は佐々木《ささき》よりも十《じゅう》メートル以上《いじょう》先《さき》を進《すす》んでいた。

佐々木《ささき》は、「やあ、梶原殿《かじわらどの》、この宇治川《うじがわ》は西国第一《さいこくだいいち》の大河《たいが》ですぞ。貴殿《きでん》の馬《うま》の腹帯《はらおび》がゆるんでいるようにお見受《みう》けする。お締《し》めなされ」と注意《ちゅうい》した。

梶原《かじわら》は、それもそうだと思《おも》ったのか、左右《さゆう》の鐙《あぶみ》を強《つよ》く踏《ふ》ん張《ば》って、馬《うま》の腹《はら》から離《はな》し、手綱《たづな》を馬《うま》の鬣《たてがみ》に引《ひ》っかけると、腹帯《はらおび》を解《と》いて締《し》め直《なお》した。

佐々木《ささき》はその間《かん》に、そこをつっと駆《か》けぬいて、川《かわ》のなかにざざっと乗《の》り入《い》れた。梶原《かじわら》は、だまされたと気《き》づいたのであろう、すぐさま続《つづ》いて川《かわ》に乗《の》り入《い》れた。

梶原《かじわら》が、「やあ、佐々木殿《ささきどの》、一番乗《いちばんの》りの手柄《てがら》を立《た》てようとあせって、思《おも》わぬ失敗《しっぱい》をなさるなよ。川底《かわぞこ》には、太《ふと》い綱《つな》を張《は》ってあろう。気《き》をつけなされ」と注意《ちゅうい》した。

佐々木《ささき》は、それもそうだと思《おも》ったのか、太刀《たち》を抜《ぬ》いて、馬《うま》の足《あし》に引《ひ》っかかった大綱《おおつな》を、ぷつりぷつりと切《き》り払《はら》って進《すす》んだ。しかも、宇治川《うじがわ》の流《なが》れがいかに速《はや》いといっても、生食《いけずき》という日本一《にっぽんいち》の名馬《めいば》に乗《の》っていたのだから、一直線《いっちょくせん》にさっと渡《わた》って、向《む》こう岸《ぎし》に駆《か》け上《あ》がった。

いっぽう、梶原《かじわら》の乗《の》っていた磨墨《するすみ》は、川《かわ》の中《なか》ほどから斜《なな》めに押《お》し流《なが》されて、はるか川下《かわしも》のほうから岸《きし》に上《あ》がった。

その後《ご》、佐々木《ささき》は、鐙《あぶみ》を踏《ふ》ん張《ば》り、立《た》ち上《あ》がり、大音声《だいおんじょう》をあげて、「宇《う》多《だ》天皇《てんのう》からは九代目《くだいめ》の子孫《しそん》、近江《おうみ》の国《くに》（滋賀県《しがけん》）の佐々木《ささき》の三郎秀義《さぶろうひでよし》の四《よん》男《なん》、佐々木四郎高綱《ささきしろうたかつな》が、宇治川《うじがわ》の一番乗《いちばんの》りだぞ」と名乗《なの》りをあげた。

それに応《おう》じて、畠山重忠《はたけやましげただ》の軍勢五百余騎《ぐんぜいごひゃくよき》も、渡河《とか》を開始《かいし》した。その時《とき》、対岸《たいがん》の平家《へいけ》の陣《じん》から山田《やまだ》の次郎《じろう》が放《はな》った矢《や》に、畠山《はたけやま》は馬《うま》の額《ひたい》を深々《ふかぶか》と射込《いこ》まれ、馬《うま》が跳《は》ね上《あ》がった。そこで、川《かわ》のなかのまま、弓《ゆみ》を杖《つえ》にして、馬《うま》から下《お》りて水中《すいちゅう》に立《た》った。

岩《いわ》に砕《くだ》ける波《なみ》が、甲《かぶと》の吹《ふ》き返《かえ》しの先端《せんたん》へさっと押《お》し寄《よ》せて来《き》たけれど、畠山《はたけやま》はそれをものともせず、川底《かわぞこ》を潜《もぐ》って対岸《たいがん》に泳《およ》ぎ着《つ》いた。

岸《きし》に上《あ》がろうとすると、後《うし》ろから何者《なにもの》かがぐっと引《ひ》き止《と》めた。「何者《なにもの》だ」と問《と》うと、「重親《しげちか》」と答《こた》える。「大串《おおくし》か」と質《ただ》すと、「そうです」という返《へん》事《じ》である。

この大串《おおくし》の次郎《じろう》という武士《ぶし》は、畠山《はたけやま》にとっては、彼《かれ》の成人式《せいじんしき》の後見役《こうけんやく》を務《つと》めた間柄《あいだがら》である。大串《おおくし》は、「あまりに流《なが》れが速《はや》くて、川中《かわなか》から馬《うま》を押《お》し流《なが》されちゃいまして。それで、どうしようもなくて、ここまで泳《およ》いできましたよ」と説明《せつめい》した。それを聞《き》いた畠山《はたけやま》は、「いつだって、お前《まえ》たちのような連中《れんちゅう》は、この重忠《しげただ》に助《たす》けられるようになっているんだよ」と言《い》うやいなや、大串《おおくし》をひっつかんで岸《きし》に投《な》げ上《あ》げた。

大串《おおくし》は岸《きし》に投《な》げ上《あ》げられて、すぐにまっすぐ立《た》ち上《あ》がると、太刀《たち》を抜《ぬ》いて額《ひたい》に当《あ》て、大音声《だいおんじょう》で名乗《なの》りをあげた。「武蔵国《むさしのくに》（埼玉県《さいたまけん》）の大串《おおくし》の次郎《じろう》重親《しげちか》、宇治川《うじがわ》の徒歩《かち》の一番乗《いちばんの》りだあ」。これを聞《き》いて、敵《てき》も味方《みかた》も一斉《いっせい》にどっと大爆笑《だいばくしょう》した。


❖平等院《びやうどうゐん》の艮《うしとら》、橘《たちばな》の小島《をじま》が崎《さき》より、武者《むしゃ》二騎《にき》引《ひ》つかけ引《ひ》つかけ出《い》で来《き》たり。一騎《いっき》は梶原源太景季《かぢはらのげんたかげすゑ》、一騎《いっき》は佐々木四郎高綱《ささきのしらうたかつな》なり。人目《ひとめ》には何《なん》とも見《み》えざりけれども、内々先《うちうちさき》に心《こころ》をかけたるらん、梶原《かぢはら》は佐々木《ささき》に一段《いちだん》ばかりぞ進《すす》んだる。

佐々木《ささき》、「いかに梶原殿《かぢはらどの》、この河《かは》は西国一《さいこくいち》の大河《たいが》ぞや。腹帯《はるび》の延《の》びて見《み》えさうぞ。締《し》め給《たま》へ」と言《い》ひければ、梶原《かぢはら》さもあるらんとや思《おも》ひけん、手綱《たづな》を馬《むま》のゆがみに捨《す》て、左右《さう》の鐙《あぶみ》を踏《ふ》みすかし、腹帯《はるび》を解《と》いてぞ締《し》めたりける。

佐々木《ささき》、その間《ひま》に、そこをつと馳《は》せ抜《ぬ》いて、河《かは》へさつとぞうち入《い》れたる。梶原《かぢはら》、謀《たばか》られぬとや思《おも》ひけん、やがて続《つづ》いてうち入《い》れたり。

梶原《かぢはら》、「いかに佐々木殿《ささきどの》、高名《かうみやう》せうとて不覚《ふかく》し給《たま》ふな。水《みづ》の底《そこ》には大綱《おほづな》あるらん。心得給《こころえたま》へ」と言《い》ひければ、佐々木《ささき》さもあるらんとや思《おも》ひけん、太刀《たち》を抜《ぬ》いて、馬《むま》の足《あし》にかかりける大綱《おほづな》どもを、ふつふつとうち切《き》りうち切《き》り、宇治川早《うぢがははや》しといへども、生食《いけずき》といふ世一《よいち》の馬《むま》には乗《の》つたりけり、一文字《いちもんじ》にさつと渡《わた》いて向《む》かひの岸《きし》にぞうち上《あ》げたる。梶原《かぢはら》が乗《の》つたりける磨墨《するすみ》は、川中《かはなか》より篦撓形《のだめがた》に押《お》し流《なが》され、はるかの下《した》よりうち上《あ》げたり。

その後《のち》、佐々木《ささき》、鐙踏《あぶみふ》ん張《ば》り立《た》ち上《あ》がり、大音声《だいおんじやう》を揚《あ》げて、「宇多《うだ》の天皇《てんわう》に九代《くだい》の後胤《こういん》、近江国《あふみのくに》の住人《ぢゆうにん》、佐々木三郎秀義《ささきのさぶらうひでよし》が四男《しなん》、佐々木四郎高綱《ささきのしらうたかつな》、宇治川《うぢがは》の先陣《せんぢん》ぞや」とぞ名乗《なの》つたる。

畠山五百余騎《はたけやまごひやくよき》うち入《い》れて渡《わた》す。向《む》かひの岸《きし》より、山田次郎《やまだのじらう》が放《はな》つ矢《や》に、畠山馬《はたけやまむま》の額《ひたひ》を篦深《のぶか》に射《い》させ、はぬれば、弓杖《ゆんづゑ》を突《つ》いて下《お》り立《た》つたり。岩波《いはなみ》、甲《かぶと》の手先《てさき》へさつと押《お》しかけけれども、畠山《はたけやま》これを事《こと》ともせず、水《みづ》の底《そこ》を潜《くぐ》つて、向《む》かひの岸《きし》に着《つ》きにける。

うち上《あ》がらんとするところに、後《うし》ろより物《もの》こそ、むずと控《ひか》へたれ。「誰《た》そ」と問《と》へば、「重親《しげちか》」と答《こた》ふ。「大串《おほくし》か」。「さん候《ざうらふ》」。

大串次郎《おほくしのじらう》は、畠山《はたけやま》が為《ため》には烏帽子子《ゑぼしご》にてぞ候《さうら》ひける。「あまりに水《みづ》が早《はや》うて、馬《むま》をば川中《かはなか》より押《お》し流《なが》され候《さうら》ひぬ。力及《ちからおよ》ばでこれまで着《つ》き参《まゐ》つて候《さうらふ》」と言《い》ひければ、畠山《はたけやま》、「いつも、わ殿《との》ばらがやうなる者《もの》は、重忠《しげただ》にこそ助《たす》けられんずれ」と言《い》ふまま、大串《おほくし》をつかんで、岸《きし》の上《うへ》へぞ投《な》げ上《あ》げたる。

投《な》げ上《あ》げられて、ただ直《なほ》り、太刀《たち》を抜《ぬ》いて額《ひたひ》に当《あ》て、大音声《だいおんじやう》を揚《あ》げて、「武蔵国《むさしのくに》の住人《ぢゆうにん》、大串次郎重親《おほくしのじらうしげちか》、宇治川《うぢがは》の歩立《かちだち》の先陣《せんぢん》ぞや」とぞ名乗《なの》つたる。敵《かたき》も御方《みかた》も、これを聞《き》いて、一度《いちど》にどっとぞ笑《わら》ひける。


✻激烈な合戦場でありながら、明るく男性的な笑いの斉唱が響き渡っている。『平家物語』の思想は無常観だというが、ここには、陰々滅々《いんいんめつめつ》とした無常観の印象はまったくない。そもそも、無常をはかない人間の死と決めつけるのが間違いだ。無常は、陰と陽、明と暗、この二つの対立を対立のままに包み込む、広く大きな人生の知恵だからである。

梶原景季は、源 頼朝《みなもとのよりとも》に仕えた団結力の強い梶原一家の長男（二三三ページ参照）である。頼朝の死後、中傷癖《ちゅうしょうへき》で失脚し幕府に反抗した父景時《かげとき》とともに、追討されて戦死した。景季が箙《えびら》に梅花を挟んで出陣したという謡曲「箙」があり、和歌もよくしたという。風流を解する職業軍人タイプだったようだ。

佐々木高綱は、源平合戦後、二十代で高野山《こうやさん》に上り出家したが、兵法にすぐれた逸話を残している。独自の人生観をもつ武将だった。

畠山重忠は、鎌倉武士の鑑《かがみ》とされる武将の典型。謹厳実直《きんげんじっちょく》、武勇無双《ぶゆうむそう》で、数々の逸話を残している。梶原景時に中傷されたとき、自害をはかって頼朝の信頼を深めたが、坂落とし（鵯越《ひよどりごえ》の坂落とし。一八七ページ参照）では、愛馬をいたわり、背負って下りたという。

大串次郎は、武蔵七党《むさししちとう》の横山党に属する武士。騎馬武者の一番乗りではなく、徒歩の一番乗り（歩立の先陣）だと居直った。この「徒歩」が戦場に爆笑を点火したのだ。ここでは、とんだ笑い者だったが、五年後の奥州征伐《おうしゅうせいばつ》では、藤原秀衡《ふじわらのひでひら》の嫡子国衡《ちゃくしくにひら》を討つという殊勲をあげている。

河原合戦〈かわらかっせん〉

派《は》遣軍《けんぐん》の司令官《しれいかん》源《みなもとの》義経《よしつね》は、都入《みやこい》りすると、ただちに法皇《ほうおう》の御所《ごしょ》を守護《しゅご》した。義仲《よしなか》を恐《おそ》れていた法皇《ほうおう》は義経《よしつね》を大歓迎《だいかんげい》した。

敗報《はいほう》を聞《き》いた義仲《よしなか》は、法皇《ほうおう》に戦況《せんきょう》を報告《ほうこく》する余裕《よゆう》もなく、賀茂《かも》の河原《かわら》で敵兵《てきへい》と遭遇《そうぐう》した。大部《だいぶ》隊《たい》と交戦《こうせん》したあげく、ついに主従七騎《しゅじゅうしちき》となって、戦場《せんじょう》を離《り》脱《だつ》した。

木曾の最期〈きそのさいご〉

主従七騎《しゅじゅうしちき》のなかに義仲《よしなか》の愛人巴《あいじんともえ》がいた。荒馬《あらうま》を乗《の》りこなし、強弓《ごうきゅう》を引《ひ》く美人戦《びじんせん》士《し》だった。義仲《よしなか》は、大津《おおつ》（滋賀県《しがけん》）の打出《うちで》の浜《はま》で、探《さが》し求《もと》めていた乳母子《めのとご》の今井《いまいの》兼平《かねひら》と再会《さいかい》できたので、敵《てき》に決戦《けっせん》を挑《いど》んだ後《のち》、巴《ともえ》を説得《せっとく》して東国《とうごく》へ逃《にが》した。

◆主従二騎《しゅじゅうにき》で挑《いど》む最後《さいご》の一戦《いっせん》——義仲《よしなか》と兼平《かねひら》

今《いま》や義仲《よしなか》は、乳兄弟《ちきょうだい》の今井四郎兼平《いまいのしろうかねひら》とたった主従二騎《しゅじゅうにき》となった。義仲《よしなか》が、

「ふだんなんともない鎧《よろい》が、今日《きょう》は重《おも》く感《かん》じるぞ」と言《い》うと、

「殿《との》はまだお疲《つか》れじゃありません。馬《うま》も弱《よわ》っていません。なのに、どうして鎧一《よろいひと》つが急《きゅう》に重《おも》く感《かん》じるか、そのわけは、後《あと》に続《つづ》く味方《みかた》の軍勢《ぐんぜい》がいないため、気弱《きよわ》になって、そう感《かん》じるのです。この兼平一騎《かねひらいっき》を武者千騎分《むしゃせんきぶん》とお考《かんが》えください。手元《てもと》に七《しち》、八本《はちほん》の矢《や》が残《のこ》っていますので、しばらく防戦《ぼうせん》しましょう。その間《あいだ》に、あちらに見《み》えるのは粟津《あわず》の松原《まつばら》と言《い》いますが、あの松《まつ》のなかに入《はい》って、心静《こころしず》かに御自害《ごじがい》ください」と慰《なぐさ》めながら、馬《うま》を進《すす》めていくと、新《あら》たな敵《てき》が五十騎《ごじっき》ほど現《あらわ》れた。

「兼平《かねひら》がこの敵《てき》をしばらく食《く》い止《と》めますから、殿《との》はあの松原《まつばら》のなかにお入《はい》りなさい」と促《うなが》すと、義仲《よしなか》は、

「六条河原《ろくじょうがわら》で戦死《せんし》するつもりだったが、お前《まえ》といっしょに死《し》のうと思《おも》って、敵《てき》に背《せ》を見《み》せて、ここまで逃《のが》れて来《き》たのだ。ここで離《はな》れ離《ばな》れに死《し》ぬよりは、一所《ひとところ》で討《う》ち死《じ》にしよう」と言《い》って、馬《うま》の鼻《はな》を並《なら》べて、駆《か》け出《だ》そうとしたので、兼平《かねひら》は急《いそ》いで馬《うま》から飛《と》び下《お》り、義仲《よしなか》の馬《うま》の轡《くつわ》に取《と》りついて、はらはら

と涙《なみだ》を流《なが》し、

「武士《ぶし》というものは、長年《ながねん》にわたってどれほど武功《ぶこう》を積《つ》んでも、最期《さいご》に失敗《しっぱい》すると、末代《まつだい》まで死《し》に恥《はじ》をさらします。実《じつ》を言《い》うと、殿《との》はお疲《つか》れです。馬《うま》も弱《よわ》っています。名《な》もない雑兵《ぞうひょう》に組《く》み落《お》とされて、討《う》たれたならば、あれほど日本国中《にっぽんこくじゅう》に鬼神《おにがみ》と名《な》を轟《とどろ》かせた殿《との》を、だれそれの従者《じゅうしゃ》の手《て》で討《う》ち取《と》ったぞなどと言《い》われるのは、無念《むねん》でたまりません」

兼平《かねひら》の涙《なみだ》の説得《せっとく》に、義仲《よしなか》は、「それでは」と、ただ一騎《いっき》で粟津《あわづ》の松原《まつばら》へ馬《うま》を走《はし》らせた。

❖木曾殿《きそどの》・今井四郎《いまゐのしらう》ただ主従二騎《しゆじゆうにき》になつて、宣《のたま》ひけるは、「日《ひ》ごろは何《なに》とも覚《おぼ》えぬ鎧《よろひ》が、今日《けふ》は重《おも》うなつたるぞや」と宣《のたま》へば、今井四郎申《いまゐのしらうまう》しけるは、「御身《おんみ》も未《いま》だ疲《つか》れさせ給《たま》ひ候《さうら》はず。御馬《おんむま》も弱《よわ》り候《さうら》はず。何《なに》によつて、一領《いちりやう》の御着背長《おんきせなが》を俄《にはか》に重《おも》うは思《おぼ》し召《め》され候《さうら》ふべき。それは、御方《みかた》に続《つづ》く勢《せい》が候《さうら》はねば、臆病《おくびやう》でこそ、さは思《おぼ》し召《め》し候《さうら》ふらめ。兼平一騎《かねひらいつき》をば、余《よ》の武者千騎《むしやせんぎ》と思《おぼ》し召《め》し候《さうら》ふべし。ここに、射残《いのこ》したる矢《や》七《なな》つ八《や》つ候《さうら》へば、しばらく防《ふせ》ぎ矢《や》仕《つかまつ》り候《さうら》はん。あれに見《み》え候《さうら》ふは、粟津《あはづ》の松《まつ》原《ばら》と申《まう》し候《さうらふ》。君《きみ》は、あの松《まつ》の中《なか》へ入《い》らせ給《たま》ひて、静《しづ》かに御自害《おんじがい》候《さうら》へ」とて、打《う》つて行《ゆ》くほどに、また新手《あらて》の武者《むしや》五十騎《ごじつき》ばかりで出《い》で来《き》たる。

「兼平《かねひら》はこの御敵《おんかたき》暫《しばら》く防《ふせ》ぎ参《まゐ》らせ候《さうら》ふべし。君《きみ》はあの松《まつ》の中《なか》に入《い》らせ給《たま》へ」と申《まう》しければ、義仲《よしなか》、「六条河原《ろくでうかはら》にていかにもなるべかりしかども、汝《なんぢ》と一所《いつしよ》でいかにもならん為《ため》にこそ、多《おほ》くの敵《かたき》に後《うし》ろを見《み》せて、これまで遁《のが》れたんなれ。所々《ところどころ》で討《う》たれんより、一所《ひとところ》でこそ討《う》ち死《じ》にをもせめ」とて、馬《むま》の鼻《はな》を並《なら》べて、既《すで》に駆《か》けんとし給《たま》へば、今井四郎《いまゐのしらう》、急《いそ》ぎ馬《むま》より飛《と》び下《お》り、主《しゆ》の馬《むま》の水《みづ》つきに取《と》り付《つ》き、涙《なみだ》をはらはらと流《なが》いて、「弓矢《ゆみや》取《と》りは、年《とし》ごろ日《ひ》ごろいかなる高名《かうみやう》候《さうら》へども、最期《さいご》に不覚《ふかく》しぬれば、長《なが》き瑕《きず》にて候《さうら》ふなり。御身《おんみ》も疲《つか》れさせ給《たま》ひ候《さうら》ひぬ。御馬《おんむま》も弱《よわ》つて候《さうらふ》。言《い》ひがひなき人《ひと》の郎等《らうどう》に、組《く》み落《お》とされて討《う》たれさせ給《たま》ひ候《さうら》ひなば、さしも日本国《につぽんこく》に鬼神《おにがみ》と聞《き》こえさせ給《たま》ひつる木曾殿《きそどの》をば、何某《なにがし》が郎等《らうどう》の手《て》にかけて、討《う》ち奉《たてまつ》つたりなんど申《まう》されん事《こと》、くちをしかるべし。ただ理《り》をまげて、あの松《まつ》の中《なか》へ入《い》らせ給《たま》へ」と申《まう》しければ、木曾殿《きそどの》、「さらば」とて、ただ一騎《いつき》粟津《あはづ》の松原《まつばら》へぞ駆《か》け給《たま》ふ。

兼平《かねひら》は、義仲《よしなか》の自害《じがい》を邪魔《じゃま》させないために、ただ一騎《いっき》で敵五十騎《てきごじっき》に向《む》かって突撃《とつげき》し、大奮戦《だいふんせん》する。

義仲《よしなか》はただ一騎《いっき》で、粟津《あわづ》の松原《まつばら》に駆《か》け入《い》った。ちょうど正月二十一日《しょうがつにじゅういちにち》の夕暮《ゆうぐ》れ時《どき》のこと、松原《まつばら》のなかに、寒気《かんき》で薄氷《うすごおり》の張《は》った深《ふか》い田《た》があるとも気《き》づかず、勢《いきお》いよく乗《の》り入《い》れたので、人馬《じんば》もろとも田《た》のなかに沈《しず》んでしまい、馬《うま》の頭《あたま》が見《み》えなくなった。鐙《よろい》で馬《うま》の腹《はら》を何度《なんど》蹴《け》っても、鞭《むち》で何度《なんど》打《う》っても、馬《うま》は動《うご》きがとれない。

こんな苦境《くきょう》にあっても、義仲《よしなか》は兼平《かねひら》の行方《ゆくえ》が気《き》がかりで、後《うし》ろを振《ふ》り返《かえ》った。その瞬間《しゅんかん》をねらって、相模《さがみ》の豪族《ごうぞく》三浦《うら》の石田次郎為久《いしだのじろうためひさ》が追《お》いついて、弓《ゆみ》を十分《じゅうぶん》引《ひ》き絞《しぼ》ってビューンと矢《や》を放《はな》った。

義仲《よしなか》は甲《かぶと》の内側《うちがわ》を射《い》られて、重傷《じゅうしょう》を負《お》ったので、甲《かぶと》の前額《まえびたい》を馬《うま》の首《くび》に押《お》し当《あ》てて、うつ伏《ぶ》せになったところへ、石田《いしだ》の部下《ぶか》二人《ふたり》が駆《か》け寄《よ》って、つ

いに義仲《よしなか》の首《くび》を取《と》ってしまった。そのまま、首《くび》を太刀《たち》の先《さき》に貫《つらぬ》いて、高《たか》く差《さ》し上《あ》げ、大音声《だいおんじょう》で、

「近《ちか》ごろ日本国《にっぽんこく》で鬼神《おにがみ》とうわさの高《たか》い木曾殿《きそどの》を、三浦《みうら》の石田次郎為久《いしだじろうためひさ》が討《う》ち取《と》ったぞう」と名乗《なの》った。

兼平《かねひら》は死闘《しとう》のさなかにあったが、義仲討《よしなかう》ち死《じ》にを告《つ》げる声《こえ》を聞《き》いて、

「今《いま》となっては、誰《だれ》をかばうために戦《たたか》うのか、戦《たたか》う意味《いみ》がない。これを見《み》よ、東国《とうごく》の殿方《とのがた》。日本一《にっぽんいち》の豪傑《ごうけつ》がお見《み》せする自害《じがい》の手本《てほん》だぞう」

と叫《さけ》ぶや、太刀《たち》の切《き》っ先《さき》を口《くち》にくわえ、馬《うま》からまっ逆《さか》さまに飛《と》び落《お》ちて、太刀《たち》に貫《つらぬ》かれて死《し》んでいった。

❖木曾殿《きそどの》はただ一騎《いつき》、粟津《あはづ》の松原《まつばら》へぞ駆《か》け給《たま》ふ。頃《ころ》は正月二十一日《しやうぐわつにじふいちにち》、入相《いりあひ》ばかりの事《こと》なるに、薄氷《うすごほり》は張《は》りたりけり。深田《ふかた》ありとも知《し》らずして、馬《むま》をさつとうち入《い》れたれば、馬《むま》の頭《かしら》も見《み》えざりけり。あふれどもあふれども、打《う》てども打《う》てども動《はたら》かず。かかりしかども、今井《いまゐ》が行方《ゆくへ》のおぼつかなさに、ふりあふのき給《たま》ふ所《ところ》を、相模国《さがみのくに》

の住人三浦《ぢゅうにんみうら》の石田次郎為久《いしだのじらうためひさ》、追《お》つかかり、よつ引《ぴ》いてひやうと放《はな》つ。木曾殿《きそどの》、内甲《うちかぶと》を射《い》させ、痛手《いたで》なれば、甲《かぶと》の真《ま》つ向《かう》を馬《むま》の頭《かしら》に押《お》し当《あ》てて俯《うつぶ》し給《たま》ふ所《ところ》を、石田《いしだ》が郎《らう》等二人《どうににん》落《お》ち合《あ》ひて、既《すで》に御首《おんくび》をば賜《たまは》りけり。

やがて首《くび》をば太刀《たち》の鋒《さき》に貫《つらぬ》き、高《たか》くさし上《あ》げ、大音声《だいおんじゃう》を揚《あ》げて、「この日《ひ》ごろ日《にっ》本国《ぽんごく》に鬼神《おにがみ》と聞《き》こえさせ給《たま》ひつる木曾殿《きそどの》をば、三浦《みうら》の石田次郎為久《いしだのじらうためひさ》が討《う》ち奉《たてまつ》るぞや」と名《な》のりければ、今井四郎《いまゐのしらう》は軍《いくさ》しけるが、これを聞《き》いて、「今《いま》は誰《たれ》をかばはんとて、軍《いくさ》をばすべき。これ見給《みたま》へ、東国《とうごく》の殿《との》ばら、日本一《にっぽんいち》の剛《かう》の者《もの》の、自害《じがい》する手《て》本《ほん》よ」とて、太刀《たち》の鋒《きっさき》を口《くち》に含《ふく》み、馬《むま》よりさかさまに飛《と》び落《お》ち、貫《つらぬ》かつてぞ失《う》せにける。

✿当時の上流階級では、同じ乳で育った乳兄弟《ちきょうだい》は、同じ血を分けた兄弟よりも、一心同体の意識の強いことが多かった。その典型であり、模範例として、義仲《よしなか》・兼平《かねひら》の乳兄弟があげられる。この背後には、実母以上に子どもの人格形成にあずかった乳母《めのと》の存在がある。八歳の副将（宗盛《むねもり》の子）が斬首《ざんしゅ》された時、首を抱いて入水《じゅすい》したのは乳母だった（巻十一・副将斬《き》られ）。もっとも、なにごとも失敗はつきもの、主君の重《しげ》衡《ひら》を見捨てて逃げ出した盛長《もりなが》の例もある（巻九・重衡生け捕り）。

樋口の斬られ〈ひぐちのきられ〉

樋口兼光《ひぐちのかねみつ》は今井兼平《いまいのかねひら》の兄《あに》である。義仲《よしなか》と弟《おとうと》の死《し》を告《つ》げられ、討《う》ち死《じ》にして後《あと》を追《お》おうとしたが、助命《じょめい》と引《ひ》き換《か》えに降伏《こうふく》して捕虜《ほりょ》となった。しかし、公家《くげ》の猛反対《もうはんたい》で死罪《しざい》となり、義仲《よしなか》の首《くび》が都大路《みやこおおじ》を引《ひ》き回《まわ》された日《ひ》の翌《よく》日《じつ》、正月二十五日《しょうがつにじゅうごにち》に斬首《ざんしゅ》された。

平家《へいけ》は屋島《やしま》から大阪湾《おおさかわん》へ移動《いどう》、旧都福原《きゅうとふくはら》を根拠地《こんきょち》に一《いち》の谷《たに》に城塞《じょうさい》を築《きず》いた。四《し》国《こく》・九州《きゅうしゅう》の精兵十万余騎《せいへいじゅうまんよき》が籠《こも》り、火炎《かえん》のごとく空《そら》に翻《ひるがえ》る赤旗《あかはた》は、彼《かれ》らの盛《さか》んな血《けっ》気《き》に染《そ》まっていた。

六箇度合戦〈ろっかどかっせん〉

しかし、平家《へいけ》が福原《ふくはら》に移《うつ》ると、四《し》国勢《こくぜい》をはじめ、源氏方《げんじがた》へ寝返《ねがえ》って平家《へいけ》に刃向《はむ》かう者《もの》が次々《つぎつぎ》と現《あらわ》れた。勇猛果敢《ゆうもうかかん》な平家《へいけ》の武将能登《ぶしようのと》の守教経《かみのりつね》（清盛《きよもり》の弟《おとうと》の教盛《のりもり》の二男《じなん》）は、六度《ろくど》の合戦《かっせん》で彼《かれ》らの野望《やぼう》を粉砕《ふんさい》し、首脳陣《しゅのうじん》を驚喜《きょうき》させた。

三草勢揃へ〈みくさせいぞろえ〉

源氏《げんじ》が、いよいよ平家追討作戦《へいけついとうさくせん》を発動《はつどう》した。法皇《ほうおう》は三種《さんしゅ》の神器《じんぎ》の奪還《だっかん》を命《めい》じた。二月《にがつ》に入《はい》り、福原《ふくはら》では清盛《きよもり》の追善供養《ついぜんくよう》や官位昇進《かんいしょうしん》などが行《おこな》われた。帰京《ききょう》の淡《あわ》い希望《きぼう》にすがる者《もの》たちも出《で》てきた。

源氏《げんじ》の追討軍《ついとうぐん》は二方面《にほうめん》に分《わ》かれ、範頼軍五《のりよりぐんご》万余騎《まんよき》は昆陽野《こやの》（伊丹市《いたみし》）に、義経軍一万余騎《よしつねぐんいちまんよき》は三草山《みくさやま》（兵庫県《ひょうごけん》）の東麓《とうろく》に進出《しんしゅつ》した。

章段名《しょうだんめい》「揃《そろ》へ」は、源氏《げんじ》の人名《じんめい》を並《なら》べたてるところから付《つ》けた。

三草合戦〈みくさかっせん〉

同《おな》じく、平家軍《へいけぐん》は三草山《みくさやま》の西麓《せいろく》に布陣《ふじん》していたが、敵《てき》の攻撃《こうげき》を明日《みようにち》と判断《はんだん》し、熟睡《じゆくすい》していた。この機《き》を逃《のが》さず、義経軍《よしつねぐん》は夜襲《やしゆう》をかけた。平家軍《へいけぐん》は大混乱《だいこんらん》に陥《おちい》り、総司令官《そうしれいかん》資盛《すけもり》らは屋島《やしま》へ脱出《だっしゅつ》し、義経《よしつね》の電撃作戦《でんげきさくせん》は大勝利《だいしょうり》を収《おさ》めた。

老馬〈ろうば〉

平家《へいけ》首脳部《しゅのうぶ》は、三草合戦《みくさかっせん》に勝利《しょうり》した義経軍《よしつねぐん》が進攻《しんこう》してくるという報《ほう》に驚《おどろ》き、またも勇将教経《ゆうしょうのりつね》に迎撃《げいげき》を依頼《いらい》した。教経《のりつね》は、戦場《せんじょう》に妻《つま》（小宰相《こざいしょう》）を呼《よ》び寄《よ》せて名残《なごり》を惜《お》しむ兄通盛《あにみちもり》の柔弱《にゅうじゃく》を叱《しか》った。

義経《よしつね》は、自軍《じぐん》を二隊《にたい》に分《わ》け、土肥実平《といのさねひら》の部隊《ぶたい》を一《いち》の谷《たに》の西口《にしぐち》へ回《まわ》し、自身《じしん》は一隊《いったい》を率《ひき》いて一《いち》の谷《たに》を背《はい》後《ご》から突《つ》くため鵯越《ひよどりごえ》に向《む》かった。

義経隊《よしつねたい》は、道《みち》を知《し》るという老馬《ろうば》を案内役《あんないやく》に難路《なんろ》を進《すす》んだ。やがて、武蔵坊弁慶《むさしぼうべんけい》が土地《とち》の猟師《りょうし》を連《つ》れてきて、その息子《むすこ》が道案内《みちあんない》となった。息子《むすこ》は、のちに奥州《おうしゅう》で義経《よしつね》を守《まも》り、討《う》ち死《じ》にする鷲尾義久《わしのおのよしひさ》である。

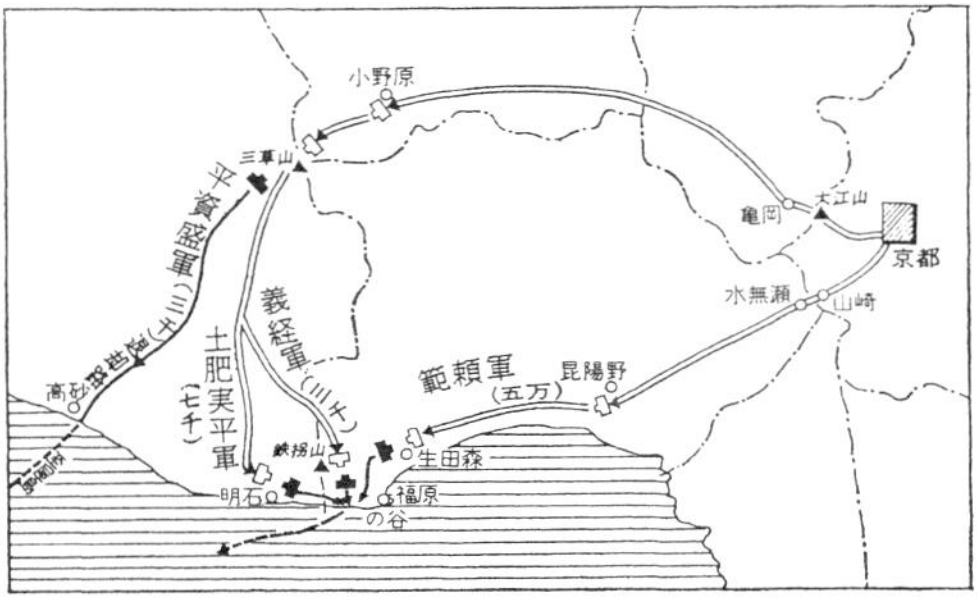

一二の駆け〈いちにのかけ〉

源氏《げんじ》の武将熊谷次郎直実《ぶしようくまがえのじろうなおざね》・小次郎直家《こじろうなおいえ》の父子《ふし》は先駆《さきが》けをめざし、夜陰《やいん》に乗《じよう》じて一《いち》の谷城《たにじよう》に到着《とうちやく》した。平山季重《ひらやまのすえしげ》もまた、一番乗《いちばんの》りをねらって追《お》いついた。ここには義経軍《よしつねぐん》の土肥隊《といたい》が待機《たいき》していた。

熊谷《くまがえ》・平山《ひらやま》は、ともに平家勢《へいけぜい》と激闘《げきとう》を繰《く》り返《かえ》したが、先《さき》に攻《せ》めた熊谷《くまがえ》よりも後《あと》攻《ぜ》めの平山《ひらやま》が、城内《じようない》に早《はや》く駆《か》け込《こ》んだので、どちらが一番乗《いちばんの》りか、二番乗《にばんの》りかを後《あと》で争《あらそ》うことになった。

二度の駆け〈にどのかけ〉

一《いち》の谷《たに》の東方《とうほう》、生田《いくた》の森《もり》に布陣《ふじん》する範頼軍《のりよりぐん》は五万余騎《ごまんよき》、そのなかに河原太郎《かわらたろう》・次郎《じろう》の兄弟《きようだい》がいた。大名《だいみよう》でもない二人《ふたり》は馬《うま》にも乗《の》らず、藁草履《わらぞうり》履《ば》きで城内《じようない》に一番《いちばん》乗《の》りし、果敢《かかん》に戦《たたか》ってともに討《う》ち死《じ》にした。

河原兄弟《かわらきようだい》の奮戦《ふんせん》に勢《いきお》いづいた範頼軍《のりよりぐん》は、ただちに総攻撃《そうこうげき》に移《うつ》った。なかでも梶《かじ》原父子《わらふし》の奮闘《ふんとう》ぶりはめざましく、とりわけ父景時《ちちかげとき》は息子《むすこ》景季《かげすえ》を救出《きゅうしゅつ》するため、二《に》度《ど》も敵陣《てきじん》に駆《か》け込《こ》んだ。

坂落とし〈さかおとし〉

源平両軍《げんぺいりょうぐん》入《い》り乱《みだ》れての激戦《げきせん》が続《つづ》いた。矢《や》の雨《あめ》の降《ふ》るなかで組《く》んずほぐれつの大《だい》混戦《こんせん》となり、勝負《しょうぶ》の決《けっ》する気配《けはい》もなく、戦場《せんじょう》はしだいに泥沼《どろぬま》化していった。

二月七日《にがつなのか》の明《あ》け方《がた》、敵《てき》の背後《はいご》に回《まわ》った義経隊《よしつねたい》三千騎《さんぜんき》は、一《いち》の谷《たに》後方《こうほう》の鵯越《ひよどりごえ》に上《のぼ》って、眼下《がんか》に平家《へいけ》の城塞《じょうさい》を見下《みお》ろした。

急《きゅう》な坂《さか》を無人《むじん》の馬《うま》で試《ため》した上《うえ》で、義経《よしつね》を先頭《せんとう》に人馬《じんば》もろとも一気《いっき》に三千騎《さんぜんき》が駆《か》け下《お》りた。この奇襲作戦《きしゅうさくせん》に平家《へいけ》軍《ぐん》は逃《に》げまどうばかりだった（鵯越《ひよどりごえ》の坂落《さかお》とし）。

平家《へいけ》軍《ぐん》は海上《かいじょう》から船《ふね》で脱出《だっしゅつ》しようとしたが、乗員過剰《じょういんかじょう》のため沈没《ちんぼつ》したり、乗《の》せまいとして同士《どうし》討《う》ちしたりして、海岸《かいがん》は血《ち》に染《そ》まった。歴戦《れきせん》の猛将《もうしょう》教経《のりつね》さえも、屋島《やしま》へ逃走《とうそう》するしまつだった。

盛俊最期〈もりとしさいご〉

一《いち》の谷城《たにじょう》が落《お》ち、敗色濃《はいしょくこ》くなった平家《へいけ》の武将《ぶしょう》平盛俊《たいらのもりとし》は、討《う》ち死《じ》にの覚悟《かくご》を決《き》めて、敵《てき》を待《ま》ちうけた。そこに、大力《だいぢから》の関東武士《かんとうぶし》猪俣則綱《いのまたののりつな》が現《あらわ》れた。怪力《かいりき》の盛俊《もりとし》はいったん則綱《のりつな》を組《く》み伏《ふ》せたが、則綱《のりつな》の卑劣《ひれつ》なわなにはまり、だまし討《う》ちにされた。

忠度の最期〈ただのりのさいご〉

薩摩《さつま》の守《かみ》平忠度《たいらのただのり》（清盛《きよもり》の弟《おとうと》）は、一《いち》の谷西陣《たににしじん》の司令《しれい》官《かん》であった。黒色《くろいろ》の鎧《よろい》をつけ黒馬《くろうま》に騎乗《きじょう》して、戦場《せんじょう》から離脱《りだつ》をはかった。途中《とちゅう》、岡部六弥太忠純《おかべのろくやたただずみ》にお歯黒《はぐろ》を見《み》とがめられ、これを力技《ちからわざ》で組《く》み伏《ふ》せたが、助太刀《すけだち》した六弥《ろくや》太《た》の従者《じゅうしゃ》に右腕《みぎうで》を切《き》り落《お》とされ、ついに討《う》たれた。矢《や》を入《い》れる箙《えびら》に結《むす》びつけた歌《うた》によって、忠度《ただのり》と判明《はんめい》、敵《てき》・味《み》方《かた》の涙《なみだ》を誘《さそ》った。

〈箙〉

重衡生け捕り〈しげひらいけどり〉

平家《へいけ》軍《ぐん》の副司令官《ふくしれいかん》平《たいらの》重衡《しげひら》（清盛《きよもり》の五男《ごなん》）は、乳母子《めのとご》の後藤兵衛盛長《ごとうひょうえもりなが》とともに、主従二騎《しゅじゅうにき》で戦場《せんじょう》を脱出《だっしゅつ》した。途中《とちゅう》、敵《てき》の武将《ぶしょう》庄《しょうの》高家《たかいえ》・梶原景季《かじわらのかげすえ》の追撃《ついげき》を受《う》け、景季《かげすえ》に馬《うま》を射《い》られて立《た》ち往生《おうじょう》すると、盛長《もりなが》は主君《しゅくん》の重衡《しげひら》を見捨《みす》てて逃走《とうそう》してしまった。

切腹《せっぷく》しようと観念《かんねん》したところ、高家《たかいえ》になだめられ、重衡《しげひら》は捕虜《ほりょ》となった。後日《ごじつ》、主君《しゅくん》を裏切《うらぎ》った盛長《もりなが》は、人々《ひとびと》に指弾《しだん》され生《い》き恥《はじ》をさらした。

敦盛最期〈あつもりさいご〉

一《いち》の谷《たに》で敗北《はいぼく》した平家《へいけ》軍《ぐん》は総崩《そうくず》れとなり、海《うみ》を渡《わた》って退却《たいきゃく》した。源氏《げんじ》の武将《ぶしょう》熊谷直実《くまがえのなおざね》は、敵《てき》の大将《たいしょう》と一騎《いっき》打《う》ちするため、海岸《かいがん》で待《ま》ち伏《ふ》せしていた。そこへ、美《び》装《そう》の一騎《いっき》が現《あらわ》れ、沖《おき》の船《ふね》めがけて海《うみ》に馬《うま》を乗《の》り入《い》れた。

◈熊谷直実《くまがえなおざね》、息子《むすこ》ほどの敦盛《あつもり》を涙《なみだ》ながらに討《う》つ

さて、一《いち》の谷《たに》の合戦《かっせん》で平家《へいけ》が敗北《はいぼく》したので、源氏《げんじ》の熊谷次郎直実《くまがえじろうなおざね》は、「今《いま》ごろ、平家《へいけ》の貴公子《きこうし》らが救助船《きゅうじょせん》に乗《の》ろうと、海《うみ》に向《む》かって逃走《とうそう》しているはずだ。ぜひとも名《な》のある敵《てき》の大将《たいしょう》と、組《く》み討《う》ちの勝負《しょうぶ》をしたいものよ」と勇《いさ》みたって、海岸《かいがん》づたいに馬《うま》を走《はし》らせた。

すると、そこに美麗《びれい》な騎馬武者《きばむしゃ》が一騎《いっき》現《あらわ》れた。鶴《つる》を刺繡《ししゅう》した絹《きぬ》の鎧直垂《よろいひたたれ》に、萌黄《もえぎ》（青黄色《あおきいろ》）をぼかした鎧《よろい》をつけ、鍬形《くわがた》を立《た》てた甲《かぶと》の緒《お》を締《し》め、黄金作《こがねづく》りの太刀《たち》を帯《お》び、切《き》り斑《ふ》の矢《や》を背負《せお》い、滋籐《しげどう》の弓《ゆみ》を手《て》にして、連銭葦毛《れんせんあしげ》の馬《うま》に金《きん》の縁取《ふちど》りをした鞍《くら》を置《お》いた、美々《びび》しい大将《たいしょう》の軍装《ぐんそう》である。

武者《むしゃ》はただ一騎《いっき》、ざっと海《うみ》に馬《うま》を乗《の》り入《い》れると、沖《おき》にいる味方《みかた》の軍船《ぐんせん》に向《む》かって、馬《うま》を泳《およ》がせ始《はじ》めた。六《ろく》、七十《しちじゅう》メートルほど進《すす》んだころ、熊谷《くまがえ》は大音声《だいおんじょう》を浴《あ》びせた。

「貴殿《きでん》は大将《たいしょう》とお見受《みう》けした。敵《てき》に背《せ》を向《む》けて逃《に》げるとは卑怯千万《ひきょうせんばん》。戻《もど》られよ」と、熊谷《くまがえ》が扇《おうぎ》を挙《あ》げて招《まね》いたので、武者《むしゃ》は引《ひ》き返《かえ》してきた。

波打《なみう》ちぎわに上《あ》がろうとしたところへ、熊谷《くまがえ》は自分《じぶん》の馬《うま》を武者《むしゃ》の馬《うま》に押《お》し並《なら》べて、むんずと組《く》みついて、どうっと馬《うま》から地面《じめん》に落《お》ち、押《お》さえつけて、首《くび》をかき切《き》ろうとした。

ぐっと相手《あいて》の甲《かぶと》を仰向《あおむ》けて顔《かお》をのぞきこむと、年《とし》は十六《じゅうろく》、七《しち》ほど、薄化粧《うすげしょう》し、お歯黒《はぐろ》を染《そ》めた若武者《わかむしゃ》である。

ちょうどわが子小次郎《こじろう》と同年《どうねん》くらいで、たいへんな美顔《びがん》である。

「いったい貴殿《きでん》はどんな身分《みぶん》の方《かた》か。名乗《なの》られよ。お助《たす》けいたそう」

〈敦盛と熊谷直実『平家物語絵巻』〉背負っているのは矢を防ぐ母衣(ほろ)

「そう言《い》うそなたは何者《なにもの》か」

「名乗《なの》るほどの者《もの》でもないが、それがしは武蔵《むさし》の国《くに》の住人《じゅうにん》、熊谷次郎直実《くまがえじろうなおざね》と申《もう》す」

「それなら、そなたにとって、この私《わたし》は極上《ごくじょう》の相手《あいて》だ。名乗《なの》らなくとも、首《くび》を取《と》ってから人《ひと》に聞《き》いてみよ。知《し》っている者《もの》が必《かなら》ずいよう」

この言葉《ことば》を聞《き》いた熊谷《くまがえ》は、「ああ、じつにりっぱな若大将《わかだいしょう》だ。この方《かた》ひとり討《う》ち取《と》ったとて、負《ま》けと決《き》まった平家《へいけ》が勝《か》つことはありえない。逆《ぎゃく》に、この方《かた》ひとり命助《いのちたす》けたとて、勝《か》ちと決《き》まった源氏《げんじ》が負《ま》けることはありえない。今朝《けさ》の戦闘《せんとう》で、息子《むすこ》の小次郎《こじろう》が軽傷《けいしょう》を負《お》ったのでさえ、親《おや》として胸《むね》を痛《いた》めたものだ。まして、この方《かた》を討《う》ったなら、わが子《こ》が討《う》たれたと知《し》った父君《ちちぎみ》は、どんなに嘆《なげ》くことだろう。ああ、なんとしてもお助《たす》けしたい」と思《おも》いつつ、後方《こうほう》を振《ふ》り返《かえ》ると、土肥実平《といさねひら》・梶原景時《かじわらかげとき》の二人《ふたり》が、五十騎《ごじっき》ほど率《ひき》い、続《つづ》いてやって来《き》た。それを見《み》た熊谷《くまがえ》は、

「あれを見《み》なさい。お助《たす》けしようと思《おも》ったが、味方《みかた》の武士《ぶし》が大勢《おおぜい》こっちへ

押《お》し寄《よ》せて来《き》た。彼《かれ》らが貴殿《きでん》を見逃《みのが》すことはまずなかろう。どうせ討《う》たれるなら、この直実《なおざね》の手《て》でお討《う》ちして、死後《しご》の供養《くよう》をいたそう」と言《い》うと、

「なんでもよいから、早《はや》く早《はや》く首《くび》を取《と》れ」と、せかせる。熊谷《くまがえ》は、あまりにも哀《あわ》れで、どこに刀《かたな》を突《つ》き立《た》てたらよいものか、手《て》がためらい、涙《なみだ》で目《め》がくらみ、正気《しょうき》を失《うしな》い、前後不覚《ぜんごふかく》におちいった。

だが、そうもしていられないので、泣《な》く泣《な》く、若武者《わかむしゃ》の首《くび》をかき切《き》った。

「ああ、弓矢取《ゆみやと》る武士《ぶし》の身《み》ほど情《なさ》けないものはない。武芸《ぶげい》の家《いえ》に生《う》まれなければ、こんなつらいめに遭《あ》うこともなかったろうに。非情《ひじょう》にも討《う》ってしまったぞ」と、顔《かお》に袖《そで》を押《お》しあてて、さめざめと涙《なみだ》を流《なが》した。

やがて、首《くび》を包《つつ》もうとして、相手《あいて》の鎧直垂《よろいひたたれ》を解《と》いてみると、錦《にしき》の袋《ふくろ》に入《い》れた笛《ふえ》を腰《こし》にさしていた。

「なんと哀《あわ》れな。今日《きょう》の夜明《よあ》け、一《いち》の谷《たに》の城内《じょうない》で管弦《かんげん》を奏《そう》していたのは、この方々《かたがた》だったのだ。今《いま》、味方《みかた》には東国《とうごく》の軍勢《ぐんぜい》が何万騎《なんまんき》もいるが、戦陣《せんじん》に笛《ふえ》を携帯《けいたい》する者《もの》などいるはずもない。都《みやこ》の高貴《こうき》な方《かた》は、やはり風流《ふうりゅう》なもの

だなあ」と感心《かんしん》して、この笛《ふえ》を軍司令官《ぐんしれいかん》源《みなもとの》義経公《よしつねこう》のもとに持参《じさん》し、お目《め》にかけたところ、居並《いなら》ぶ参謀《さんぼう》たちもみな涙《なみだ》を流《なが》した。あとで聞《き》くと、この若武者《わかむしゃ》は、修理職大夫《しゅりしきのだいぶ》（造営局長官《ぞうえいきょくちょうかん》）平経盛《たいらのつねもり》の末子《ばっし》、大夫《たいふ》（五位《ごい》）の敦盛《あつもり》といって、当年十七歳《とうねんじゅうななさい》であった。

これがきっかけとなって、熊谷《くまがえ》は出家《しゅっけ》の意志《いし》をいよいよ強《つよ》く固《かた》めた。

例《れい》の笛《ふえ》は、笛《ふえ》の名人《めいじん》だった祖父《そふ》の忠盛《ただもり》が鳥羽天皇《とばてんのう》からいただいたもので、それを父《ちち》の経盛《つねもり》が受《う》け伝《つた》え、笛《ふえ》の才能《さいのう》があった敦盛《あつもり》に渡《わた》ったということである。笛《ふえ》の名《な》は小枝《さえだ》といった。

笛《ふえ》の演奏《えんそう》などは、道《みち》に外《はず》れた飾《かざ》りごとにすぎず、仏道《ぶつどう》の妨《さまた》げとなるのも当然《とうぜん》である。しかし、それが最終的《さいしゅうてき》には、熊谷《くまがえ》の場合《ばあい》のように、出家《しゅっけ》して仏道《ぶつどう》を仰《あお》ぎ讃《たた》える原因《げんいん》に変《か》わったというのは、心《こころ》に響《ひび》くものがある。

❖さる程《ほど》に、一《いち》の谷《たに》の軍破《いくさやぶ》れにしかば、武蔵国《むさしのくに》の住人《ぢゆうにん》、熊谷次郎直実《くまがへのじらうなほざね》、平家《へいけ》の公達《きんだち》、助船《たすけぶね》に乗《の》らんとて、汀《みぎは》の方《かた》へや落《お》ち行《ゆ》き給《たま》ふらん、あつぱれ、よき大将軍《たいしやうぐん》に組《く》まばやと思《おも》ひ、細道《ほそみち》にかかつて汀《みぎは》の方《かた》へ歩《あゆ》ますところに、ここに練貫《ねりぬき》に鶴縫《つるぬ》うたる直垂《ひたたれ》に、萌葱匂《もえぎにほひ》の鎧《よろひ》着《き》て、鍬形《くはがた》打つたる甲《かぶと》の緒《を》を締《し》め、金作《こがねづく》りの太刀《たち》を帯《は》き、二《に》十四《じふし》さいたる切斑《きりふ》の矢《や》負《お》ひ、滋籐《しげどう》の弓《ゆみ》持《も》ち、連銭葦毛《れんぜんあしげ》なる馬《むま》に金覆輪《きんぷくりん》の鞍《くら》置《お》いて乗《の》つたる者一騎《ものいつき》、沖《おき》なる舟《ふね》を目《め》にかけ、海《うみ》へさつとうち入《い》れ、五《ご》、六段《ろくたん》ばかりぞ泳《およ》がせける。

熊谷《くまがへ》、「あれはいかに、よき大将軍《たいしやうぐん》とこそ見参《みまゐ》らせて候《さうら》へ。まさなうも敵《かたき》に後《うし》ろを見《み》せ給《たま》ふものかな。返《かへ》させ給《たま》へ、返《かへ》させ給《たま》へ」と、扇《あふぎ》をあげて招《まね》きければ、招《まね》かれて取《と》つて返《かへ》し、汀《みぎは》にうち上《あ》がらんとし給《たま》ふところに、熊谷《くまがへ》、浪打《なみう》ち際《ぎは》にて押《お》し並《なら》べて、むずと組《く》んでどうと落《お》ち、取《と》つて押《お》さへて首《くび》をかかんとて、甲《かぶと》を押《お》し仰《あふの》けて見《み》たりければ、薄化粧《うすげしやう》して鉄漿黒《かねぐろ》なり。我《わ》が子《こ》の小次郎《こじらう》が齢《よはひ》ほどして、十六《じふろく》、七《しち》ばかんなるが、容顔《ようがん》まことに美麗《びれい》なり。

「そもそもいかなる人《ひと》にて渡《わた》らせ給《たま》ひ候《さうら》ふやらん。名乗《なの》らせ給《たま》へ。助《たす》け参《まゐ》らせん」と申《まう》しければ、「先《ま》づかう言《い》ふわ殿《との》は誰《た》そ」。「物《もの》その数《かず》にては候《さうら》はねども、武蔵国《むさしのくに》の住人《ぢゆうにん》、熊谷次郎直実《くまがへのじらうなほざね》」と名乗《なの》り申《まう》す。「さては、汝《な》がためにはよい敵《かたき》ぞ。名乗《なの》らずとも首《くび》を取《と》つて人《ひと》に問《と》へ。見知《みし》らうずるぞ」とぞ宣《のたま》ひける。熊谷《くまがへ》、「あつぱれ、大将軍《たいしやうぐん》や。この人一人《ひとひとり》討《う》ち奉《たてまつ》りたりとも、負《ま》くべき軍《いくさ》に勝《か》つべきやうなし。また、助《たす》け奉《たてまつ》りたりとも、勝《か》つ軍《いくさ》に負《ま》くることもよもあらじ。今朝《けさ》、一《いち》の谷《たに》にて、我《わ》が子《こ》の小次郎《こじらう》が薄手《うすで》負《お》うたるをだにも、直実《なほざね》は心苦《こころぐる》しく思《おも》ふに、この殿《との》の父《ちち》、討《う》たれ給《たま》ひぬと聞《き》き給《たま》ひて、さこそは嘆《なげ》き悲《かな》しみ給《たま》はんずらめ。助《たす》け参《まゐ》らせん」とて、後《うし》ろを顧《かへり》みたりければ、土肥《とひ》・梶原《かぢはら》、五十騎《ごじつき》ばかりで出《い》で来《き》たる。

熊谷《くまがへ》、涙《なみだ》をはらはらと流《なが》いて、「あれ御覧候《ごらんさうら》へ。いかにしても助《たす》け参《まゐ》らせんとは存《ぞん》じ候《さうら》へども、御方《みかた》の軍兵雲霞《ぐんぴやううんか》のごとくに満《み》ち満《み》ちて、よも逃《のが》し参《まゐ》らせ候《さうら》はじ。あはれ、同《おな》じうは直実《なほざね》が手《て》にかけ奉《たてまつ》つて、後《のち》の御孝養《ごけうやう》をもつかまつり候《さうら》はん」と申《まう》しければ、「ただ何様《なにさま》にも、とうとう首《くび》を取《と》れ」とぞ宣《のたま》ひける。熊谷《くまがへ》、あまりにいとほしくて、いづくに刀《かたな》を立《た》つべしともおぼえず、目《め》もくれ、心《こころ》も消《き》え果《は》てて、前後《ぜんご》不覚《ふかく》におぼえけれども、さてしもあるべきことならねば、泣《な》く泣《な》く首《くび》をぞかいてげる。

「あはれ、弓矢取《ゆみやと》る身《み》ほど口惜《くちを》しかりけることはなし。武芸《ぶげい》の家《いへ》に生《む》まれずば、何《なに》しに、ただ今《いま》かかる憂《う》き目《め》をば見《み》るべき。情《なさ》けなうも討《う》ち奉《たてまつ》つたるものかな」と、袖《そで》を顔《かほ》に押《お》し当《あ》てて、さめざめとぞ泣《な》きゐたる。首《くび》を包《つつ》まんとて、鎧直垂《よろひびたたれ》を解《と》いて見《み》ければ、錦《にしき》の袋《ふくろ》に入《い》れられたる笛《ふえ》をぞ、腰《こし》に差《さ》されたる。

「あないとほし、この暁《あかつき》、城《じやう》の内《うち》にて管絃《くわんげん》し給《たま》ひつるは、この人々《ひとびと》にておはしけり。当時《たうじ》御方《みかた》に、東国《とうごく》の勢何万騎《せいなんまんぎ》かあるらめども、軍《いくさ》の陣《ぢん》に笛持《ふえも》つ人《ひと》はよもあらじ。上《じやう》臈《らふ》はなほもやさしかりけるものを」とて、これを取《と》つて大将軍《たいしやうぐん》の御見参《ごげんざん》に入《い》れたりければ、見《み》る人《ひと》、涙《なみだ》を流《なが》しけり。

後《のち》に聞《き》けば、修理大夫《しゆりのだいぶ》経盛《つねもり》の乙子《おとご》、大夫《たいふ》敦盛《あつもり》とて、生年十七《しやうねんじふしち》にぞなられける。それよりしてこそ、熊谷《くまがへ》が発心《ほつしん》の心《こころ》は出《い》で来《き》にけれ。くだんの笛《ふえ》は、祖父忠盛《おほぢただもり》、笛《ふえ》の上手《じやうず》にて、鳥羽院《とばのゐん》より下《くだ》し賜《たまは》られたりしを、経盛相伝《つねもりさうでん》せられたりしを、敦盛《あつもり》、笛《ふえ》の器量《きりやう》たるによつて、持《も》たれたりけるとかや。名《な》をば小枝《さえだ》とぞ申《まう》しける。狂言綺語《きやうげんきぎよ》の理《ことわり》と云《い》ひながら、つひに讃仏乗《さんぶつじよう》の因《いん》となるこそあはれなれ。

✽十七歳の美少年の若武者が戦場に散るだけでも、女性の紅涙を絞るだろうに、そこに父子の情愛を投影するのだから、たまらない。『平家物語』の哀話のなかでも、落涙の最多量を誇りそうだ。ただ、無抵抗に近い敦盛の非力ぶりは、いただけない。敦盛の一家は楽才に恵まれ、兄経正《つねまさ》は琵琶《びわ》の名手だ（一三六・一四九ページ）。

本話に取材して、室町時代には能『敦盛』（世阿弥《ぜあみ》）、『生田敦盛』（金春禅鳳《こんぱるぜんぽう》）および幸若舞《こうわかまい》『敦盛』が作られた。江戸時代に入ると、浄瑠璃《じょうるり》・歌舞伎《かぶき》の世界で採用がいっそう盛んになった。とくに有名な作品に『一谷嫩軍記《いちのたにふたばぐんき》』がある。

なお、熊谷直実（現在は「くまがい」と読むのが一般的）は、この事件がきっかけで出家し、法然《ほうねん》（浄土宗《じょうどしゅう》開祖）の弟子になったという。しかし、史書によれば、叔父との領地争いで訴訟に敗れたのが真因らしい。口べたで損な性格が、逆に文芸の世界では愛されている。

浜軍〈はまいくさ〉

逃《に》げる平家《へいけ》と追《お》う源氏《げんじ》とでは、勝負《しょうぶ》にならない。浜《はま》の合戦《かっせん》で、平家《へいけ》はいたずらに墓標《ぼひょう》を刻《きざ》むばかりだった。

平家《へいけ》の司令官《しれいかん》平　知盛《たいらのとももり》は今《いま》や、息子《むすこ》知章《ともあきら》と監物頼方《けんもつよりかた》と、ただの三騎《さんき》である。その二人《ふたり》も、知盛《とももり》を敵《てき》の追撃《ついげき》から守《まも》るために、討《う》ち死《じ》にしてしまった。沖《おき》の船《ふね》にたどりついた知盛《とももり》は、親《おや》を助《たす》けようとして死《し》んだ息子《むすこ》を思《おも》い、わが身《み》を恥《は》じて号泣《ごうきゅう》した。

落ち足〈おちあし〉

平家《へいけ》の敗走《はいそう》する悲惨《ひさん》な状況《じょうきょう》は、とめどなく続《つづ》いた。退却《たいきゃく》の小舟《こぶね》が転覆《てんぷく》したり、従者《じゅうしゃ》に見捨《みす》てられたりで、無惨《むざん》な最期《さいご》を遂《と》げる者《もの》が続出《ぞくしゅつ》した。

およそ二時間《にじかん》の激戦《げきせん》で、平家《へいけ》の戦死者《せんししゃ》は二千《にせん》を数《かぞ》え、戦場《せんじょう》の緑野《りょくや》は流血《りゅうけつ》によって薄紅《うすくれない》に変《か》わった。首脳陣《しゅのうじん》も通盛《みちもり》はじめ十人《じゅうにん》を失《うしな》った。

安徳天皇《あんとくてんのう》を擁《よう》する平家一門《へいけいちもん》は、またも海上《かいじょう》をさすらう身《み》となった。一時勢力《いちじせいりょく》を回復《かいふく》したときの、あの都還《みやこがえ》りの夢《ゆめ》も完全《かんぜん》に打《う》ち砕《くだ》かれた。

章段名《しょうだんめい》「落《お》ち足《あし》」は、戦《たたか》いに敗《やぶ》れ戦場《せんじょう》から落《お》ちて行《ゆ》く足《あし》どりの意《い》。

小宰相〈こざいしょう〉

平通盛《たいらのみちもり》（清盛《きよもり》の弟《おとうと》の教盛《のりもり》の長男《ちょうなん》）が討《う》たれた時《とき》、夫人《ふじん》は妊娠《にんしん》していた。夫《おっと》の訃報《ふほう》を聞《き》いた彼女《かのじょ》は、泣《な》き暮《く》らしたすえに、将来《しょうらい》をはかなんで海《うみ》に身《み》を投《とう》じた。彼女《かのじょ》は小宰相《こざいしょう》と呼《よ》ばれた宮中一《きゅうちゅういち》の美人《びじん》だったが、通盛《みちもり》が見初《みそ》めて恋文《こいぶみ》を送《おく》り続《つづ》けて結《むす》ばれた仲《なか》である。

★平家武士のお歯黒《はぐろ》──敵味方の識別票

公家に番犬扱いされた劣等感の裏返しか、政権をとった平家の貴公子は、公家の化粧をまねてお歯黒にした。むろん源氏の武士はそんなまねはしない。

このお歯黒が命取りになった。平忠度《たいらのただのり》は、源氏武士に呼び止められ、味方といつわるが、お歯黒から平家と見破られ、討たれる。敦盛《あつもり》もお歯黒から、並みの平家武士ではない、と直実《なおざね》に見抜かれた。──巻九「忠度の最期」「敦盛最期」

巻第十

首渡し〈くびわたし〉（一一八四）

一一八四（寿永三《じゅえいさん》）年二月十二日《ねんにがつじゅうににち》、一《いち》の谷《たに》で討《う》たれた平家《へいけ》一門《いちもん》の首《くび》が都《みやこ》に到着《とうちゃく》した。平家《へいけ》を父祖《ふそ》の仇《かたき》と憎《にく》む範頼《のりより》・義経《よしつね》の強硬《きょうこう》な意見《いけん》で、首《くび》は大路《おおじ》を引《ひ》き回《まわ》され、京中《きょうじゅう》が興奮《こうふん》のるつぼと化《か》した。

維盛《これもり》（清盛《きよもり》の長男《ちょうなん》の重盛《しげもり》の長男《ちょうなん》）の妻子《さいし》は、維盛《これもり》が病気《びょうき》で出陣《しゅつじん》しなかった事情《じじょう》を知《し》らずに、心痛《こころいた》めていた。

屋島《やしま》にいた維盛《これもり》もまた、妻子《さいし》を案《あん》じて手紙《てがみ》を送《おく》り、その返事《へんじ》を読《よ》みながら、今《いま》一度《いちど》妻子《さいし》に逢《あ》ってから自害《じがい》しようと考《かんが》えた。

内裏女房〈だいりにょうぼう〉

二月十四日《にがつじゆうよつか》、捕虜《ほりよ》になった平重衡《たいらのしげひら》（清盛《きよもり》の五男《ごなん》）が都大路《みやこおおじ》を引《ひ》き回《まわ》された。後白河法皇《ごしらかわほうおう》は、助命《じよめい》と引《ひ》き換《か》えに三種《さんしゆ》の神器《じんぎ》を返還《へんかん》させようと考《かんが》え、重衡《しげひら》に屋島《やしま》あての趣意書《しゆいしよ》を書《か》かせた。

そのころ、幽閉中《ゆうへいちゆう》の重衡《しげひら》のもとに、古《ふる》くからの従者《じゆうしや》が面会《めんかい》に来《き》たが、彼《かれ》の仲立《なかだ》ちで、愛人《あいじん》である内裏《だいり》の女房《にようぼう》と逢《あ》うことができた。美人《びじん》で情《じよう》の深《ふか》い彼女《かのじよ》は、のちに重衡《しげひら》が斬首《ざんしゆ》されたと聞《き》くや、すぐに出家《しゆつけ》して彼《かれ》の後世《ごせ》を弔《とむら》った。

屋島院宣〈やしまいんぜん〉

屋島《やしま》に届《とど》けられた院宣《いんぜん》（法皇《ほうおう》の命令書《めいれいしよ》）が、平家《へいけ》一門《いちもん》の前《まえ》で開封《かいふう》された。その内容《ないよう》は、三種《さんしゆ》の神器《じんぎ》を返還《へんかん》するならば重衡《しげひら》を屋島《やしま》に返《かえ》そう、というものであった。

請け文〈うけぶみ〉

さっそく請《う》け文《ぶみ》（返書《へんしょ》）の内容《ないよう》を協議《きょうぎ》する合同会議《ごうどうかいぎ》が開《ひら》かれた。院宣《いんぜん》に添《そ》えられた重衡《しげひら》の手紙《てがみ》に、母二位《ははにい》（清盛《きよもり》の妻時子《つまときこ》）は泣《な》いて神器返還《じんぎへんかん》を訴《うった》えた。しかし、宗盛《むねもり》・知盛《とももり》らは、神器《じんぎ》を返還《へんかん》しても重衡《しげひら》を返《かえ》すはずはないと判断《はんだん》して、平家一門《へいけいちもん》の立場《たちば》を主張《しゅちょう》し、院宣《いんぜん》を拒否《きょひ》する回答書《かいとうしょ》を送《おく》った。しかも、使者《ししゃ》の頬《ほお》に受領《じゅりょう》の焼《や》き印《いん》を押《お》して、断固《だんこ》たる戦意《せんい》を表明《ひょうめい》した。

戒文〈かいもん〉

院宣拒否《いんぜんきょひ》を予想《よそう》していたものの、淡《あわ》い希望《きぼう》も断《た》たれた今《いま》、重衡《しげひら》は出家《しゅつけ》を決意《けつい》する。

出家《しゅつけ》は認《みと》められなかったが、法然上人《ほうねんしょうにん》との対面《たいめん》は許可《きょか》された。

重衡《しげひら》は奈良《なら》焼亡《しょうぼう》について、君命《くんめい》に従《したが》ったまでと本心《ほんしん》を打《う》ち明《あ》け、法然《ほうねん》は重衡《しげひら》の髪《かみ》を剃《そ》るまねをして、涙《なみだ》ながらに授戒《じゅかい》した。重衡《しげひら》は、お布施《ふせ》に父清盛《ちちきよもり》から譲《ゆず》られた舶来《はくらい》の硯《すずり》を贈《おく》った。

海道下り〈かいどうくだり〉

三月十日《さんがつとおか》、重衡《しげひら》は、東海道《とうかいどう》を下《くだ》って、鎌倉《かまくら》に護送《ごそう》されて行《い》った。道中《どうちゅう》、歌《うた》に詠《よ》まれた名所《めいしょ》・旧跡《きゅうせき》を通《とお》り、池田《いけだ》（静岡県《しずおかけん》）の宿《しゅく》では、長者《ちょうじゃ》の娘《むすめ》で兄宗盛《あにむねもり》の愛人《あいじん》だった侍従《じじゅう》という遊女《ゆうじょ》と歌《うた》を詠《よ》み交《かわ》わすこともあった。

三月《さんがつ》も半《なか》ば過《す》ぎ、重衡《しげひら》は、自分《じぶん》の悪運《あくうん》を嘆《なげ》き、子《こ》のないことをむしろ慰《なぐさ》めとしながら、鎌倉《かまくら》に入《はい》った。

千手の前〈せんじゅのまえ〉

鎌倉入《かまくらい》りした重衡《しげひら》は、さっそく頼朝《よりとも》と対面《たいめん》した。しかし、敗将《はいしょう》にもかかわらず、毅然《きぜん》とした態度《たいど》は並《な》みいる敵将《てきしょう》を感動《かんどう》させた。

その夜《よる》、頼朝《よりとも》は、重衡《しげひら》の相手《あいて》に千手《せんじゅ》の前《まえ》という遊女《ゆうじょ》を差《さ》し向《む》けたが、気《き》が合《あ》った二人《ふたり》は夜通《よどお》し飲《の》み明《あ》かした。頼朝《よりとも》は、平家武将《へいけぶしょう》の粋《いき》な心《こころ》に改《あらた》めて感心《かんしん》する。その夜《よる》が縁《えん》となったか、後日《ごじつ》、彼女《かのじょ》は重衡《しげひら》の死《し》を聞《き》いて、ただちに出家《しゅっけ》した。

横笛〈よこぶえ〉

さて、屋島《やしま》にいる維盛《これもり》（重盛《しげもり》の長男《ちょうなん》）は、都《みやこ》に残《のこ》してきた妻子《さいし》が心配《しんぱい》でたまらない。三人《さんにん》の従者《じゅうしゃ》を連《つ》れて、密《ひそ》かに屋島《やしま》を抜《ぬ》け出《だ》し、とりあえず高野山《こうやさん》に登《のぼ》ることにした。高野山《こうやさん》には、長年懇意《ながねんこんい》にしている滝口入道《たきぐちにゅうどう》がいた。

入道《にゅうどう》は、もと重盛《しげもり》の家臣《かしん》で、斎藤滝口時頼《さいとうたきぐちときより》という武士《ぶし》だった。彼《かれ》は父《ちち》の期待《きたい》を裏切《うらぎ》って、建礼門院《けんれいもんいん》に仕《つか》える身分《みぶん》の低《ひく》い横笛《よこぶえ》という女房《にょうぼう》を愛《あい》してしまった。横笛《よこぶえ》への純愛《じゅんあい》をつらぬくか、父《ちち》への孝行《こうこう》を尽《つ》くすか、二者択一《にしゃたくいつ》を迫《せま》られて、彼《かれ》は愛執《あいしゅう》を超《こ》える第三《だいさん》の道《みち》、仏道《ぶつどう》を選《えら》んで、十九《じゅうく》の年《とし》に出家《しゅっけ》した。以来《いらい》、修行《しゅぎょう》に専心《せんしん》する日々《ひび》を送《おく》っていた。

横笛《よこぶえ》は、黙《だま》って自分《じぶん》の前《まえ》から姿《すがた》を消《け》した時頼《ときより》に一目《ひとめ》逢《あ》いたくて、寺《てら》を訪《たず》ねたが、人違《ひとちが》いだと拒絶《きょぜつ》されてしまう。

入道《にゅうどう》は、横笛《よこぶえ》によって邪念《じゃねん》のきざすのを避《さ》けるために、高野山《こうやさん》へ登《のぼ》った。

やがて、横笛《よこぶえ》も尼《あま》となったが、心痛《しんつう》のあまりか、若《わか》くして死《し》んだ。道心堅固《どうしんけんご》な彼《かれ》を、父《ちち》も許《ゆる》し、周囲《しゅうい》は高野《こうや》の聖《ひじり》と讃《たた》えた。

維盛《これもり》は久《ひさ》しぶりで入道《にゅうどう》と会《あ》ったが、優男《やさおとこ》だった彼《かれ》が老僧《ろうそう》じみた修行者《しゅぎょうしゃ》に変《か》わっているのを見《み》て、家族《かぞく》への愛執《あいしゅう》にとらわれている自分《じぶん》を反省《はんせい》した。

高野の巻〈こうやのまき〉

維盛《これもり》は滝口入道《たきぐちにゅうどう》に屋島脱出《やしまだっしゅつ》の理由《りゆう》を語《かた》った。都《みやこ》の妻子《さいし》と会《あ》いたかったこと、一門《いちもん》のなかで人間関係《にんげんかんけい》がうまくいかなかったことを告白《こくはく》して、入道《にゅうどう》を先導《せんどう》に高野山《こうやさん》を巡《めぐ》り、奥《おく》の院《いん》に詣《もう》でた。

奥《おく》の院《いん》には弘法大師廟《こうぼうだいしびょう》があり、醍醐天皇《だいごてんのう》が夢《ゆめ》のお告《つ》げによって勅使《ちょくし》を派遣《はけん》した神秘《しんぴ》な伝承《でんしょう》がある。

維盛の出家〈これもりのしゅっけ〉

維盛《これもり》は、長年仕《ながねんつか》えた重景《しげかげ》・石童丸《いしどうまる》に帰京《ききょう》を勧《すす》めるが、聞《き》き入《い》れないので、二人《ふたり》とともに出家《しゅっけ》し、従者武里《じゅうしゃたけさと》に遺言《ゆいごん》を託《たく》した。

維盛主従四人《これもりしゅじゅうよにん》と滝口入道《たきぐちにゅうどう》は、山伏姿《やまぶしすがた》で熊野《くまの》へ向《む》かった。途中《とちゅう》、土地《とち》の豪族湯浅氏《ごうぞくゆあさし》一行《いっこう》とすれちがったが、彼《かれ》らは逆境《ぎゃっきょう》にある維盛《これもり》に、無言《むごん》の敬礼《けいれい》をした。

熊野参詣〈くまのさんけい〉

熊野《くまの》に着《つ》いた維盛一行《これもりいっこう》は、本宮《ほんぐう》・新宮《しんぐう》・那智《なち》を巡拝《じゅんぱい》した。亡《な》き父重盛《ちちしげもり》が子孫繁栄《しそんはんえい》を祈願《きがん》した同《おな》じ社前《しゃぜん》で、維盛《これもり》は、自分《じぶん》の極楽往生《ごくらくおうじょう》と妻子《さいし》の安穏《あんのん》とを願《ねが》う愛執《あいしゅう》をまだ断《た》ちきれなかった。

那智籠《なちごも》りの修行僧《しゅぎょうそう》に、維盛《これもり》の顔見知《かおみし》りがいて、かつて光源氏《ひかるげんじ》とうたわれた維盛《これもり》の落《お》ちぶれた姿《すがた》を見《み》て落涙《らくるい》した。

維盛の入水〈これもりのじゅすい〉

三月二十八日《さんがつにじゅうはちにち》、熊野三山《くまのさんざん》の参詣《さんけい》を終《お》えた維盛《これもり》は、かねて覚悟《かくご》の入水《じゅすい》を決行《けっこう》するために、一艘《いっそう》の小船《こぶね》に乗《の》って青海原《あおうなばら》に漕《こ》ぎだした。沖《おき》の小島《こじま》に寄《よ》って、松《まつ》の木《き》に墓碑銘《ぼひめい》を刻《きざ》んだが、妻子《さいし》を思《おも》う愛執《あいしゅう》はいっこうに消《き》えない。

◆自決《じけつ》をはばむ妻子《さいし》への愛執《あいしゅう》——維盛《これもり》の苦悩《くのう》

熊野三山《くまのさんざん》の参詣《さんけい》を無事《ぶじ》終《お》えて、維盛主従四人《これもりしゅじゅうよにん》と滝口入道《たきぐちにゅうどう》は、浜《はま》の宮《みや》（那《な》智《ち》勝浦町《かつうらまち》）という王子社《おうじしゃ》の前《まえ》から、一艘《いっそう》の小船《こぶね》に乗《の》って、果《は》てしない青海《あおうな》原《ばら》に出《で》た。はるか沖《おき》に山《やま》なりの島《しま》（山成島《やまなりじま》）という小島《こじま》がある。

維盛《これもり》は、島《しま》の海岸《かいがん》に上《あ》がると、松《まつ》の大木《たいぼく》を削《けず》って、涙《なみだ》を流《なが》しながら自分《じぶん》の姓名《せいめい》・身分《みぶん》などを書《か》き記《しる》した。

「祖父《そふ》太政大臣《だいじょうだいじん》 平《たいらの》 朝臣《あつそん》清盛公法名《きよもりこうほうみょう》 浄海《じょうかい》、親父《しんぷ》小松《こまつ》の内大臣《ないだいじん》の左大将《さだいしょう》重盛公法名《しげもりこうほうみょう》 浄蓮《じょうれん》、三位《さんみ》の中将《ちゅうじょう》 維盛法名《これもりほうみょう》 浄円《じょうえん》、年二十七歳《としにじゅうしちさい》、寿永三年三月《じゅえいさんねんさんがつ》二十八日《にじゅうはちにち》、那智《なち》の沖《おき》にて入水《じゅすい》す」

書《か》き終《お》えた維盛《これもり》は、再《ふたた》び船《ふね》に乗《の》って沖《おき》へ向《む》かった。かねて覚悟《かくご》の死出《しで》の旅《たび》なのに、今《いま》こうしてその場《ば》に臨《のぞ》んでみると、やはり心細《こころぼそ》く悲《かな》しみがこみあげてきた。

時《とき》は三月二十八日《さんがつにじゅうはちにち》、海《うみ》ははるか遠《とお》くまで霞《かす》みわたり、情緒《じょうちょ》をかきたてる風景《ふうけい》だった。いつもの春《はる》でさえ、暮《く》れゆく春《はる》の空《そら》はしんみりさせるのに、まして今日限《きょうかぎ》りの命《いのち》であれば、さぞかし心細《こころぼそ》かったろう。沖《おき》の釣《つ》り船《ぶね》が波間《なみま》に消《き》えるように見《み》えながら、それでも沈《しず》みきらずに漂《ただよ》うのを見《み》ると、わが身《み》の上《うえ》を重《かさ》ね合《あ》わせたことだろう。仲間《なかま》を引《ひ》き連《つ》れて、今《いま》は北国《きたぐに》へ鳴《な》きながら帰《かえ》って行《い》く雁《かり》の群《む》れを見《み》ると、あの雁《かり》に妻子《さいし》のいる都《みやこ》へあてた手紙《てがみ》を託《たく》したいと願《ねが》い、異民族《いみんぞく》に囚《とら》われた古代中国《こだいちゅうごく》の将軍蘇武《しょうぐんそぶ》の無念《むねん》さをしのぶなど、いつまでも未練《みれん》の尽《つ》きることはなかった。

「これはどうしたことか。まだこの世《よ》への未練《みれん》が尽《つ》きないのだなあ」と、決意《けつい》を新《あら》たにして、西方《せいほう》に向《む》かって手《て》を合《あ》わせ、念仏《ねんぶつ》を唱《とな》えた。だが、心《こころ》のなかに、またもや「もう私《わたし》が今《いま》は最期《さいご》であることを、都《みやこ》の妻子《さいし》は知《し》るはずもない。風《かぜ》の便《たよ》りのようにはかないうわさを、今《いま》か今《いま》かと待《ま》ち望《のぞ》んでいることだろう」と、愛執《あいしゅう》の念《ねん》がわいてきたので、合掌《がっしょう》の手《て》を崩《くず》し、念仏《ねんぶつ》を中止《ちゅうし》し、滝口入道《たきぐちにゅうどう》に向《む》かって、こう語《かた》った。

「ああ、人間《にんげん》は、妻子《さいし》というものを、持《も》つべきではないのだねえ。この世《よ》で物思《ものおも》いの種《たね》になるばかりか、死《し》んで成仏《じょうぶつ》することまで妨《さまた》げるとは、残念《ざんねん》無念《むねん》だ。なのに、今現在《いまげんざい》も妻子《さいし》の面影《おもかげ》が頭《あたま》を去《さ》らないのだよ。こうした未《み》練《れん》を心《こころ》に残《のこ》したまま死《し》ぬのは、罪深《つみぶか》いことだそうだから、あなたに懺悔《ざんげ》するのです」

❖三《み》つの御山《おやま》の参詣《さんけい》、事故《ことゆゑ》なう遂《と》げ給《たま》ひしかば、浜《はま》の宮《みや》と申《まう》し奉《たてまつ》る王子《わうじ》の御前《おんまへ》より、一葉《いちえふ》の船《ふね》に棹《さを》さして、万里《ばんり》の蒼海《さうかい》に浮《う》かび給《たま》ふ。はるかの沖《おき》に、山《やま》なりの島《しま》といふ所《ところ》ありき。中将《ちゆうじやう》、それに船漕《ふねこ》ぎ寄《よ》せさせ、岸《きし》に上《あ》がり、大《おほ》きなる松《まつ》の木《き》を削《けづ》りて、泣《な》く泣《な》く名籍《めいせき》をぞ書《か》き付《つ》けられける。「祖父《そぶ》太政大臣《だいじやうだいじん》　平《たひらの》　朝臣《あつそん》清盛公《きよもりこう》法名《ほふみやう》　浄海《じやうかい》、親父《しんぶ》小松《こまつ》の内大臣《ないだいじん》の左大将《さだいしやう》重盛公《しげもりこう》法名《ほふみやう》　浄蓮《じやうれん》、三位《さんみ》の中将《ちゆうじやう》　維盛《これもり》法名《ほふみやう》　浄円《じやうゑん》、年《とし》二十七歳《にじふしちさい》、寿永三年三月二十八日《じゆえいさんねんさんぐわつにじふはちにち》、那智《なち》の沖《おき》にて入水《じゆすい》す」と書《か》き付《つ》けて、また船《ふね》に乗《の》り、沖《おき》へぞ漕《こ》ぎ出《い》で給《たま》ひける。思《おも》ひ切《き》りぬる道《みち》なれども、今《いま》はの時《とき》にもなりぬれば、さすが心細《こころぼそ》う悲《かな》しからずといふ事《こと》なし。

頃《ころ》は三月二十八日《さんぐわつにじふはちにち》の事《こと》なれば、海路《かいろ》はるかに霞《かす》み渡《わた》り、あはれをもよほす類《たぐひ》かな。ただ大方《おほかた》の春《はる》だにも、暮《く》れゆく空《そら》はものうきに、いはんや、これは今日《けふ》を最後《さいご》、ただ今限《いまかぎ》りの事《こと》なれば、さこそは心細《こころぼそ》かりけめ。沖《おき》の釣《つ》り船《ぶね》の、浪《なみ》に消《き》え入《い》るやうに覚《おぼ》ゆるが、さすが沈《しづ》みもはてぬを見《み》給《たま》ふにつけても、御身《おんみ》の上《うへ》とや思《おも》はれけん。おのが一行《ひとつら》ひき連《つ》れて、今《いま》はと帰《かへ》る雁《かりがね》の、越路《こしぢ》をさして鳴《な》き行《ゆ》くも、故郷《ふるさと》へ言伝《ことづ》てせまほしく、蘇武《そぶ》が胡国《ここく》の恨《うら》みまで、思《おも》ひ残《のこ》せるくまもなし。

「こはされば、何事《なにごと》ぞや。なほ妄執《まうじふ》の尽《つ》きぬにこそ」と思《おも》ひ返《かへ》し、西《にし》に向《む》かひ手《て》を合《あ》はせ、念仏《ねんぶつ》し給《たま》ふ心《こころ》の中《うち》にも、「さても、都《みやこ》には、今《いま》を限《かぎ》りとはいかでか知《し》るべきなれば、風《かぜ》の便《たよ》りの音信《おとづれ》をも、今《いま》や今《いま》やとこそ待《ま》たんずらめ」と思《おも》はれければ、合掌《がつしやう》を乱《みだ》り、念仏《ねんぶつ》を止《とど》め、聖《ひじり》に向《む》かつて宣《のたま》ひけるは、「あはれ、人《ひと》の身《み》に、妻子《さいし》といふものをば、持《も》つまじかりけるものかな。今生《こんじやう》にてものを思《おも》はするのみならず、後世菩提《ごせぼだい》の妨《さまた》げとなりぬる事《こと》こそくちをしけれ。ただ今《いま》も思《おも》ひ出《い》でたるぞや。かやうの事《こと》を心中《しんぢゆう》に残《のこ》せば、あまりに罪深《つみふか》かんなる間《あひだ》、懺悔《さんげ》するなり」とぞ宣《のたま》ひける。

妻子《さいし》への愛執《あいしゆう》に妨《さまた》げられ、入水《じゆすい》の決心《けっしん》が鈍《にぶ》る維盛《これもり》を、滝口入道《たきぐちにゅうどう》は涙《なみだ》を隠《かく》して説諭《せつゆ》した。

入道《にゅうどう》にいさめられ、妻子《さいし》の救済《きゅうさい》を保証《ほしょう》された維盛《これもり》は、ようやく心《こころ》を澄《す》ませて念仏《ねんぶつ》を唱《とな》え、海《うみ》に身《み》を投《とう》じた。重景《しげかげ》・石童丸《いしどうまる》もあとに殉《じゅん》じた。

✻維盛は、松の木の墓碑に刻んだように、清盛から数えて三代目に当たる。そして、彼の人生も三代目のそれだった。彼は、平家一門の総帥《そうすい》という立場にあって、その重圧につぶされて入水自殺した。平凡な家庭に生まれていれば、よき父、よき夫としての幸福を満喫できたろう。もともと、彼の悲劇は清盛が作ったといってよい。

清盛には息子・娘がたくさんいるが、一門の栄華を維持するだけの政治的才覚をもつ者はいない。その意味で、平家《へいけ》の没落は家庭教育の失敗も要因の一つであるといえる。

三日平氏〈みっかへいじ〉

維盛《これもり》ら三人《さんにん》が入水《じゅすい》し、小船《こぶね》に残《のこ》った滝口入道《たきぐちにゅうどう》と従者《じゅうしゃ》武里《たけさと》の悲嘆《ひたん》はたとえようもなかった。涙《なみだ》にくれながら武里《たけさと》は屋島《やしま》へ、入道《にゅうどう》は高野《こうや》へと帰《かえ》って行《い》った。屋島《やしま》に退却《たいきゃく》していた資盛《すけもり》は、武里《たけさと》から兄維盛《あにこれもり》の遺書《いしょ》・遺言《ゆいごん》を受《う》け取《と》って、悲愁《ひしゅう》の淵《ふち》に沈《しず》んだ。

四月一日《しがつついたち》、頼朝《よりとも》は、義仲追討《よしなかついとう》の功《こう》により、五階級《ごかいきゅう》特進《とくしん》の正四位下《しょうしいげ》となった。

同月三日《どうげつみつか》、法皇《ほうおう》の特命《とくめい》で、崇徳院《しゅとくいん》（今は「すとく」）を祭《まつ》る神殿《しんでん》が造営《ぞうえい》された。

五月四日《ごがつよっか》、頼盛《よりもり》（清盛《きよもり》の弟《おとうと》）は、たび重《かさ》なる頼朝《よりとも》の招待《しょうたい》に応《おう》じて鎌倉《かまくら》へ下《くだ》った。頼盛《よりもり》の母《はは》、故池《こいけ》の禅尼《ぜんに》（清盛《きよもり》の継母《ままはは》）は頼朝《よりとも》を助命《じょめい》した恩人《おんじん》であり、その縁《えん》で頼《より》盛《もり》は頼朝《よりとも》の特別《とくべつ》な厚遇《こうぐう》を受《う》けたのである。

頼盛《よりもり》の家臣《かしん》、宗清《むねきよ》もまた、頼朝《よりとも》の命《いのち》の恩人《おんじん》だった。しかし、西海《さいかい》に漂《ただよ》う主家一《しゅかいち》門《もん》の苦境《くきょう》を思《おも》うと随行《ずいこう》できない、と宗清《むねきよ》は頼盛《よりもり》との同行《どうこう》を固辞《こじ》した。鎌倉入《かまくらい》りした頼盛《よりもり》は、頼朝《よりとも》はじめ諸大名《しょだいみょう》の大歓待《だいかんたい》を受《う》けた。

六月九日《ろくがつここのか》、頼盛《よりもり》は、莫大《ばくだい》な引《ひ》き出物《でもの》とともに帰京《ききよう》した。

同月十八日《どうげつじゆうはちにち》、伊賀《いが》・伊勢《いせ》の平氏《へいじ》が近江《おうみ》へ進攻《しんこう》したが、たちまち源氏軍《げんじぐん》に掃討《そうとう》された。平氏《へいじ》の支配《しはい》があまりに短期間《たんきかん》だったので、三日《みつか》平氏《へいじ》と嘲笑《ちようしよう》された。

藤戸〈ふじと〉

さて、都《みやこ》にいた維盛夫人《これもりふじん》は、音信不通《おんしんふつう》の夫《おつと》の身《み》を案《あん》じて、屋島《やしま》に問《と》い合《あ》わせた。そして、夫《おつと》が出家《しゆつけ》し、那智《なち》の沖《おき》で投身自殺《とうしんじさつ》したことを知《し》り、子《こ》どもたちと泣《な》き暮《く》らした。子《こ》どもの乳母《めのと》が励《はげ》ましたが、夫人《ふじん》はついに出家《しゆつけ》した。

維盛《これもり》の入水《じゆすい》を聞《き》いた頼朝《よりとも》は、維盛《これもり》の父重盛《ちちしげもり》から受《う》けた恩義《おんぎ》を思《おも》い、助命《じよめい》の機《き》を逸《いっ》したことを惜《お》しんだ。

屋島《やしま》の平家《へいけ》は、源氏軍来襲《げんじぐんらいしゆう》の情報《じようほう》に神経《しんけい》をとがらせていた。今《いま》や平家《へいけ》の勢力《せいりよく》は半減《はんげん》し、恐怖《きようふ》と不安《ふあん》のどん底《ぞこ》に突《つ》き落《お》とされた日々《ひび》を送《おく》っていた。

七月二十八日《しちがつにじゆうはちにち》、都《みやこ》では後鳥羽天皇《ごとばてんのう》が、三種《さんしゆ》の神器《じんぎ》のないまま即位《そくい》式《しき》をあげた。神武《じんむ》天皇《てんのう》以来《いらい》初《はじ》めての例《れい》だという。

九月十二日《くがつじゅうににち》、新編成《しんへんせい》の範頼軍《のりよりぐん》が、平家追討《へいけついとう》のため、総勢三万余騎《そうぜいさんまんよき》で、西国《さいこく》に進発《しんぱつ》した。資盛《すけもり》らの率《ひき》いる平家軍《へいけぐん》は、五百余艘《ごひゃくよそう》の軍船《ぐんせん》に分乗《ぶんじょう》して、備前《びぜん》の児島《こじま》（倉敷市《くらしきし》）に向《む》かった。平家軍《へいけぐん》の進路《しんろ》を探知《たんち》した範頼軍《のりよりぐん》は、対岸《たいがん》の藤戸《ふじと》（倉敷市《くらしきし》）に布陣《ふじん》して、平家軍《へいけぐん》に相対《あいたい》した。

源平両軍《げんぺいりょうぐん》の間隔《かんかく》は海上五百余《かいじょうごひゃくよ》メートルに過《す》ぎないが、軍船《ぐんせん》をもたずに攻《せ》めあぐむ源氏《げんじ》を、平家《へいけ》は挑発《ちょうはつ》してからかった。

同月二十五日夜《どうげつにじゅうごにちよる》、佐々木盛綱《ささきもりつな》（高綱《たかつな》の兄《あに》）は、土地《とち》の漁師《りょうし》を買収《ばいしゅう》して、騎馬《きば》が渡《わた》れる浅瀬《あさせ》を聞《き》き出《だ》した。極秘《ごくひ》に漁師《りょうし》と検分《けんぶん》したあと、情報《じょうほう》の漏洩《ろうえい》を恐《おそ》れて、漁師《りょうし》を斬殺《ざんさつ》した。

翌二十六日《よくにじゅうろくにち》、盛綱《もりつな》は先駆《さきが》けし、その後《あと》から三万余騎《さんまんよき》が続《つづ》いて、源氏軍《げんじぐん》は大勝利《だいしょうり》を収《おさ》めた。平家《へいけ》は屋島《やしま》に退却《たいきゃく》し、源氏《げんじ》の占領《せんりょう》した児島《こじま》は盛綱《もりつな》に与《あた》えられた。

大嘗会の沙汰〈だいじょうえのさた〉

十月《じゅうがつ》に入《はい》り、都《みやこ》では大嘗会《だいじょうえ》に先立《さきだ》つ式典《しきてん》が行《おこな》われ、九郎判官義経《くろうほうがんよしつね》が行列《ぎょうれつ》の警護《けいご》役《やく》をつとめたが、洗練《せんれん》された平家《へいけ》の貴族武士《きぞくぶし》には及《およ》びもつかなかった。

十一月十八日《じゅういちがつじゅうはちにち》、源平《げんぺい》の争乱《そうらん》で国民《こくみん》が疲弊《ひへい》しているなか、恒例《こうれい》の大嘗会《だいじょうえ》が行《おこな》われた。大嘗会《だいじょうえ》は、新天皇《しんてんのう》が祖神《そしん》を祭《まつ》る最大《さいだい》の宮廷儀式《きゅうていぎしき》である。

範頼《のりより》（義経《よしつね》の兄《あに》）は、平家《へいけ》討滅《とうめつ》の好機《こうき》を逃《のが》したまま、遊興三昧《ゆうきょうざんまい》にふけっていた。

今年《ことし》は、国費《こくひ》の濫用《らんよう》、国民《こくみん》の窮乏《きゅうぼう》だけが目《め》だつ年《とし》だった。

★「能《のう》」と『平家物語』——世阿弥《ぜあみ》の評価

能の現行演目は二百数十番。うち四十曲ほどが『平家物語』に取材している。一作品としては驚くべき数字だ。武人の霊を主人公とする「修羅物《しゅらもの》」は、九割以上が『平家物語』である。

武家の保護を得て能を大成した世阿弥は、「平家の物語のままに（脚本を）書くべし」と、『平家物語』を特に重んじている。

巻第十一

逆櫓〈さかろ〉　一一八五

一一八五（元暦二《げんりやくに》）年正月十日《ねんしょうがつとおか》、義経《よしつね》は法皇《ほうおう》に面会《めんかい》し、平家《へいけ》と最終決戦《さいしゅうけつせん》を行《おこな》う許可《きょか》を得《え》たあと、部下《ぶか》の将兵《しょうへい》に決意《けつい》を伝《つた》えた。

一方《いっぽう》、屋島《やしま》の平家《へいけ》は、東西《とうざい》からの挟撃《きょうげき》のうわさにおびえていた。

二月十六日《にがつじゅうろくにち》、追討軍出港《ついとうぐんしゅっこう》の直前《ちょくぜん》に大暴風《だいぼうふう》となり、軍船《ぐんせん》が破損《はそん》した。梶原景時《かじわらのかげとき》は逆櫓《さかろ》の装備《そうび》を主張《しゅちょう》したが、それを義経《よしつね》は逃《に》げ腰《ごし》と嘲笑《ちょうしょう》したため大論争《だいろんそう》となった。逆櫓《さかろ》は後退用《こうたいよう》の櫓《ろ》で、軍船《ぐんせん》の運動性《うんどうせい》を高《たか》めるものである。

夜半《やはん》、義経《よしつね》は暴風《ぼうふう》を押《お》して、わずか五《ご》艘《そう》でひそかに出港《しゅっこう》、翌朝《よくちょう》阿波《あわ》（徳島県《とくしまけん》）に到着《とうちゃく》した。

勝浦合戦〈かつうらかっせん〉

少数《しょうすう》の義経特攻隊《よしつねとっこうたい》は、勝浦《かつうら》（徳島県徳島市《とくしまけんとくしまし》）に上陸《じょうりく》し、土地《とち》の武士《ぶし》近藤親家《こんどうちかいえ》を味方《みかた》に引《ひ》きいれ、平家《へいけ》の桜庭能遠《さくらばのよしとお》を攻撃《こうげき》、これを追放《ついほう》した。

大坂越え〈おおさかごえ〉

親家《ちかいえ》から、屋島《やしま》の平家軍《へいけぐん》は出兵中《しゅっぺいちゅう》で、留守部隊《るすぶたい》は少数《しょうすう》との情報《じょうほう》を入手《にゅうしゅ》した義経《よしつね》は、ただちに屋島《やしま》の急襲《きゅうしゅう》を決断《けつだん》し、一晩《ひとばん》

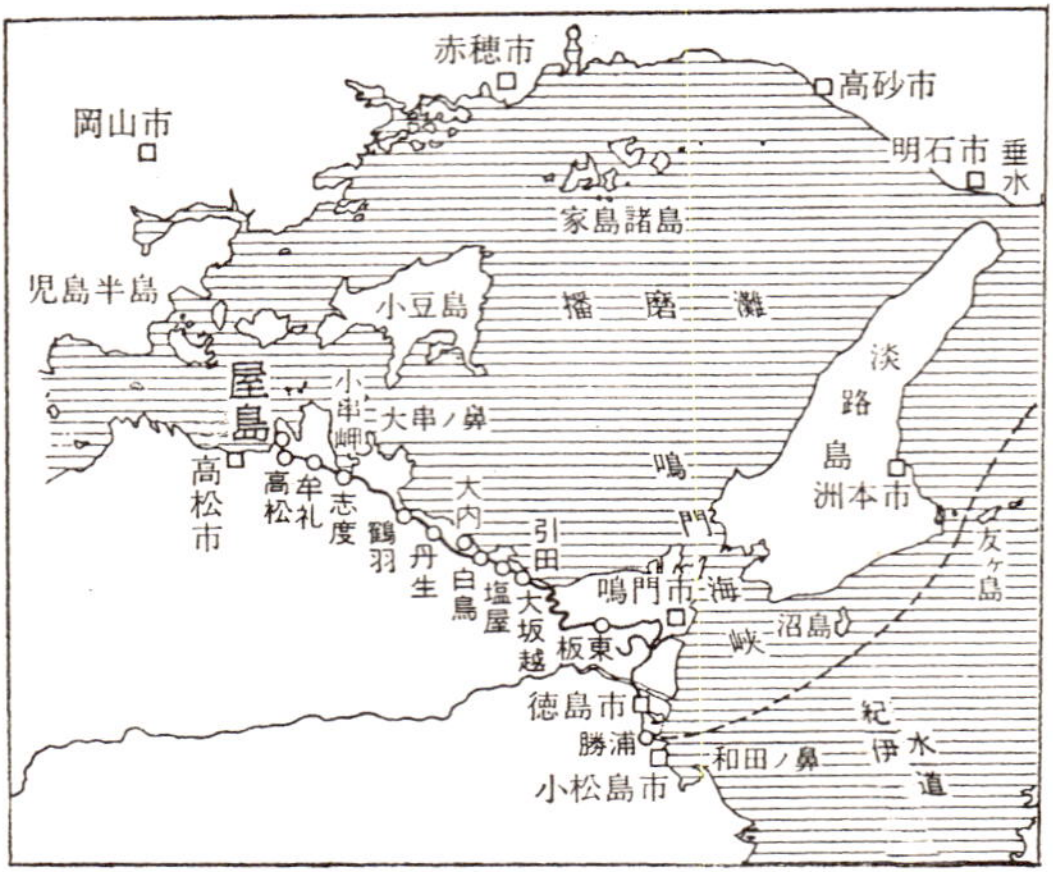

で国境《くにざかい》の大坂山《おおさかやま》（徳島県板野郡《とくしまけんいたのぐん》）を越《こ》える強行軍《きようこうぐん》を厳命《げんめい》した。

夜半《やはん》、敵《てき》の伝令《でんれい》と遭遇《そうぐう》、これをあざむき、都《みやこ》からの秘密文書《ひみつぶんしよ》を奪《うば》い取《と》った。それは平家《へいけ》の女房《にようぼう》の書簡《しよかん》で、義経《よしつね》はすばしこい男《おとこ》だからくれぐれも用心《ようじん》するようにと記《しる》してあった。逆《ぎやく》に、義経《よしつね》は勇武《ゆうぶ》の証明書《しようめいしよ》と喜《よろこ》んだ。

二月十八日《にがつじゆうはちにち》未明《みめい》、干潮《かんちよう》を利用《りよう》して義経《よしつね》は屋島城《やしまじよう》を急襲《きゆうしゆう》した。城《しろ》の手前《てまえ》で、大軍《たいぐん》と見《み》せかけるために、民家《みんか》に放火《ほうか》して回《まわ》った。ちょうど出兵先《しゆつぺいさき》の隣国《りんごく》から帰還《きかん》し、首実検中《くびじつけんちゆう》だった平家《へいけ》は、大軍《たいぐん》の総攻撃《そうこうげき》と誤認《ごにん》して、海上《かいじよう》に総員退去《そういんたいきよ》した。

嗣信最期〈つぎのぶさいご〉

屋島《やしま》に上陸《じようりく》した義経《よしつね》は、沖《おき》に退去《たいきよ》した平家軍《へいけぐん》をにらんで、大音声《だいおんじよう》に名乗《なの》りをあげた。その一方《いつぽう》で、内裏《だいり》に乱入《らんにゆう》・放火《ほうか》して、ことごとく焼《や》き払《はら》った。

海上《かいじよう》に逃《のが》れた平家《へいけ》は、義経特攻隊《よしつねとつこうたい》が七《しち》、八十騎《はちじつき》に過《す》ぎないと知《し》るや、猛将教経《もうしようのりつね》の指揮《しき》のもと、反撃《はんげき》に転《てん》じた。

まず激《はげ》しい言葉戦《ことばたたか》いが始《はじ》まり、平家方《へいけがた》は、義経《よしつね》を、孤児《こじ》、鞍馬《くらま》の稚児《ちご》、金商人《こがねあきんど》の従者《じゅうしゃ》と罵倒《ばとう》した。互《たが》いに、乞食《こじき》、山賊《さんぞく》と悪態《あくたい》をつき合《あ》うが、源氏《げんじ》の一矢《いっし》が平家《へいけ》の武将《ぶしょう》を射倒《いたお》して、舌戦《ぜっせん》は終《お》わった。

教経《のりつね》は、義経《よしつね》を射落《いお》とそうと執拗《しつよう》にねらって矢《や》を射《い》かけるが、主君《しゅくん》の命《いのち》を守《まも》るために勇士《ゆうし》たちが矢面《やおもて》に立《た》ち塞《ふさ》がった。その先頭《せんとう》の一人《ひとり》佐藤嗣信《さとうつぎのぶ》が、教経《のりつね》の矢《や》を受《う》けて戦死《せんし》した。

義経《よしつね》は、鵯越《ひよどりごえ》の名馬《めいば》を布施《ふせ》にして、嗣信《つぎのぶ》を懇《ねんご》ろに弔《とむら》った。部下《ぶか》はみな義経《よしつね》の礼《れい》遇《ぐう》に感動《かんどう》した。

那須与一〈なすのよいち〉

そのうち、源氏《げんじ》に帰服《きふく》しようと待機《たいき》していた四国《しこく》の武士《ぶし》たちが、四方八方《しほうはっぽう》から集《あつ》まり、義経隊《よしつねたい》はたちまち三百余騎《さんびゃくよき》にふくれあがった。

やがて、夕暮《ゆうぐ》れとなったので、決着《けっちゃく》をあきらめて両軍《りょうぐん》とも引《ひ》き揚《あ》げた。

◈扇《おうぎ》を射落《いお》とす神技《しんぎ》の一矢《いっし》――与一《よいち》の強弓《ごうきゅう》

「今日《きょう》は日《ひ》が暮《く》れてしまった。決着《けっちゃく》をつけるのは無理《むり》だ」ということで、源平両軍《げんぺいりょうぐん》とも引《ひ》き揚《あ》げたところ、沖合《おきあい》の平家軍《へいけぐん》から、豪華《ごうか》に飾《かざ》りたてた小《こ》船《ぶね》が一艘《いっそう》、海岸《かいがん》に近《ちか》づいてきて、渚《なぎさ》から八《はち》、九十《きゅうじゅう》メートルほどの距離《きょり》で、船《ふね》を横向《よこむ》けにした。

「あれはどういうつもりだ」と見《み》ていると、船《ふね》のなかから、年《とし》のころは十《じゅう》八《はち》、九歳《きゅうさい》、柳襲《やなぎがさね》（表白《おもてしろ》、裏青《うらあお》）の表着《うわぎ》の下《した》に五枚《ごまい》の重《かさ》ね着《ぎ》をし、紅《くれない》の袴《はかま》をつけた正装《せいそう》の女房《にょうぼう》が現《あらわ》れた。彼女《かのじょ》は、総紅《そうくれない》に金《きん》の日《ひ》の丸《まる》の扇《おうぎ》を先端《せんたん》につけた竿《さお》を船《ふね》の縁板《ふちいた》に挟《はさ》み立《た》てて、海岸《かいがん》の源氏軍《げんじぐん》に向《む》かって手招《てまね》きした。

義経《よしつね》が後藤実基《ごとうさねもと》を呼《よ》んで、

「あれはどういうつもりだ」と尋《たず》ねた。

「あの扇《おうぎ》を射《い》てみよという挑発《ちょうはつ》でしょう。ただし、軍司令官《ぐんしれいかん》の殿《との》（義経《よしつね》）が矢《や》の飛《と》んでくる正面《しょうめん》に進《すす》み出《で》て、あの美人《びじん》を眺《なが》めているところを、狙撃《そげき》手《しゅ》にねらわせて射殺《いころ》そうという計略《けいりゃく》と思《おも》われます。それはともかく、あの扇《おうぎ》を射落《いお》とさせるのがよろしかろうと存《ぞん》じます」

「わが軍《ぐん》にあれを射落《いお》とせる人物《じんぶつ》は、誰《だれ》かいるのか」

「弓《ゆみ》の名手《めいしゅ》は大勢《おおぜい》います。そのなかでも、下野《しもつけ》の那須《なす》の与《よ》一宗《いちむね》高《たか》は小柄《こがら》ですが、腕前《うでまえ》は確《たし》かです」

「証拠《しょうこ》はあるのか」

「ございます。空飛《そらと》ぶ鳥《とり》を射落《いお》とす競技《きょうぎ》でも、三羽《さんば》に二羽《にわ》は確《かく》実《じつ》に命中《めいちゅう》させます」

「ならば、与一《よいち》を呼《よ》べ」と、義経《よしつね》は命《めい》じた。

与一《よいち》は、当時《とうじ》二十歳《はたち》くらいの若武者《わかむしゃ》だった。濃紺《のうこん》に赤《あか》の錦《にしき》で縁取《ふちど》りした鎧直垂《よろいひたたれ》に、萌黄縅《もえぎおどし》の鎧《よろい》をつけ、銀《ぎん》の飾《かざ》りをした太《た》刀《ち》を帯《お》び、二十四本《にじゅうよんほん》の切《き》り斑《ふ》の矢《や》に、薄色《うすいろ》の切《き》り斑《ふ》に鷹《たか》の羽《はね》を加《くわ》えた鹿《しか》の角製《つのせい》の鏑矢《かぶらや》を差《さ》し添《そ》えて、背負《せお》っていた。滋籐《しげどう》の弓《ゆみ》を脇《わき》に挟《はさ》み、甲《かぶと》は脱《ぬ》いで背《せ》に負《お》い、義経《よしつね》の前《まえ》にかしこまった。

〈切り斑の矢羽の鏑矢〉

義経《よしつね》が言葉《ことば》をかけた。

「どうだ、与一《よいち》。あの扇《おうぎ》の真《ま》ん中《なか》を射抜《いぬ》いて、敵《てき》に腕前《うでまえ》を見《み》せてやれ」

「自分《じぶん》には射落《いお》とす自信《じしん》がありません。もし失敗《しっぱい》しましたら、末代《まつだい》まで味《み》方《かた》の不名誉《ふめいよ》となります。確実《かくじつ》に射落《いお》とせる方《かた》に御命令《ごめいれい》なさるのがよろしかろうと存《ぞん》じます」

すると、気《き》の短《みじか》い義経《よしつね》はたちまち激怒《げきど》して、

「今回《こんかい》の平家《へいけ》追討《ついとう》の派遣軍《はけんぐん》で、この義経《よしつね》の命令《めいれい》に背《そむ》く者《もの》は許《ゆる》さん。少《すこ》しでも異論《いろん》のある者《もの》は、さっさと鎌倉《かまくら》へ帰《かえ》れ」

与一《よいち》は、これ以上《いじょう》辞退《じたい》するのはまずいと悟《さと》ったのか、

「それならば、失敗《しっぱい》するかもしれませんが、御命令《ごめいれい》に従《したが》い、やってみます」と答《こた》えて、御前《ごぜん》を下《さ》がった。

やがて、与一《よいち》は、太《ふと》ってたくましい黒馬《くろうま》に、ほや（ヤドリギ）の紋様《もんよう》を摺《す》りだした鞍《くら》を置《お》いて現《あらわ》れた。騎乗《きじょう》すると、弓《ゆみ》を持《も》ち直《なお》し、手綱《たづな》を操《あやつ》り、渚《なぎさ》に向《む》かって馬《うま》を進《すす》めた。自軍《じぐん》の将兵《しょうへい》が、与一《よいち》の後《うし》ろ姿《すがた》を見送《みおく》りながら、

「あの若者《わかもの》なら絶対射落《ぜったいいお》とすような気《き》がする」とほめはやしたので、義経《よしつね》も上機嫌《じょうきげん》で見《み》つめていた。

矢《や》を射《い》るには少《すこ》し距離《きょり》が遠《とお》かったので、海中《かいちゅう》に十《じゅう》メートルほど馬《うま》を乗《の》り入《い》れた。それでも、扇《おうぎ》との距離《きょり》は七十《ななじゅう》メートル以上《いじょう》あるように見《み》えた。時《とき》は陰暦二月十八日《いんれきにがつじゅうはちにち》午後六時《ごごろくじ》ごろ、ちょうど北風《きたかぜ》の激《はげ》しい時刻《じこく》で、打《う》ち寄《よ》せる波《なみ》も高《たか》かった。扇《おうぎ》を掲《かか》げた船《ふね》は、波《なみ》に揺《ゆ》り上《あ》げられ、揺《ゆ》り下《お》ろされて、動《うご》きが定《さだ》まらない。扇《おうぎ》のほうも、竿《さお》の先《さき》に安定《あんてい》せず、ひらひらと揺《ゆ》れ動《うご》いていた。

沖《おき》では平家軍《へいけぐん》が、船《ふね》を一面《いちめん》に並《なら》べて見《み》ている。海岸《かいがん》では源氏軍《げんじぐん》が、馬《うま》の轡《くつわ》を並《なら》べて見《み》ている。海《うみ》と陸《りく》の両方《りょうほう》から注目《ちゅうもく》を浴《あ》びて、与一《よいち》には、どこもかしこも晴《は》れがましかった。

与一《よいち》は目《め》を閉《と》じて、「南無八幡大菩薩《なむはちまんだいぼさつ》よ、とりわけ生国下野《しょうごくしもつけ》の神々《かみがみ》、日光《にっこう》の権現《ごんげん》・宇都宮大明神《うつのみやだいみょうじん》・那須《なす》の湯泉大明神《ゆぜんだいみょうじん》よ。どうか、あの扇《おうぎ》の真《ま》ん中《なか》を射抜《いぬ》かせてください。万一《まんいち》、失敗《しっぱい》したら、弓《ゆみ》をへし折《お》り、自害《じがい》して、二《に》度《ど》と人《ひと》に顔《かお》を合《あ》わせない決意《けつい》です。もう一《いち》度《ど》、私《わたくし》を生国《しょうごく》に帰《かえ》そうとお思《おも》いならば、この矢《や》を外《はず》させないでください」と、心《こころ》のなかで祈念《きねん》して、目《め》を見開《みひら》くと、風《かぜ》も少《すこ》し弱《よわ》まり、扇《おうぎ》も射《い》やすくなっていた。

与一《よいち》は、鏑矢《かぶらや》をつがえて、十分《じゅうぶん》に引《ひ》き絞《しぼ》り、ビューンと矢《や》を放《はな》った。小柄《こがら》なので、矢《や》は短《みじか》かったが、強弓《ごうきゅう》である。

鏑矢《かぶらや》は、海上《かいじょう》いっぱいに響《ひび》きわたる長《なが》いうなり音《おん》を発《はっ》して、ちょうど扇《おうぎ》の要《かなめ》の際《きわ》から三《さん》センチほど上《うえ》を、ヒューズバッと射切《いき》った。

鏑矢《かぶらや》は海《うみ》に落下《らっか》し、扇《おうぎ》は空《そら》に舞《ま》い上《あ》がった。それから、春風《はるかぜ》にひともみふたもみさ

〈那須与一『平家物語絵巻』〉

れて、海《うみ》へさっと散《ち》り落《お》ちた。

総紅《そうくれない》に金《きん》の日輪《にちりん》を描《えが》いた扇《おうぎ》が、夕陽《ゆうひ》を浴《あ》びて、白波《しらなみ》の上《うえ》を浮《う》いたり沈《しず》んだりしていると、海上《かいじょう》では平家軍《へいけぐん》が船《ふな》ばたをたたいて感嘆《かんたん》し、陸上《りくじょう》では源氏軍《げんじぐん》が箙《えびら》をたたいて歓声《かんせい》をあげた。


❖「今日《けふ》は日暮《ひく》れぬ、勝負《しようぶ》を決《けつ》すべからず」とて、源平《げんぺい》互《たが》ひに引《ひ》き退《の》く所《ところ》に、沖《おき》より尋常《じんじやう》に飾《かざ》つたる小船一艘《せうせんいつさう》、汀《みぎは》へ向《む》かひて漕《こ》ぎ寄《よ》せ、渚《なぎさ》より七《しち》、八段《はつたん》ばかりにもなりしかば、船《ふね》を横様《よこさま》になす。「あれはいかに」と見《み》る所《ところ》に、船《ふね》の中《うち》より、年《とし》の齢《よはひ》十八《じふはち》、九《く》ばかりなる女房《にようばう》の、柳《やなぎ》の五《いつ》つ衣《ぎぬ》に、紅《くれなゐ》の袴《はかま》着《き》たるが、皆紅《みなぐれなゐ》の扇《あふぎ》の、日出《ひい》だしたるを、船《ふね》のせがひに挟《はさ》み立《た》て、陸《くが》へ向《む》かつてぞ招《まね》きける。

判官《はうぐわん》、後藤兵衛実基《ごとうひやうゑさねもと》を召《め》して、「あれはいかに」と宣《のたま》へば、「射《い》よとにこそ候《さうら》ふらめ。但《ただ》し、大将軍《たいしやうぐん》の矢面《やおもて》に進《すす》んで、傾城《けいせい》を御覧《ごらん》ぜられん所《ところ》を、手垂《てだ》れに狙《ねら》うて射《い》落《お》とせとの謀《はかりごと》とこそ存《ぞん》じ候《さうら》へ。さりながら、扇《あふぎ》をば射《い》させらるべうもや候《さうら》ふらん」と申《まう》しければ、判官《はうぐわん》、「御方《みかた》に射《い》つべき仁《じん》は、誰《たれ》かある」と問《と》ひ給《たま》へば、「手《て》垂《だ》れども多《おほ》う候《さうら》ふ中《なか》に、下野国《しもつけのくに》の住人《ぢゆうにん》、那須太郎資高《なすのたらうすけたか》が子《こ》に、与一宗高《よいちむねたか》こそ、小兵《こひやう》では候《さうら》へども、手《て》はきいて候《さうらふ》」と申《まう》す。判官《はうぐわん》、「証拠《しようこ》があるか」。「さん候《ざうらふ》。かけ鳥《どり》などを争《あらが》うて、三《み》つに二《ふた》つは、必《かなら》ず射落《いお》とし候《さうらふ》」と申《まう》しければ、判官《はうぐわん》、「さらば、与一呼《よいちよ》べ」とて召《め》されけり。

与一《よいち》その頃《ころ》は、未《いま》だ二十《にじふ》ばかりの男《をのこ》なり。褐《かち》に、赤地《あかぢ》の錦《にしき》を以《もつ》て、衽《おほくび》・端袖《はたそで》いろへたる直垂《ひたたれ》に、萌黄縅《もえぎをどし》の鎧着《よろひき》て、足白《あしじろ》の太刀《たち》を帯《は》き、二十四挿《にじふしさ》いたる切《き》り斑《ふ》の矢負《やお》ひ、薄切《うすぎ》り斑《ふ》に鷹《たか》の羽割《はわ》り合《あ》はせてはいだりける、ぬための鏑《かぶら》をぞ差《さ》し添《そ》へたる。滋籐《しげどう》の弓脇《ゆみわき》に挟《はさ》み、甲《かぶと》をば脱《ぬ》いで高紐《たかひも》にかけ、判官《はうぐわん》の御前《おんまへ》に畏《かしこ》まる。判官《はうぐわん》、「いかに与一《よいち》、あの扇《あふぎ》の真《ま》ん中射《なかい》て、敵《かたき》に見物《けんぶつ》せさせよかし」と宣《のたま》へば、与一《よいち》、「仕《つかまつ》つとも存《ぞん》じ候《さうら》はず。これを射損《いそん》ずるものならば、永《なが》き御方《みかた》の御弓矢《おんゆみや》の疵《きず》にて候《さうら》ふべし。一定仕《いちぢやうつかまつ》らうずる仁《じん》に、仰《おほ》せ付《つ》けらるべうもや候《さうら》ふらん」と申《まう》しければ、判官《はうぐわん》、大《おほ》きに怒《いか》つて、「今度鎌倉《こんどかまくら》を立《た》つて、西国《さいこく》へ向《む》かはんずる者《もの》どもは、皆義経《みなよしつね》が下知《げぢ》を背《そむ》くべからず。それに少《すこ》しも子細《しさい》を存《ぞん》ぜん人々《ひとびと》は、これよりとうとう鎌倉《かまくら》へ帰《かへ》らるべし」とぞ宣《のたま》ひける。

与《よ》一重《いちかさ》ねて辞《じ》せばあしかりなんとや思《おも》ひけん、「さ候《さうら》はば、はづれんをば存《ぞん》じ候《さうら》はず。御諚《ごぢやう》で候《さうら》へば、仕《つかまつ》つてこそ見候《みさうら》はめ」とて、御前《おんまへ》をまかり立《た》ち、黒《くろ》き馬《うま》の太《ふと》く逞《たくま》しきに、まろほや摺《す》つたる金覆輪《きんぷくりん》の鞍置《くらお》いて乗《の》つたりけるが、弓取《ゆみと》り直《なほ》し、手《た》綱《づな》かいくつて、汀《みぎは》へ向《む》いてぞ歩《あゆ》ませける。御方《みかた》の兵《つはもの》ども、与一《よいち》が後《うし》ろをはるかに見《み》送《おく》つて、「この若者《わかもの》一定《いちぢやう》仕《つかまつ》らうずる、と覚《おぼ》え候《さうらふ》」と申《まう》しければ、判官《はうぐわん》も頼《たの》もしげにぞ見給《みたま》ひける。

矢頃少《やごろすこ》し遠《とほ》かりければ、海《うみ》の中《なか》一段《いつたん》ばかりうち入《い》れたりけれども、なほ扇《あふぎ》の間《あはひ》は、七段《しちたん》ばかりもあるらんとこそ見《み》えたりけれ。頃《ころ》は二月十八日酉《にぐわつじふはちにちとり》の刻《こく》ばかりの事《こと》なるに、折《をり》ふし北風《きたかぜ》激《はげ》しう吹《ふ》きければ、磯《いそ》打つ浪《なみ》も高《たか》かりけり。船《ふね》は揺《ゆ》り上《あ》げ揺《ゆ》りするゑ漂《ただよ》へば、扇《あふぎ》も串《くし》に定《さだ》まらずひらめいたり。沖《おき》には、平家《へいけ》、船《ふね》を一面《いちめん》に並《なら》べて見物《けんぶつ》す。陸《くが》には、源氏《げんじ》、轡《くつばみ》を並《なら》べてこれを見《み》る。いづれもいづれも、晴《は》れならずといふ事《こと》なし。

与一《よいち》、目《め》を塞《ふさ》いで、「南無八幡大菩薩《なむはちまんだいぼさつ》、別《べつ》しては我《わ》が国《くに》の神明《しんめい》、日光《につくわう》の権現《ごんげん》・宇《う》都宮《つのみや》・那須《なす》の湯泉大明神《ゆぜんだいみやうじん》、願《ねが》はくは、あの扇《あふぎ》の真《ま》ん中射《なかい》させて給《た》ばせ給《たま》へ。これを射損《いそん》ずるものならば、弓切《ゆみき》り折《を》り自害《じがい》して、人《ひと》に二度面《ふたたびおもて》を向《む》かふべからず。今一度《いまいちど》、本国《ほんごく》へ帰《かへ》さんと思《おぼ》し召《め》さば、この矢《や》はづさせ給《たま》ふな」と、心《こころ》の中《なか》に祈念《きねん》して、目《め》を見開《みひら》いたれば、風《かぜ》も少《すこ》し吹《ふ》き弱《よわ》つて、扇《あふぎ》も射《い》よげにこそなりたりけれ。

与一《よいち》鏑《かぶら》を取《と》つてつがひ、よつ引《ぴ》いてひやうと放《はな》つ。小兵《こひやう》といふ条《でう》、十二束三伏《じふにそくみつぶせ》、弓《ゆみ》は強《つよ》し、鏑《かぶら》は浦響《うらひび》くほどに長鳴《ながな》りして、あやまたず扇《あふぎ》の要際一寸《かなめぎはいつすん》ばかりおいて、ひいふつとぞ射切《いき》つたる。鏑《かぶら》は海《うみ》に入《い》りければ、扇《あふぎ》は空《そら》へぞ揚《あ》がりける。春風《はるかぜ》に一《ひと》揉《も》み二揉《ふたも》みもまれて、海《うみ》へさつとぞ散《ち》つたりける。皆紅《みなぐれなゐ》の扇《あふぎ》の、夕日《せきじつ》の輝《かがや》くに、白波《しらなみ》の上《うへ》に漂《ただよ》ひ、浮《う》きぬ沈《しづ》みぬ揺《ゆ》られけるを、沖《おき》には、平家舷《へいけふなばた》を叩《たた》いて感《かん》じたり、陸《くが》には、源氏箙《げんじえびら》を叩《たた》いてどよめきけり。

✤血なまぐさい戦場が、いっとき、スタジアムに変貌《へんぼう》した感がある。源平両軍の注視するなかで、神に祈りながら矢を射る与一は、スポーツ選手そのものだ。扇までの射程は、別の説によれば、二十～二十五メートルとなり、現実的だ。

ここでも義経は短気ぶりを発揮するが、実直で実力ある関東武士、与一の好感度は高い。戦場で宮廷女房を出しに使う平家には、やはり扇と同じ運命が待ち受けている。

弓流し〈ゆみながし〉

与一《よいち》の美技《びぎ》に酔《よ》った平家《へいけ》の武士《ぶし》が、扇《おうぎ》を立《た》てた場所《ばしょ》で長刀《なぎなた》を手《て》に舞《ま》いだした。与一《よいち》は、君命《くんめい》と言《い》われて、この武士《ぶし》をも、ただの一矢《いっし》で船底《ふなぞこ》に射倒《いたお》した。両軍《りようぐん》から、賛嘆《さんたん》と慨嘆《がいたん》の入《い》り交《ま》じる声《こえ》があがった。

これに憤激《ふんげき》して、平家《へいけ》の悪七兵衛景清《あくしちびようえかげきよ》らが渚《なぎさ》に上《あ》がり、源氏《げんじ》に挑戦《ちようせん》した。景清《かげきよ》の猛勇《もうゆう》に勢《いきお》いづいた平家軍《へいけぐん》と義経隊《よしつねたい》とが激突《げきとつ》し、逃《に》げる平家《へいけ》を追《お》って、海中《かいちゆう》に馬《うま》を乗《の》り入《い》れた。義経《よしつね》は、深追《ふかお》いして、敵《てき》の熊手《くまで》で弓《ゆみ》を引《ひ》っかけられ、海《うみ》に流《なが》してしまった。部下《ぶか》の注意《ちゆうい》にもかかわらず、義経《よしつね》は必死《ひつし》でその弓《ゆみ》を取《と》り戻《もど》した。義経《よしつね》は、部下《ぶか》に、ひよわい弓《ゆみ》を敵《てき》に嘲笑《ちようしよう》されるのが悔《くや》しいのだ、と弁解《べんかい》した。

夜《よる》になり、平家《へいけ》は海《うみ》で、源氏《げんじ》は陸《りく》で休息《きゆうそく》した。義経隊《よしつねたい》はこの三日間《みつかかん》、不眠不休《ふみんふきゆう》だったから、疲労困憊《ひろうこんぱい》して、泥《どろ》のように眠《ねむ》った。ただ義経《よしつね》と伊勢義盛《いせのよしもり》の二人《ふたり》だけは、敵襲《てきしゆう》に備《そな》えて目《め》を光《ひか》らせていた。

しかし、非運《ひうん》にも平家《へいけ》は、この夜襲《やしゆう》の好機《こうき》を逃《のが》してしまった。

志度合戦〈しどかっせん〉

夜《よ》が明《あ》けて、平家《へいけ》は屋島《やしま》から志度《しど》（香川県大川郡《かがわけんおおかわぐん》）に移動《いどう》した。すぐさま義経《よしつね》は追撃《ついげき》を開始《かいし》、またも平家《へいけ》は船上《せんじょう》の旅人《たびびと》となった。四国《しこく》から追《お》われ、九州《きゅうしゅう》にも戻《もど》れず、風《かぜ》にまかせ、波《なみ》に揺《ゆ》られてさすらう平家《へいけ》一門《いちもん》は、中有《ちゅうう》をさまよう亡者《もうじゃ》のようであった。

義経《よしつね》の指令《しれい》によって、伊勢義盛《いせのよしもり》は、平家《へいけ》の重臣阿《じゅうしんあ》波重能《わのしげよし》の子《こ》、田内左衛門教能《でんないざえもんのりよし》の陣《じん》に出向《でむ》き、巧妙《こうみょう》な偽情報《にせじょうほう》によって、教能《のりよし》を無条件降伏《むじょうけんこうふく》させ捕虜《ほりょ》とし、しかも彼《かれ》の部下《ぶか》三千騎《さんぜんき》はそっくり義経《よしつね》の配下《はいか》になった。こうして、四国《しこく》は義経《よしつね》によって平定《へいてい》された。

そのころになって、梶原景時《かじわらのかげとき》が二百余《にひゃくよ》艘《そう》の軍船《ぐんせん》を率《ひき》いて屋島《やしま》に到着《とうちゃく》し、義経隊《よしつねたい》に時機《じき》遅《おく》れを皮肉《ひにく》られた。

住吉神社《すみよしじんじゃ》（大阪市《おおさかし》）の神殿《しんでん》から西方《せいほう》へ矢《や》が飛《と》んだという瑞兆《ずいちょう》に、後白河法皇《ごしらかわほうおう》は朝敵《ちょうてき》（平家《へいけ》）滅亡《めつぼう》を予《よ》感《かん》して、大《おお》いに感動《かんどう》した。

壇の浦合戦〈だんのうらかっせん〉

さて、義経《よしつね》軍は周防《すおう》（山口県《やまぐちけん》）に進出《しんしゅつ》し、兄《あに》の範頼軍《のりよりぐん》と合流《ごうりゅう》した。一方《いっぽう》、平家《へいけ》軍《ぐん》は長門《ながと》の引島《ひくしま》（彦島《ひこしま》。下関市《しものせきし》）に移動《いどう》したが、これを受《う》けて、源《げん》氏軍《じぐん》も同国《どうこく》の追津《おいつ》（下関市《しものせきし》）に転進《てんしん》した。追《お》う源氏《げんじ》に引《ひ》く平家《へいけ》という戦況《せんきょう》を、そのまま映《うつ》したような地名《ちめい》に奇縁《きえん》があった。

熊野《くまの》の湛増《たんぞう》は、源平《げんぺい》どちらの配下《はいか》になるか、白《しろ》い鶏《にわとり》と赤《あか》い鶏《にわとり》との闘鶏《とうけい》で占《うらな》った結果《けっか》、白《しろ》い方《ほう》が全勝《ぜんしょう》したので、源氏《げんじ》に帰属《きぞく》することにした。また、四国《しこく》の河野通信《かわののみちのぶ》も源氏《げんじ》に帰順《きじゅん》し、湛増《たんぞう》と通信《みちのぶ》の両水軍《りょうすいぐん》は、源氏《げんじ》軍《ぐん》の弱点《じゃくてん》だった海戦能力《かいせんのうりょく》を飛躍的《ひやくてき》に高《たか》めた。この結果《けっか》、源平《げんぺい》の海軍力《かいぐんりょく》は、源氏《げんじ》三千余《さんぜんよ》艘《そう》に対《たい》して平家《へいけ》千余《せんよ》艘《そう》となった。

一一八五（元暦二《げんりやくに》）年三月二十四日《ねんさんがつにじゅうよっか》午前六時《ごぜんろくじ》ごろ、田《た》の浦《うら》・門司《もじ》の関《せき》（北九州市《きたきゅうしゅうし》）と壇《だん》の浦《うら》・赤間《あかま》の関《せき》（下関市《しものせきし》）で、源平両軍《げんぺいりょうぐん》が開戦宣告《かいせんせんこく》の矢合《やあ》わせをすることになった。

その日《ひ》、源氏軍《げんじぐん》では義経《よしつね》と景時《かげとき》が先陣《せんじん》をめぐって激《はげ》しく対立《たいりつ》した。

◆手柄《てがら》を競《きそ》い合《あ》う主従《しゅじゅう》の確執《かくしつ》——義経《よしつね》と景時《かげとき》

その日《ひ》、義経《よしつね》と梶原景時《かじわらのかげとき》とは、もう少《すこ》しで同士討《どうしう》ちするところだった。事《こと》の起《お》こりは先陣争《せんじんあらそ》いである。作戦会議《さくせんかいぎ》の席上《せきじょう》で、景時《かげとき》がこう要求《ようきゅう》した。

「本日《ほんじつ》の先鋒《せんぽう》にはこの景時《かげとき》を任命《にんめい》していただきたい」

すると、義経《よしつね》が制《せい》した。

「この義経《よしつね》がいなければな」

そのひと言《こと》を聞《き》いた景時《かげとき》は、語気《ごき》を強《つよ》めて切《き》り返《かえ》した。

「とんでもないことです。殿《との》は軍司令官《ぐんしれいかん》の立場《たちば》にあるんですぞ」

義経《よしつね》は平然《へいぜん》と答《こた》えた。

「これは意外《いがい》。軍司令官《ぐんしれいかん》は鎌倉殿《かまくらどの》（頼朝《よりとも》）だ。義経《よしつね》は一指揮官《いちしきかん》の身《み》だから、あなた方《がた》と同列《どうれつ》なんだよ」

こう決《き》めつけられると、景時《かげとき》はそれ以上要求《いじようようきゆう》しかねて、

「生《う》まれつき、この殿《との》は主君《しゆくん》にはなれない方《かた》なんだ」とつぶやいた。それを聞《き》きとがめた義経《よしつね》は、

「おぬしは日本一《にっぽんいち》の大《おお》ばか者《もの》だ！」

と叫《さけ》ぶや、太刀《たち》の柄《つか》に手《て》をかけた。景時《かげとき》のほうも、

「これはなんと。自分《じぶん》も鎌倉殿以外《かまくらどのいがい》に主君《しゆくん》を持《も》たぬと言《い》ったまでよ」

と居直《いなお》り、同《おな》じく太刀《たち》の柄《つか》に手《て》をかけた。

すると、父景時《ちちかげとき》の気配《けはい》を見《み》て、長男景季《ちようなんかげすえ》・次男景高《じなんかげたか》・三男景家《さんなんかげいえ》と部下《ぶか》たち十四《じゆうし》、五人《ごにん》が、太刀《たち》・刀《かたな》の鞘《さや》を払《はら》い、景時《かげとき》をかばって一所《ひとところ》に固《かた》まった。

一方《いっぽう》、義経《よしつね》の剣幕《けんまく》を見《み》て、伊勢義盛《いせのよしもり》・佐藤忠信《さとうただのぶ》・江田源三《えだのげんぞう》・熊井太郎《くまいたろう》・武蔵坊弁慶《むさしぼうべんけい》など歴戦《れきせん》の勇士《ゆうし》たちは、景時一派《かげときいっぱ》を取《と》り囲《かこ》み、主君《しゆくん》の敵《てき》は自分《じぶん》が討《う》つといった顔《かお》つきでつめよった。

しかし、義経《よしつね》には三浦義澄《みうらのよしずみ》が、景時《かげとき》には土肥実平《といのさねひら》が取《と》りついて、二人《ふたり》とも手《て》を合《あ》わせて嘆願《たんがん》した。

「これほど大事《だいじ》な作戦《さくせん》を前《まえ》にして、同士討《どうしう》ちすれば、平家《へいけ》を勢《いきお》いづかせるだけです。しかも、鎌倉殿《かまくらどの》の耳《みみ》に入《はい》ったら、ただでは済《す》みません」と説得《せっとく》したので、義経《よしつね》は怒《いか》りをおさめた。景時《かげとき》も手《て》を引《ひ》いた。

この事件以来《じけんいらい》、景時《かげとき》は義経《よしつね》を憎《にく》んで、頼朝《よりとも》に中傷《ちゅうしょう》したために、義経《よしつね》は命《いのち》を失《うしな》う結果《けっか》になったのだと、のちに語《かた》り伝《つた》えられた。

❖その日《ひ》、判官《はうぐわん》と梶原《かぢはら》と、既《すで》に同士軍《どしいくさ》せんとす。梶原進《かぢはらすす》み出《い》でて、「今日《けふ》の先陣《せんぢん》をば、景時《かげとき》に賜《た》び候《さうら》へかし」。判官《はうぐわん》、「義経《よしつね》がなくばこそ」と宣《のたま》へば、梶原《かぢはら》、「まさなう候《さうらふ》。殿《との》は大将軍《たいしやうぐん》にてましまし候《さうら》ふものを」と申《まう》しければ、判官《はうぐわん》、「それ思《おも》ひも寄《よ》らず。鎌倉殿《かまくらどの》こそ大将軍《たいしやうぐん》よ。義経《よしつね》は軍奉行《いくさぶぎやう》を承《うけたまは》つたる身《み》なれば、ただわ殿《との》ばらと同《おな》じ事《こと》よ」とぞ宣《のたま》ひける。

梶原《かぢはら》、先陣《せんぢん》を所望《しよまう》しかねて、「天性《てんせい》この殿《との》は、侍《さぶらひ》の主《しゆ》にはなり難《がた》し」とぞつぶやきける。判官《はうぐわん》、「わ殿《との》は日本一《にっぽんいち》の嗚呼《をこ》の者《もの》かな」とて、太刀《たち》の柄《つか》に手《て》をかけ給《たま》へば、梶原《かぢはら》、「こはいかに、鎌倉殿《かまくらどの》より外《ほか》、別《べち》に主《しゆ》をば持《も》ち奉《たてまつ》らぬものを」とて、これも同《おな》じう太刀《たち》の柄《つか》に手《て》をぞかけける。

父《ちち》が気色《けしき》を見《み》て、嫡子《ちやくし》の源太景季《げんだかげすゑ》・次男平次景高《じなんへいじかげたか》・同《おな》じき三郎景家《さぶらうかげいへ》、親子主従《おやこしゆじゆう》十四《じふし》、五人《ごにん》、打《う》ち物《もの》の鞘《さや》をはづして、父《ちち》と一所《いつしよ》に寄《よ》り合《あ》うたり。判官《はうぐわん》の気色《けしき》を見《み》奉《たてまつ》つて、伊勢三郎義盛《いせのさぶらうよしもり》・奥州《あうしう》の佐藤四郎兵衛忠信《さとうしらうひやうゑただのぶ》・江田源三《えだのげんざう》・熊井太郎《くまゐたらう》・武蔵坊《むさしばう》弁慶《べんけい》などいふ一人当千《いちにんたうぜん》の兵《つはもの》ども、梶原《かぢはら》を中《なか》にとり籠《こ》めて、我討《われう》つ取《と》らんとぞ進《すす》みける。

されども、判官《はうぐわん》には三浦介《みうらのすけ》とり付《つ》き奉《たてまつ》り、梶原《かぢはら》には土肥次郎《とひのじらう》摑《つか》み付《つ》いて、両人手《りやうにんて》を摩《す》つて申《まう》しけるは、「これほどの御大事《おんだいじ》を前《まへ》に抱《かか》へながら、同士軍《どしいくさ》し給《たま》ひなば、平家《へいけ》に勢付《せいつ》き候《さうら》ひなんず。かつうは鎌倉殿《かまくらどの》のかへり聞《き》こし召《め》されんずる処《ところ》も、穏便《をんびん》ならず」と申《まう》しければ、判官鎮《はうぐわんしづ》まり給《たま》ひぬ。梶原進《かぢはらすす》むに及《およ》ばず。それよりして、梶原《かぢはら》、判官《はうぐわん》を憎《にく》み初《そ》め奉《たてまつ》りて、讒言《ざんげん》して終《つひ》に失《うしな》ひ 奉《たてまつ》つたりとぞ、後《のち》には聞《き》こえし。

✤会社の重役に、この義経タイプがいたらどうだろう。インパクトの強い個性派だが、賛否両論になるだろう。それに景時のタイプも必ずいる。

景時の独り言には毒がある。主君になる器ではないとこき下ろしながら、義経が怒ると、義経の言う通り、自分の主君は鎌倉殿一人で義経ではないと言ったまで、と居直るのだ。逆櫓《さかろ》論争以来、二人の対立は表面化している。遺恨は消えず、景時の中傷で義経は非業《ひごう》の死を遂げるが、景時もまた自らの中傷癖がたたり、のちに落命する。

いよいよ源平両軍《げんぺいりょうぐん》が対陣《たいじん》した。両軍《りょうぐん》の間隔《かんかく》は海上約三《かいじょうやくさん》キロ余《あま》りである。源氏《げんじ》軍《ぐん》は潮流《ちょうりゅう》に逆《さか》らって進《すす》むため、押《お》し返《かえ》された。一方《いっぽう》、平家《へいけ》軍《ぐん》は潮流《ちょうりゅう》に乗《の》って進《すす》んだ。この日《ひ》、景時《かげとき》の一族《いちぞく》は敵船《てきせん》に乗《の》り移《うつ》って大活躍《だいかつやく》し、最高殊勲者《さいこうしゅくんしゃ》として記《き》録《ろく》された。

✲源平の最終決戦は、狭い関門海峡で行われた。潮流が速く、しかも潮の干満によって流れが逆転するので、その時刻を計算した作戦が要求された。潮流は、合戦の前半は平家に、後半は源氏に有利だったという。

遠矢〈とおや〉

源平両軍《げんぺいりょうぐん》が対陣《たいじん》して、天地《てんち》の果《は》てまで轟《とどろ》くような鬨《とき》の声《こえ》をあげた。平家《へいけ》の軍司令官《ぐんしれいかん》知盛《とももり》は、船《ふね》の屋《や》形《かた》に立《た》ちはだかり、大音声《だいおんじょう》で将兵《しょうへい》を激励《げきれい》した。武将達《ぶしょうたち》も闘志満々《とうしまんまん》、色白《いろじろ》で背《せ》が低《ひく》く反《そ》っ歯《ぱ》の義経《よしつね》を自《じ》分《ぶん》が討《う》ち取《と》るぞ、と敵意《てきい》を燃《も》やした。

よく訓練《くんれん》された平家《へいけ》の水軍《すいぐん》は、一糸《いっし》乱《みだ》れぬ攻撃《こうげき》で源氏《げんじ》の水軍《すいぐん》をさんざん悩《なや》ました。軍船《ぐんせん》の数《かず》は源氏《げんじ》がまさったが、勝負《しょうぶ》は平家《へいけ》が圧倒《あっとう》的《てき》な強《つよ》さを見《み》せた。

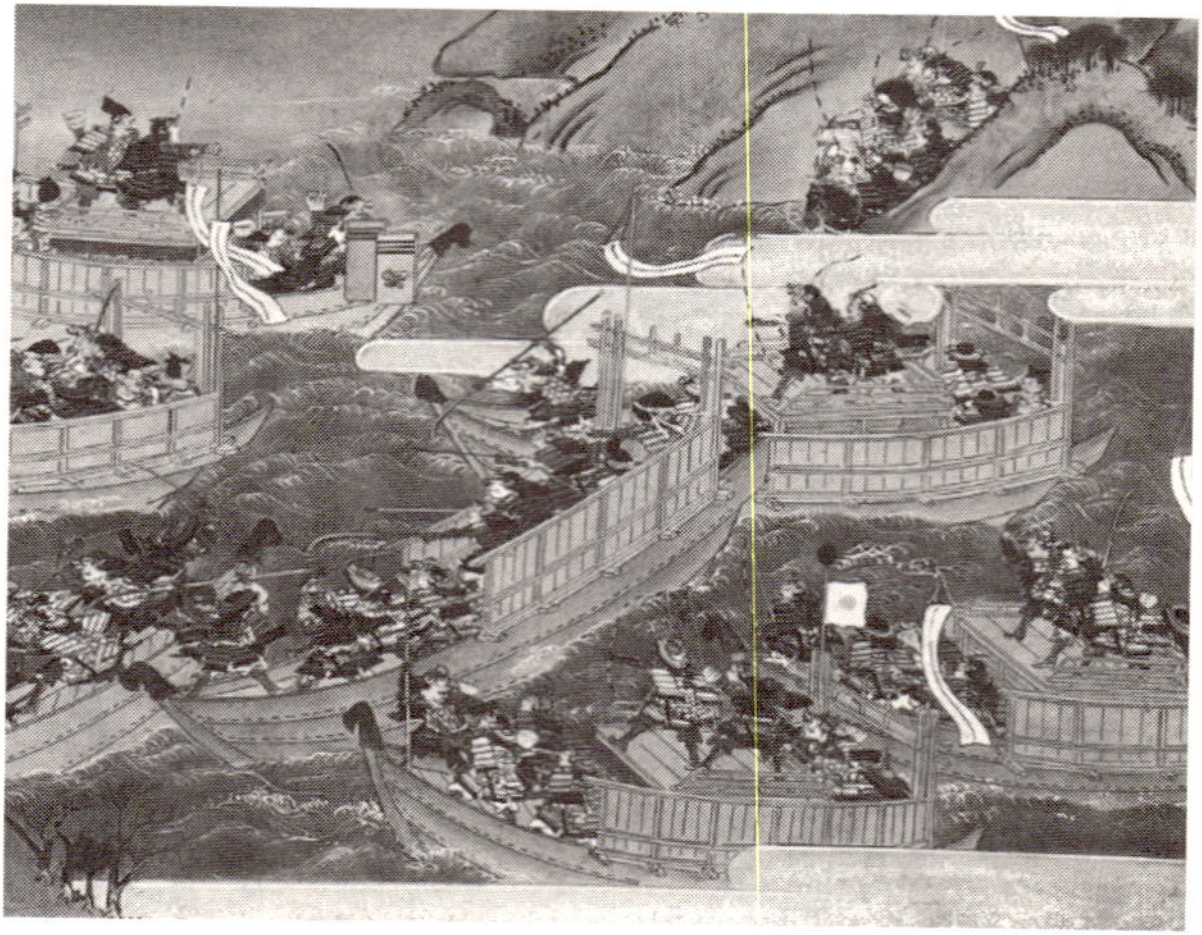

源平両軍《げんぺいりょうぐん》で、矢《や》を飛《と》ばす距離《きょり》を競《きそ》う遠矢《とおや》の応酬《おうしゅう》があった。その後《ご》、激闘《げきとう》が続《つづ》いた。

＝先帝御入水〈せんていごじゅすい〉＝

さらに、空《そら》から白旗《しろはた》が舞《ま》い降《お》りる奇瑞《きずい》や海豚《いるか》の大群《たいぐん》の行動《こうどう》から、源氏《げんじ》の大勝利《だいしょうり》が予告《よこく》された。

重臣阿波重能《じゅうしんあわのしげよし》が突然変心《とつぜんへんしん》して源《げん》氏《じ》に走《はし》った。以前《いぜん》から重能《しげよし》の変心《へんしん》を見抜《みぬ》いていた知盛《とももり》は大《おお》いに悔《くや》しがった。

四国《しこく》・九州《きゅうしゅう》の武将《ぶしょう》も次々《つぎつぎ》と平家《へいけ》

〈壇の浦の船合戦『平家物語絵巻』〉

に背《そむ》きはじめた。時《とき》が経《た》つにつれて、平家《へいけ》の敗色《はいしょく》は濃厚《のうこう》になっていった。

やがて、平家《へいけ》の軍船《ぐんせん》が、次々《つぎつぎ》と源氏《げんじ》の手中《しゅちゅう》に落《お》ちていった。

◈八歳《はっさい》の天皇《てんのう》、祖母《そぼ》に抱《いだ》かれ海底《かいてい》の都《みやこ》へ

さて、源氏軍《げんじぐん》が、平家《へいけ》の船《ふね》に次々《つぎつぎ》と乗《の》り移《うつ》り、平家側《へいけがわ》の乗組員《のりくみいん》たちが射殺《しゃさつ》・斬殺《ざんさつ》されたために、船《ふね》は航行不能《こうこうふのう》に陥《おちい》って迷走《めいそう》し、平家《へいけ》の男女《だんじょ》は船底《ふなぞこ》に倒《たお》れ伏《ふ》すしかなかった。

平家全軍《へいけぜんぐん》の総指揮官知盛《そうしきかんとももり》は小船《こぶね》に乗《の》って、急《いそ》ぎ天皇《てんのう》のお召《め》し船《ぶね》に向《む》かい、「もはやこれまでと思《おも》われます。見苦《みぐる》しい物《もの》はみな、海中《かいちゅう》に投棄《とうき》して、船《ふね》の掃除《そうじ》をしてください」と指示《しじ》し、掃《は》いたり、拭《ふ》いたり、塵《ちり》を拾《ひろ》ったり、船首《せんしゅ》・船尾《せんび》を走《はし》りまわって、自分自身《じぶんじしん》で掃除《そうじ》をした。女房《にょうぼう》たちが、

「おやまあ、知盛殿《とももりどの》、戦況《せんきょう》はいかがですか」と尋《たず》ねると、

「じき、皆《みな》さんは見《み》たこともない関東男《かんとうおとこ》（坂東武者《ばんどうむしゃ》）を御覧《ごらん》になるはずで

すよ」と言《い》って、からからと笑《わら》った。

恐怖《きようふ》のあまり、女房《にようぼう》たちは、「今《いま》の冗談《じようだん》はどういうおつもりか」と、口々《くちぐち》に大声《おおごえ》でわめき叫《さけ》んだ。

二位殿《にいどの》（清盛《きよもり》の妻《つま》）は、日《ひ》ごろから覚悟《かくご》していたことなので、喪服用《もふくよう》の灰色《はいいろ》の二枚重《にまいがさ》ねの衣《ころも》を頭《あたま》にかぶり、練《ね》り絹《ぎぬ》の袴《はかま》の股立《ももだち》を高《たか》くとって、八尺《やさか》瓊勾玉《にのまがたま》の小箱《こばこ》を脇《わき》に抱《かか》え、宝剣《ほうけん》を腰《こし》に差《さ》し、天皇《てんのう》を抱《だ》いて、「私《わたくし》は女《おんな》であるけれども、敵《てき》の手《て》にはかかりませんぞ。陛下《へいか》のお供《とも》をいたします。忠誠《ちゆうせい》を尽《つ》くそうと思《おも》う方々《かたがた》は、急《いそ》いで後《あと》に続《つづ》きなさい」と言《い》って、船《ふな》ばたにしずしずと歩《あゆ》み出《で》た。

安徳天皇《あんとくてんのう》は、今年八歳《ことしはつさい》になるが、年齢《ねんれい》よりも大人《おとな》びて、端麗《たんれい》な容貌《ようぼう》はあたりも照《て》り輝《かがや》くほどであった。豊《ゆた》かな黒髪《くろかみ》は背中《せなか》まで垂《た》れていた。天皇《てんのう》は、見《み》るもいたわしい様子《ようす》で、

「いったい、尼《あま》ぜ（二位殿《にいどの》）、私《わたくし》をどこへ連《つ》れて行《い》くのか」と尋《たず》ねた。

二位殿《にいどの》は、幼君《ようくん》に向《む》かい、涙《なみだ》をはらはらと流《なが》して、

「君《きみ》はいまだ御存《ごぞん》じありませんか。前世《ぜんせ》のよい行《おこな》いによって、この世《よ》で君《きみ》は帝《みかど》にお生《う》まれになりましたが、悪縁《あくえん》のために御運《ごうん》がお尽《つ》きになりました。まず、東《ひがし》に向《む》かって伊勢大神宮《いせだいじんぐう》（皇室《こうしつ》の祖先神《そせんしん》）にお別《わか》れなさいませ。それから、西《にし》に向《む》かって浄土《じょうど》にお迎《むか》えいただけるようお念仏《ねんぶつ》をなさいませ。この国《くに》はいとわしい辺地《へんち》の小国《しょうこく》です。あの波《なみ》の下《した》には、極楽浄土《ごくらくじょうど》というすばらしい都《みやこ》がございます。そこへお連《つ》れいたしますぞ」

と、心《こころ》こまやかに慰《なぐさ》めると、山鳩色《やまばといろ》（青黄色《あおきいろ》）の衣《ころも》をつけ、髪《かみ》をみずらに結《ゆ》い上《あ》げて、顔《かお》を涙《なみだ》でいっぱいにしながら、小《ちい》さなかわいい手《て》を合《あ》わせ、まず東《ひがし》に向《む》かって伊勢大神宮《いせだいじんぐう》・正八幡宮《しょうはちまんぐう》にお別《わか》れし、それから西《にし》に向《む》かってお念仏《ねんぶつ》を唱《とな》えたので、二位殿《にいどの》は、すばやく天皇《てんのう》を抱《だ》きかかえると、

「波《なみ》の下《した》にも都《みやこ》がございますぞ」と慰《なぐさ》めながら、海底深《かいていふか》く沈《しず》んで行《い》った。

（こうして、まだ八歳《はっさい》の幼帝《ようてい》、安徳天皇《あんとくてんのう》は海底《かいてい》の水屑《みくず》となってしまった。）

〈みずら〉

❖さるほどに、源氏《げんじ》の兵《つはもの》ども、平家《へいけ》の船《ふね》に乗《の》り移《うつ》りければ、水手楫取《すいしゆかんどり》ども、或《ある》いは射殺《いころ》され、或《ある》いは斬《き》り殺《ころ》されて、船《ふね》を直《なほ》すに及《およ》ばず、船底《ふなぞこ》に皆倒《みなたふ》れ伏《ふ》しにけり。新中納言知盛《しんぢゆうなごんとももり》の卿《きやう》、小船《こぶね》に乗《の》つて、急《いそ》ぎ御所《ごしよ》の御船《おんふね》へ参《まゐ》らせ給《たま》ひて、「世《よ》の中《なか》は今《いま》はかうと覚《おぼ》え候《さうらふ》。見苦《みぐる》しきものどもをば、皆海《みなうみ》へ入《い》れて、船《ふね》の掃除《さうぢ》召《め》され候《さうら》へ」とて、掃《は》いたり、拭《のご》うたり、塵拾《ちりひろ》ひ、艫舳《ともへ》に走《はし》り廻《まは》つて、手《て》づから掃除《さうぢ》し給《たま》ひけり。女房《にようばう》たち、「やや、中納言殿《ちゆうなごんどの》、軍《いくさ》の様《やう》はいかにやいかに」と問《と》ひ給《たま》へば、「ただ今《いま》、珍《めづら》しき東男《あづまをとこ》をこそ、御覧《ごらん》ぜられ候《さうら》はんずらめ」とて、からからと笑《わら》はれければ、「何《なん》でふただ今《いま》の戯《たはぶ》れぞや」とて、声々《こゑごゑ》に喚《をめ》き叫《さけ》び給《たま》ひけり。

二位殿《にゐどの》は、日《ひ》ごろより思《おも》ひ設《まう》け給《たま》へる事《こと》なれば、鈍色《にぶいろ》の二《ふた》つ衣《ぎぬ》うち被《かづ》き、練袴《ねりばかま》の傍高《そばたか》く取《と》り、神璽《しんし》を脇《わき》に挟《はさ》み、宝剣《ほうけん》を腰《こし》にさし、主上《しゆしやう》を抱《いだ》き参《まゐ》らせて、「われは、女《をうな》なりとも、敵《かたき》の手《て》にはかかるまじ。主上《しゆしやう》の御供《おんとも》に参《まゐ》るなり。御志《おんこころざし》思《おも》ひ給《たま》はん人々《ひとびと》は、急《いそ》ぎ続《つづ》き給《たま》へや」とて、静々《しづしづ》と舷《ふなばた》へぞ歩《あゆ》み出《い》でられける。

主上《しゆしやう》、今年《ことし》は八歳《はつさい》にぞならせおはしませども、御年《おんとし》のほどより、はるかにねびさせ給《たま》ひて、御形《おんかたち》いつくしう、傍《あたり》も照《て》り輝《かかや》くばかりなり。御髪《おんかみくろ》黒うゆらゆらと、御背《おんせ》中過《なかす》ぎさせ給《たま》ひけり。主上《しゆしやう》、あはれなる御有様《おんありさま》にて、「そもそも尼前《あまぜ》、われをばいづちへ具《ぐ》して行《ゆ》かんとはするぞ」と仰《おほ》せければ、二位殿《にゐどの》、幼《いとけな》き君《きみ》に向《む》かひ参《まゐ》らせ、涙《なみだ》をはらはらと流《なが》いて、「君《きみ》はいまだ知《し》ろし召《め》され候《さぶら》はずや。先世《ぜんぜ》の十善戒行《じふぜんかいぎやう》の御《おん》力《ちから》によつて、今万乗《いまばんじよう》の主《あるじ》とは生《う》まれさせ給《たま》へども、悪縁《あくえん》に引《ひ》かれて、御運既《ごうんすで》に尽《つ》きさせ給《たま》ひ候《さぶら》ひぬ。先《ま》づ東《ひんがし》に向《む》かはせ給《たま》ひて、伊勢大神宮《いせだいじんぐう》に御暇申《おんいとまう》させおはしまし、その後《のち》、西《にし》に向《む》かはせ給《たま》ひて、西方浄土《さいはうじやうど》の来迎《らいかう》に与《あづ》からんと誓《ちか》はせおはしまして、御念仏候《おんねんぶつさぶら》ふべし。この国《くに》は粟散辺土《そくさんへんど》と申《まう》して、もの憂《う》き境《さかひ》にて候《さぶらふ》。あの波《なみ》の下《した》にこそ、極楽浄土《ごくらくじやうど》とてめでたき都《みやこ》の候《さぶらふ》。それへ具《ぐ》し参《まゐ》らせ候《さぶら》ふぞ」と、様々《さまざま》に慰《なぐさ》め参《まゐ》らせしかば、山鳩色《やまばといろ》の御衣《ぎよい》に鬢《びんづら》結《ゆ》はせ給《たま》ひて、御涙《おんなみだ》におぼれ、小《ちひ》さう美《うつく》しき御手《おんて》を合《あ》はせ、先《ま》づ東《ひんがし》に向《む》かはせ給《たま》ひて、伊勢大神宮《いせだいじんぐう》・正八幡宮《しやうはちまんぐう》に、御暇申《おんいとまう》させおはしまし、その後西《のちにし》に向《む》かはせ給《たま》ひて、御念仏《おんねんぶつ》ありしかば、二位殿《にゐどの》、やがて抱《いだ》き参《まゐ》らせて、「波《なみ》の底《そこ》にも都《みやこ》の候《さぶらふ》ぞ」と慰《なぐさ》め参《まゐ》らせて、千尋《ちひろ》の底《そこ》にぞ沈《しづ》み給《たま》ふ。

✲一門の最期を知った知将知盛は、死に化粧よろしく全軍に清掃を指示した。いかにも彼の性格が出ている。泣き騒ぐだけの女房たちには、今に坂東武者がお相手してくれると、ブラックユーモアを投げつけた。

さて、二位殿の執念はすさまじい。皇室と平家とには君臣の壁があり、幼い天皇を道連れにするとは、分を越えた横暴である。彼女には天皇ではなく、ただの孫でしかなかったのだろうか。それとも、霊界で平家の再興をはかる気だとしたら、夫の清盛以上に恐《こわ》い女性である。そういえば、死の床にある清盛に、遺言を求めたのは彼女だった。平家の運命を主導したのは清盛ではなく、彼女だともいえそうだ。

能登殿最期〈のとどのさいご〉

安徳天皇《あんとくてんのう》の母《はは》、建礼門院《けんれいもんいん》（清盛《きよもり》の娘《むすめ》）もあとを追《お》って入水《じゆすい》したが、源氏《げんじ》の武士《ぶし》に髪《かみ》を熊手《くまで》に引《ひ》っかけられ、救助《きゆうしゆつ》された。

さらに、教盛《のりもり》・経盛兄弟《つねもりきようだい》、資盛《すけもり》・有盛兄弟《ありもりきようだい》など、平家《へいけ》一門《いちもん》の幹部《かんぶ》たちが、手《て》に手《て》を組《く》んで次々《つぎつぎ》と海中《かいちゆう》に身《み》を投《とう》じた。

だが、宗盛《むねもり》・清宗父子《きよむねふし》だけは覚悟《かくご》ができず、ためらっていたので、宗盛《むねもり》は家臣《かしん》に海《うみ》へ突《つ》き落《お》とされた。それでも死《し》にきれず、父子《ふし》ともに敵軍《てきぐん》に救助《きゆうじよ》され捕虜《ほりよ》となった。

能登守教経《のとのかみのりつね》（清盛《きよもり》弟《おとうと》の教盛《のりもり》の次男《じなん》）は、今日《きょう》を最後《さいご》と大奮戦《だいふんせん》した。船《ふね》から船《ふね》へと乗《の》り移《うつ》り、ようやく義経《よしつね》を発見《はっけん》したが、義経《よしつね》は対戦《たいせん》を避《さ》けて、およそ六《ろく》メートルも離《はな》れていた源氏《げんじ》の軍船《ぐんせん》に飛《と》び移《うつ》った（義経《よしつね》の八艘飛《はっそうと》び）。

教経《のりつね》は観念《かんねん》して、武器《ぶき》を海《うみ》に投《とう》じ、大手《おおで》を広《ひろ》げて立《た》ちはだかり、大音声《だいおんじょう》で名乗《なの》りをあげた。そこへ、大力《だいりき》の安芸太郎《あきのたろう》・次郎《じろう》兄弟《きょうだい》が組《く》みついたが、教経《のりつね》は兄弟《きょうだい》を両脇《りょうわき》に抱《かか》え込《こ》んだまま、わが冥土《めいど》の旅《たび》の供《とも》をせよと叫《さけ》んで、海《うみ》に飛《と》び込《こ》んだ。

◆猛将教経《もうしょうのりつね》と知将知盛《ちしょうとももり》、壮絶《そうぜつ》な戦死《せんし》を遂《と》げる

さて、土佐《とさ》の国《くに》（高知県《こうちけん》）の武士《ぶし》で、安芸郷《あきごう》を治《おさ》める安芸《あき》の大領《だいりょう》（郡《ぐん》の長官《ちょうかん》）実康《さねやす》の子《こ》に、安芸《あき》の太郎実光《たろうさねみつ》という者《もの》がいた。彼《かれ》は、三十人力《さんじゅうにんりき》の豪傑《ごうけつ》で、自分《じぶん》に劣《おと》らぬ大力《だいりき》の家来《けらい》（郎党《ろうどう》）を一人《ひとり》連《つ》れていた。弟《おとうと》の次郎《じろう》も人並《ひとな》みすぐれた猛者《もさ》である。

この三人《さんにん》が一丸《いちがん》となって、「たとい能登殿《のとどの》（教経《のりつね》。清盛《きよもり》の甥《おい》）がいかに豪《ごう》胆《たん》であろうとも、どれほどのことがあろうや。身《み》のたけ三十《さんじゅう》メートル（十《じゅう》丈《じょう》）の鬼《おに》であろうと、我《われ》ら三人《さんにん》が組《く》みついたならば、絶対《ぜったい》にねじふせることができる」とわめいて、三人《さんにん》は小船《こぶね》に乗《の》り、能登殿《のとどの》の船《ふね》に自分《じぶん》の船《ふね》を押《お》し並《なら》べて、乗《の》り移《うつ》ると、太刀《たち》の切《き》っ先《さき》をそろえて、一斉《いっせい》に討《う》ってかかった。

だが、能登殿《のとどの》はこれを見《み》て、まっさきに進《すす》んできた安芸《あき》の太郎《たろう》の家来《けらい》を、みごとな足《あし》さばきで、どうっと海《うみ》へ蹴《け》り落《お》とした。続《つづ》いて打《う》ちかかる安芸《あき》の太郎《たろう》を左手《ひだりて》の脇《わき》に挟《はさ》みこみ、弟《おとうと》の次郎《じろう》は右手《みぎて》の脇《わき》に挟《はさ》みこんで、ぐいっとひと締《し》め締《し》め上《あ》げると、「さあ、貴様《きさま》たち、それじゃあ、死出《しで》の山《やま》の供《とも》をしろ」と叫《さけ》ぶや、生年二《しょうねんに》十六歳《じゅうろくさい》の能登殿《のとどの》は、さっと海《うみ》へ飛《と》び込《こ》んだ。

新中納言知盛《しんちゅうなごんとももり》（清盛四男《きよもりよんなん》）は、「平家一門《へいけいちもん》の最期《さいご》など、見届《みとど》けねばならぬことは見届《みとど》けた。もはやこれまで、自害《じがい》しよう」と覚悟《かくご》して、乳母子《めのとご》である伊賀《いが》（三重県《みえけん》）の平内左衛門家長《へいないざえもんいえなが》を呼《よ》び寄《よ》せて、「ともに散《ち》るという約束《やくそく》は守《まも》れるだろうな」と確《たし》かめると、「言《い》うまでもないことです」と言《い》い切《き》って、家長《いえなが》は新中納言《しんちゅうなごん》に鎧二領《よろいにりょう》を着《き》せ、自分《じぶん》も鎧《よろい》を二領《にりょう》着《き》て、手《て》を組《く》んで、ともに海《うみ》に飛《と》び込《こ》んだ。

これを見《み》て、その場《ば》に居合《いあ》わせた忠義《ちゅうぎ》な侍《さむらい》たち二十余人《にじゅうよにん》も、主君《しゅくん》の死《し》に遅《おく》れまいと、次々《つぎつぎ》に海《うみ》に飛《と》び込《こ》んでいった。

だが、そのなかで、越中《えっちゅう》の次郎兵衛《じろうびょうえ》・上総《かずさ》の五郎兵衛《ごろうびょうえ》・悪七兵衛《あくしちびょうえ》・飛騨《ひだ》の四郎兵衛《しろうびょうえ》は、なぜ逃《のが》れたのだろうか、そこからも脱出《だっしゅつ》したのだった。

海上《かいじょう》には、おびただしい数《かず》の平家《へいけ》の赤旗《あかはた》や赤印《あかじるし》が、無惨《むざん》に切《き》り捨《す》てられ、投《な》げ捨《す》てられていて、まるで龍田川《たつたがわ》（奈良県《ならけん》）の紅葉葉《もみじば》を嵐《あらし》が吹《ふ》き散《ち》らしたようであった。波打《なみう》ちぎわに寄《よ》せる白波《しらなみ》も、薄紅色《うすべにいろ》に染《そ》まって見《み》えた。

主《あるじ》をなくした空船《からぶね》が潮《しお》に引《ひ》かれ、風《かぜ》のまにまに、いずこともなく揺《ゆ》られ行《い》くのは、傷《いた》ましいかぎりだった。

❖ここに、土佐国《とさのくに》の住人《ぢゆうにん》、安芸《あき》の郷《がう》を知行《ちぎやう》しける安芸大領実康《あきのだいりやうさねやす》が子《こ》に、安芸太郎《あきのたらう》実光《さねみつ》とて、凡《およ》そ二《に》、三十人《さんじふにん》が力現《ちからあらは》れたる大力《だいぢから》の剛《かう》の者《もの》、我《われ》にちつとも劣《おと》らぬ郎党一《らうだういち》人具《にんぐ》したりけり。弟《おとと》の次郎《じらう》も、普通《ふつう》には勝《すぐ》れたる兵《つはもの》なり。

彼等《かれら》三人寄《さんにんよ》り合《あ》ひて、「たとひ能登殿《のとどの》、心《こころ》こそ剛《かう》におはすとも、何《なに》ほどのことかあるべき。長十丈《たけじふぢやう》の鬼《おに》なりとも、我等三人《われらさんにん》がつかみ付《つ》いたらんに、などか従《したが》へざるべき」とて、小舟《こぶね》に乗《の》り、能登殿《のとどの》の船《ふね》に押《お》し並《なら》べて乗《の》り移《うつ》り、太刀《たち》の鋒《きつさき》を調《ととの》へて、一面《いちめん》に打《う》つてかかる。

能登殿《のとどの》、これを見給《みたま》ひて、先《ま》づ真先《まつさき》に進《すす》んだる安芸太郎《あきのたらう》が郎党《らうだう》に裾《すそ》を合《あ》はせて、海《うみ》へどうと蹴《け》入《い》れ給《たま》ふ。続《つづ》いてかかる安芸太郎《あきのたらう》をば、弓手《ゆんで》の脇《わき》にかい挟《ばさ》み、弟《おとうと》の次《じ》郎《らう》をば、馬手《めて》の脇《わき》に取《と》つて挟《はさ》み、一締《ひとし》めしめて、「いざうれ、おのれ等《ら》、死出《しで》の山《やま》の供《とも》せよ」とて、生年二十六《しやうねんにじふろく》にて、海《うみ》へつつとぞ入《い》り給《たま》ふ。

新中納言知盛《しんぢゆうなごんとももり》の卿《きやう》は、「見《み》るべきほどの事《こと》をば見《み》つ。今《いま》はただ自害《じがい》をせん」とて、乳母子《めのとご》の伊賀平内左衛門家長《いがのへいないざゑもんいへなが》を召《め》して、「日《ひ》ごろの契約《けいやく》をば違《たが》ふまじきか」と宣《のたま》へば、「さること候《さうらふ》」とて、中納言殿《ちゆうなごんどの》にも、鎧二領着《よろひにりやうき》せ奉《たてまつ》り、我《わ》が身《み》も二領着《にりやうき》て、手《て》に手《て》を取《と》り組《く》み、一所《いつしよ》に海《うみ》にぞ入《い》り給《たま》ふ。

これを見《み》て、当座《たうざ》にありける二十余人《にじふよにん》の侍《さぶらひ》ども、続《つづ》いて海《うみ》にぞ沈《しづ》みける。されども、その中《なか》に、越中次郎兵衛《ゑつちゆうのじらうびやうゑ》・上総五郎兵衛《かづさのごらうびやうゑ》・悪七兵衛《あくしちびやうゑ》・飛騨四郎兵衛《ひだのしらうびやうゑ》などは、何《なに》としてかは遁《のが》れたりけん、そこをもつひに落《お》ちにけり。

海上《かいしやう》には、赤旗《あかはた》・赤符《あかじるし》ども、切《き》り捨《す》てかなぐり捨《す》てたりければ、龍田河《たつたがは》の紅葉葉《もみぢば》を、嵐《あらし》の吹《ふ》き散《ち》らしたるに異《こと》ならず。汀《みぎは》に寄《よ》する白波《しらなみ》は、薄紅《うすくれなゐ》にぞなりにける。主《ぬし》もなき空《むな》しき船《ふね》どもは、潮《しほ》に引《ひ》かれ風《かぜ》に随《したが》ひて、いづちを指《さ》すともなく、ゆられ行《ゆ》くこそ悲《かな》しけれ。

✽平家一門を支える清盛の後継者が戦死する場面である。これほどの勇将は、勝利した源氏軍にも簡単に見いだせない。歴史の歯車が狂いだすと、有能な人材ほど、まっさきに犠牲になるという好例を示している。

能登殿教経は、清盛の弟にあたる教盛の次男。平家一門のなかで最も武勇の誉れ高い武将である。その最期まで敵将義経《よしつね》を追い回し、薄化粧とお歯黒の平家武士という印象はない。ほんらいの平家武士の面目を伝える武将だった。徳島《とくしま》の祖谷《いやだに》に伝説がある。

新中納言知盛は、清盛の四男。兄重盛《しげもり》の死後、平家一門の運命を一身に背負って生きる姿が、さまざまな形で文芸化されている。人形浄瑠璃《にんぎょうじょうるり》『義経千本桜《よしつねせんぼんざくら》』、戯曲『子《し》午線《ごせん》の祀《まつ》り』（木下順二《きのしたじゅんじ》）など。原文「見るべきほどの事をば見つ」は至言《しげん》である。

内侍所の都入り〈ないしどころのみやこいり〉

新中納言知盛《しんちゅうなごんとももり》（清盛《きよもり》の四男《よんなん》）は、平家一門《へいけいちもん》の最期《さいご》で、見届《みとど》けなければならないことはすべて見終《みお》わった、今《いま》は自害《じがい》しよう、と言《い》って、鎧《よろい》を二領《にりょう》つけて乳兄弟《ちきょうだい》の家長《いえなが》とともに海《うみ》に沈《しず》んだ。

海上《かいじょう》に捨《す》てられた平家《へいけ》の赤旗《あかはた》で、渚《なぎさ》に寄《よ》せる白波《しらなみ》も薄紅《うすくれない》に染《そ》まり、主《ぬし》なき平家《へいけ》の空船《からふね》は風《かぜ》のまにまに揺《ゆ》られて行《い》った。

こうして、源平《げんぺい》の合戦《かっせん》は全戦闘行為《ぜんせんとうこうい》を終了《しゅうりょう》した。

平家《へいけ》の要人《ようじん》で捕虜《ほりよ》となったのは、男《おとこ》は宗盛《むねもり》・時忠《ときただ》をはじめ三十八人《さんじゆうはちにん》、女《おんな》は建礼門院《けんれいもんいん》をはじめ四十三人《よんじゆうさんにん》であった。

四月三日《しがつみつか》、義経《よしつね》は後白河法皇《ごしらかわほうおう》に、源平合戦《げんぺいがっせん》の終結《しゅうけつ》と神鏡《しんきょう》（内侍所《ないしどころ》）・神璽《しんじ》（八尺瓊勾玉《やさかにのまがたま》）の還御《かんぎょ》について報告《ほうこく》した。法皇《ほうおう》は歓喜《かんき》のあまり、使者《ししゃ》の官位《かんい》を即座《そくざ》に特進《とくしん》させた。

四月十四日《しがつじゆうよっか》、平家一門《へいけいちもん》の男女《だんじょ》の捕虜《ほりよ》が義経《よしつね》に護送《ごそう》されて、明石《あかし》の浦《うら》に着《つ》いた。女房《にょうぼう》たちは、月《つき》を眺《なが》めながらわが身《み》を嘆《なげ》く歌《うた》を詠《よ》んだ。

四月二十五日《しがつにじゆうごにち》、三種《さんしゅ》の神器《じんぎ》のうち神鏡《しんきょう》・神璽《しんじ》が宮城《きゅうじょう》に還《かえ》った。宝剣《ほうけん》は紛失《ふんしつ》したまま、ついに還《かえ》らなかった。

剣〈けん〉

壇《だん》の浦《うら》に沈《しず》んだ宝剣《ほうけん》は、皇室《こうしつ》に伝来《でんらい》した草薙《くさなぎ》の剣《つるぎ》である。神代《じんだい》、素戔嗚尊《すさのおのみこと》が大蛇《おろち》を退治《たいじ》し、その尾《お》から取《と》り出《だ》された剣《つるぎ》を、日本武尊《やまとたけるのみこと》が東征《とうせい》に際《さい》して授《さず》かり、賊軍《ぞくぐん》が野《の》に放《はな》った火《ひ》に囲《かこ》まれた時《とき》に、この剣《つるぎ》で草《くさ》を薙《な》ぎ払《はら》って危機《きき》を脱《だつ》したので、以来《いらい》、草薙《くさなぎ》の剣《つるぎ》と名《な》づけられた。

占《うらな》いによれば、宝剣《ほうけん》が海底《かいてい》に沈《しず》んだのは、あの退治《たいじ》された大蛇《だいじゃ》が安徳天皇《あんとくてんのう》となって、剣《つるぎ》を取《と》り戻《もど》したからだという。

一門大路渡され〈いちもんおおちわたされ〉

四月二十六日《しがつにじゅうろくにち》、捕虜《ほりょ》となった平家一門《へいけいちもん》が、源氏《げんじ》の騎馬武者《きばむしゃ》に護送《ごそう》されて入京《にゅうきょう》した。元公卿《もとくぎょう》も家臣《かしん》たちも白衣《はくい》を着《き》せられ、公卿《くぎょう》は車《くるま》に、家臣《かしん》は馬《うま》に乗《の》せられて、都大路《みやこおおじ》を引《ひ》き回《まわ》された。

見物《けんぶつ》の大群衆《だいぐんしゅう》は京《きょう》の郊外《こうがい》まであふれ、そのなかには後白河法皇《ごしらかわほうおう》の車《くるま》もあった。一年前《いちねんまえ》の平家《へいけ》の栄華《えいが》を知《し》る人々《ひとびと》は、それぞれに複雑《ふくざつ》な思《おも》いで捕虜《ほりょ》の行列《ぎょうれつ》を見《み》つめていた。

内大臣宗盛《ないだいじんむねもり》（清盛《きよもり》の三男《さんなん》）・清宗父子《きよむねふし》は義経《よしつね》のもとに引《ひ》き取《と》られた。二人《ふたり》は食事《しょくじ》もとらず、ただ涙《なみだ》を流《なが》し合《あ》っていた。

鏡〈かがみ〉

四月二十八日《しがつにじゅうはちにち》、頼朝《よりとも》は三階級特進《さんかいきゅうとくしん》して従二位《じゅにい》に上《あ》がった。壇《だん》の浦《うら》から宮城《きゅうじょう》に還《かえ》った神鏡《しんきょう》は、神代《じんだい》に天照大神《あまてらすおおみかみ》が自分《じぶん》の姿《すがた》を形見《かたみ》にするために鋳造《ちゅうぞう》したものである。以来《いらい》、宮城《きゅうじょう》に安置《あんち》され、天皇《てんのう》を守護《しゅご》した。霊威《れいい》が強《つよ》く、村上天皇《むらかみてんのう》の時代《じだい》、宮城《きゅうじょう》が火災《かさい》に遭《あ》った折《おり》には、炎《ほのお》から飛《と》び出《だ》して桜《さくら》の樹《き》に懸《か》かり、朝日《あさひ》のように輝《かがや》いた。しかも、それを摂政小野宮実頼《せっしょうおののみやさねより》が袖《そで》で受《う》け取《と》ったという。

平大納言の文の沙汰〈へいだいなごんのふみのさた〉

平大納言時忠《へいだいなごんときただ》（清盛《きよもり》の義弟《ぎてい》）は、女性《じょせい》に弱《よわ》い義経《よしつね》に美人《びじん》の娘《むすめ》を嫁《とつ》がせて、押収《おうしゅう》された証拠書類《しょうこしょるい》を取《と》りもどし、焼却処分《しょうきゃくしょぶん》した。

長《なが》かった源平《げんぺい》の争乱《そうらん》も治《おさ》まり、都《みやこ》に平和《へいわ》がもどると、義経《よしつね》への世間《せけん》の期待《きたい》がしだいに高《たか》まった。うわさを聞《き》いた兄頼朝《あによりとも》の心《こころ》は、不快《ふかい》と猜疑《さいぎ》に揺《ゆ》らぎはじめる。

副将斬られ〈ふくしょうきられ〉

五月六日《ごがつむいか》、義経《よしつね》が宗盛《むねもり》らを鎌倉《かまくら》へ護送《ごそう》することになった。

宗盛《むねもり》には、愛称《あいしょう》を副将《ふくしょう》（副将軍《ふくしょうぐん》）という八歳《はっさい》の男児《だんじ》（能宗《よしむね》）があり、溺愛《できあい》していた。この副将《ふくしょう》と今生《こんじょう》の別《わか》れを惜《お》しんだが、父《ちち》の袖《そで》にすがって離《はな》れない副将《ふくしょう》のいたいけな姿《すがた》は、周囲《しゅうい》の涙《なみだ》を誘《さそ》った。

しかし、義経《よしつね》は父《ちち》と子《こ》の面会《めんかい》は許《ゆる》したものの、家臣《かしん》に副将《ふくしょう》の斬首《ざんしゅ》を指示《しじ》した。賀茂《かも》の河原《かわら》に連行《れんこう》された副将《ふくしょう》は、気配《けはい》を察《さっ》して乳母《めのと》の懐《ふところ》に隠《かく》れたが、引《ひ》きずり出《だ》されて首《くび》を斬《き》られた。乳母《めのと》はその首《くび》を義経《よしつね》に懇願《こんがん》してもらい受《う》けた。

数日後《すうじつご》、桂川《かつらがわ》に女房二人《にょうぼうふたり》が身《み》を投《な》げた。副将《ふくしょう》の首《くび》を抱《だ》いた乳母《めのと》と、死骸《しがい》を抱《だ》いた付《つ》き添《そ》いの女房《にょうぼう》だった。

腰越〈こしごえ〉

宗盛《むねもり》は、鎌倉《かまくら》へ護送《ごそう》される途中《とちゅう》、義経《よしつね》に助命《じょめい》を嘆願《たんがん》し、彼《かれ》の保証《ほしょう》を得《え》て安堵《あんど》した。

五月二十三日《ごがつにじゅうさんにち》、義経《よしつね》は、宗盛《むねもり》を引《ひ》き渡《わた》すと、宿敵景時《しゅくてきかげとき》の中傷《ちゅうしょう》によって、腰越《こしごえ》（鎌倉市《かまくらし》）に追《お》い返《かえ》された。景時《かげとき》が、最終《さいしゅう》の敵《てき》は弟君《おとうとぎみ》義経《よしつね》、と頼朝《よりとも》にそしったのである。

義経《よしつね》は、勲功《くんこう》ある自分《じぶん》に対《たい》する、兄頼朝《あによりとも》の理不尽《りふじん》な態度《たいど》を恨《うら》んだ。けれども、どんな釈明《しゃくめい》も受《う》け入《い》れられないので、頼朝《よりとも》の側近《そっきん》、大江広元《おおえのひろもと》にとりなしを依頼《いらい》する書状《しょじょう》を送《おく》った。これが腰越状《こしごえじょう》である。

大臣殿誅罰〈おおいとのちゅうばつ〉

頼朝《よりとも》は宗盛《むねもり》と対面《たいめん》したが、平家軍《へいけぐん》の最高司令官《さいこうしれいかん》たる誇《ほこ》りを失《うしな》った宗盛《むねもり》の卑屈《ひくつ》な態度《たいど》は、並《な》みいる武将《ぶしょう》たちの侮蔑《ぶべつ》と憫笑《びんしょう》を買《か》った。

六月九日《ろくがつここのか》、義経《よしつね》は、頼朝《よりとも》と和解《わかい》の成立《せいりつ》しないまま、宗盛《むねもり》・清宗《きよむね》父子《ふし》とともに上京《じょうきょう》を命《めい》じられた。

道中《どうちゅう》、宗盛父子《むねもりふし》は処刑《しょけい》におびえながら、六月二十三日《ろくがつにじゅうさんにち》、近江国篠原《おうみのくにしのはら》（滋賀県野洲郡《しがけんやすぐん》）に着《つ》いた。当地《とうち》で、義経《よしつね》が都《みやこ》から招《まね》いた聖人《せいじん》に引導《いんどう》を渡《わた》されて、宗盛《むねもり》は斬《ざん》首《しゅ》された。その後《ご》、子《こ》の清宗《きよむね》も斬首《ざんしゅ》され、親子《おやこ》の情愛《じょうあい》をくんで、二人《ふたり》の遺体《いたい》は同《おな》じ穴《あな》に埋《まい》葬《そう》された。同月二十四日《どうげつにじゅうよっか》、内大臣宗盛父子《ないだいじんむねもりふし》の首《くび》が入京《にゅうきょう》し、大路《おおじ》を引《ひ》き回《まわ》された。西国《さいこく》からは捕虜《ほりょ》として、東国《とうごく》からは死骸《しがい》となって上京《じょうきょう》して、生《い》き恥《はじ》も死《し》に恥《はじ》もさらすことになった。

★小さな軍馬と重たい大鎧《おおよろい》——戦闘方法

当時、戦闘の中心は騎馬戦《きばせん》にあった。馬を走らせながら矢を射かける武技が特に重んじられた。次に、人馬もろとも敵に体当たりして、相手を地上に落とし、鎧の重さを計算に入れた格闘技で、相手に馬乗りになり、首を掻《か》き切る。当時の軍馬は、サラブレッドとは違い、ポニー級の小型。騎乗の武士は、重さ二十数キロの大鎧をつけていた。はてさて。

巻第十二

重衡の斬られ〈しげひらのきられ〉（一一八五）

一《いち》の谷合戦《たにかっせん》で捕虜《ほりょ》となった本三位中将重衡《ほんざんみのちゅうじょうしげひら》は、奈良《なら》の僧兵《そうへい》が引《ひ》き渡《わた》しを要《よう》求《きゅう》してきたので、伊豆《いず》（静岡県《しずおかけん》）から護送《ごそう》されることになった。道《みち》の途中《とちゅう》、日野《ひの》（京都市伏見区《きょうとしふしみく》）にいた妻《つま》、大納言《だいなごん》の典侍《すけ》（安徳天皇《あんとくてんのう》の乳母《めのと》）と今生《こんじょう》の別《わか》れを惜《お》しんだ。

重衡《しげひら》は木津《きづ》（京都府相楽郡《きょうとふそうらくぐん》）で処刑《しょけい》されたが、直前《ちょくぜん》に駆《か》けつけた旧家臣《きゅうかしん》の努力《どりょく》で、阿弥陀如来像《あみだにょらいぞう》の手《て》にかけた紐《ひも》を持《も》ちながら、心澄《こころす》ませて斬首《ざんしゅ》された。

平家《へいけ》の軍司《ぐんし》令官《れいかん》として南都《なんと》の寺院《じいん》を焼《や》き払《はら》い、仏敵《ぶってき》と憎《にく》まれた重衡《しげひら》の首《くび》は、かつて焼《や》き討《う》ちの指揮《しき》をとった般若寺《はんにゃじ》（奈良市《ならし》）の大鳥居《おおとりい》の前《まえ》にさらされた。

大地震〈だいじしん〉

平家《へいけ》が滅亡《めつぼう》して戦火《せんか》が消《き》え、人心《じんしん》もようやく安《やす》らかになった七月九日《しちがつここのか》の正午《しょうご》ごろ、突如《とつじょ》、巨大地震《きょだいじしん》が発生《はっせい》した。

たちまち、首都《しゅと》は壊滅状態《かいめつじょうたい》におちいり、さながら地獄《じごく》と化《か》した。被害《ひがい》は近隣《きんりん》の諸国《しょこく》にまで及《およ》んだ。天皇《てんのう》・法皇《ほうおう》も宮殿《きゅうでん》が損壊《そんかい》したため、仮屋《かりや》を営《いとな》むほどであった。

人々《ひとびと》は、この大地震《だいじしん》を平家《へいけ》の怨霊《おんりょう》の祟《たた》りと恐《おそ》れた。

紺掻の沙汰〈こんかきのさた〉

同年八月二十二日《どうねんはちがつにじゅうににち》、文覚上人《もんがくしょうにん》が、頼朝《よりとも》の父義朝《ちちよしとも》のほんものの首《くび》（髑髏《どくろ》）を持《も》って、鎌倉《かまくら》へ下《くだ》った。首《くび》を密《ひそ》かに弔《とむら》っていたのは、義朝《よしとも》に仕《つか》えた藍染《あいぞ》めの職人《しょくにん》、紺《こん》掻《かき》の男《おとこ》であった。

男《おとこ》は、放置《ほうち》された義朝《よしとも》の首《くび》をもらい受《う》け、頼朝《よりとも》の将来性《しょうらいせい》を見越《みこ》して、東山《ひがしやま》の寺《てら》に隠《かく》しておいた。それを文覚《もんがく》が聞《き》き出《だ》して、首《くび》とともに男《おとこ》を鎌倉《かまくら》に連《つ》れてきた。頼朝《よりとも》は新《あら》たに父《ちち》の菩提寺《ぼだいじ》を建立《こんりゅう》し、朝廷《ちょうてい》も義朝《よしとも》に内大臣正二位《ないだいじんしょうにい》を贈《おく》った。

平大納言の流され〈へいだいなごんのながされ〉

同年九月二十三日《どうねんくがつにじゅうさんにち》、まだ都《みやこ》にいた平家要人《へいけようにん》の捕虜《ほりょ》は、平大納言時忠《へいだいなごんときただ》が能登国《のとのくに》(石川県《いしかわけん》)に流《なが》されるのをはじめ、それぞれ遠国《おんごく》へ流罪《るざい》が決《き》まった。

時忠《ときただ》は、故建春門院《こけんしゅんもんいん》(後白河法皇《ごしらかわほうおう》の妃《きさき》、高倉天皇《たかくらてんのう》の母《はは》)の兄《あに》、八条《はちじょう》の二位殿《にいどの》(清盛《きよもり》の妻《つま》)の弟《おとうと》でもあったから、出世《しゅっせ》も思《おも》いのままで、清盛《きよもり》の片腕《かたうで》として権勢《けんせい》を振《ふ》るった。

検非違使別当《けびいしべっとう》(裁判《さいばん》・警察庁長官《けいさつちょうちょうかん》)に三度就任《さんどしゅうにん》したが、窃盗《せっとう》・強盗犯《ごうとうはん》は躊躇《ちゅうちょ》なく右腕《みぎうで》を切《き》り落《お》とすなど、冷酷《れいこく》な実務官僚《じつむかんりょう》の一面《いちめん》を持《も》ち合《あ》わせていた。

出発《しゅっぱつ》に際《さい》して、建礼門院《けんれいもんいん》(安徳天皇《あんとくてんのう》の母《はは》)や妻子《さいし》と別《わか》れを惜《お》しみつつ、北国《ほっこく》へ下《くだ》って行《い》った。

土佐坊斬られ〈とさぼうきられ〉

平家《へいけ》追討《ついとう》に抜群《ばつぐん》の武功《ぶこう》をあげた義経《よしつね》が、兄頼朝《あによりとも》から謀反《むほん》の嫌疑《けんぎ》を受《う》けているとの風聞《ふうぶん》が立《た》ち、法皇《ほうおう》はじめ誰《だれ》もが首《くび》をかしげていた。義経《よしつね》を守護《しゅご》すべき大名《だいみょう》たちも、連座《れんざ》を恐《おそ》れて、みな鎌倉《かまくら》に帰《かえ》った。

すべては、頼朝《よりとも》が、梶原景時《かじわらのかげとき》の中傷《ちゅうしょう》を真《ま》に受《う》けたためであった。義経《よしつね》と景時《かげとき》とは、屋島上陸作戦《やしまじょうりくさくせん》をめぐる論争以来《ろんそういらい》、犬猿《けんえん》の仲《なか》だった。

◆義経暗殺計画《よしつねあんさつけいかく》の失敗《しっぱい》——静御前《しずかごぜん》と土佐坊《とさぼう》

頼朝《よりとも》は、義経《よしつね》が軍備《ぐんび》を整《ととの》える前《まえ》に、先手《せんて》を打《う》って追討軍《ついとうぐん》を派遣《はけん》しようとした。しかし、軍団編制《ぐんだんへんせい》で進攻《しんこう》すれば、宇治《うじ》・瀬田《せた》の橋梁《きょうりょう》が撤去《てっきょ》され、幹《かん》線道路《せんどうろ》の封鎖《ふうさ》は都《みやこ》に大混乱《だいこんらん》を生《しょう》じ、かえって政治的《せいじてき》に悪《わる》い結果《けっか》を招《まね》くだろう、と熟慮《じゅくりょ》を重《かさ》ねたあげく、義経暗殺《よしつねあんさつ》を決断《けつだん》した。

頼朝《よりとも》は土佐坊《とさぼう》昌俊《しようしゆん》を呼《よ》んで、

「上京《じようきよう》して寺社参詣《じしやさんけい》をよそおい、義経《よしつね》を謀殺《ぼうさつ》せよ」と指令《しれい》した。土佐坊《とさぼう》は拝命《はいめい》すると、自宅《じたく》にも戻《もど》らず、ただちに京《きよう》へ向《む》かった。

九月二十九日《くがつにじゆうくにち》、土佐坊《とさぼう》は都《みやこ》に着《つ》いたが、その日《ひ》は義経《よしつね》のもとへ挨拶《あいさつ》に出《で》向《む》かなかった。

一方《いつぽう》、義経《よしつね》は、土佐坊上京《とさぼうじようきよう》の知《し》らせを受《う》けて、武蔵坊弁慶《むさしぼうべんけい》に命《めい》じて呼《よ》び出《だ》すと、すぐに参上《さんじよう》した。義経《よしつね》は土佐坊《とさぼう》に質問《しつもん》した。

「どうだ、土佐坊《とさぼう》。鎌倉殿《かまくらどの》（頼朝《よりとも》）からの書状《しよじよう》はないのか」

「特《とく》に用事《ようじ》もありませんので、義経殿《よしつねどの》への書状《しよじよう》はいただいておりません。ただ口頭《こうとう》の伝言《でんごん》で、『現在《げんざい》、都《みやこ》に異状《いじよう》のないのは、義経殿《よしつねどの》が駐留《ちゆうりゆう》しているからである。十分注意《じゆうぶんちゆうい》して、都《みやこ》を守護《しゆご》されるように、と伝《つた》えよ』と言《い》われました」

「まさかそんなことはあるまい。お前《まえ》は、私《わたし》を討《う》ちに上京《じようきよう》した刺客《しかく》だ。『大名《だいみよう》どもに命《めい》じて攻《せ》めれば、宇治《うじ》・瀬田《せた》の橋《はし》が落《お》とされ、都《みやこ》が大騒《おおさわ》ぎになり、かえってぐあいが悪《わる》い。お前《まえ》が上京《じようきよう》し、寺参《てらまい》りするふりをして、だまし討《う》ちにせよ』と命令《めいれい》されたんだろうが」

計略《けいりやく》が見抜《みぬ》かれて、土佐坊《とさぼう》は仰天《ぎようてん》した。

「なんで、この今《いま》、そんなことがありましょう。私《わたくし》は、少々《しようしよう》、宿願《しゆくがん》がありまして、熊野《くまの》参詣《さんけい》のために上京《じようきよう》いたしたのです」

すると、義経《よしつね》は話題《わだい》を変《か》えてきた。

「景時《かげとき》に中傷《ちゆうしよう》されたために、私《わたし》は鎌倉《かまくら》に入《い》れてもらえず、京《きよう》に追《お》い返《かえ》されたのはどうしてだ」

「その件《けん》につきましては、どうなんでしょうか、よくわかりません。私個人《わたくしこじん》に関《かん》する限《かぎ》り、まったくやましいことはありません」

土佐坊《とさぼう》は、不忠心《ふちゆうしん》のないことを神仏《しんぶつ》に誓《ちか》う起請文《きしようもん》を進上《しんじよう》すると言《い》い張《は》った。義経《よしつね》は、

「どっちみち、鎌倉殿《かまくらどの》に、よくやった、とは思《おも》われていないのだ」と言《い》い捨《す》てて、ひどく不機嫌《ふきげん》になった。

危険《きけん》を感《かん》じて、土佐坊《とさぼう》は、その場《ば》を逃《のが》れるために、七枚《ななまい》の起請文《きしようもん》を書《か》きあげ、焼《や》いて飲《の》んだり、神社《じんじゃ》の宝殿《ほうでん》に納《おさ》めたりして、ようやく釈放《しゃくほう》された。直後《ちょくご》、鎌倉《かまくら》から出向《しゅっこう》している大番衆《おおばんしゅう》（宮廷警護役《きゅうていけいごやく》）たちを動員《どういん》し、その夜《よ》、急襲《きゅうしゅう》の準備《じゅんび》を整《ととの》えた。

❖鎌倉殿《かまくらどの》、判官《はうぐわん》に勢《せい》の付《つ》かぬ間《ま》に、今一日《いまいちにち》も先《さき》に、討《う》つ手《て》を上《のぼ》せたうは思《おも》はれけれども、大名《だいみやう》ども差《さ》し上《のぼ》せば、宇治《うぢ》・瀬田《せた》の橋《はし》をも引《ひ》き、京都《きやうと》の騒《さわ》ぎともなりて、なかなか悪《あ》しかりなんず、いかがせん、と思《おも》はれけるが、ここに土佐坊昌俊《とさばうしやうしゆん》を召《め》して、「わ僧《そう》、上《のぼ》つて、物詣《ものまう》でするやうで、謀《たばか》つて討《う》て」と宣《のたま》へば、土佐坊畏《とさばうかしこ》まり承《うけたまは》つて、宿所《しゆくしよ》へも帰《かへ》らず、直《す》ぐに京《きやう》へぞ上《のぼ》りける。九月二十九日《くぐわつにじふくにち》に土佐坊《とさばう》、都《みやこ》へ上《のぼ》つたりけれども、次《つぎ》の日《ひ》まで判官殿《はうぐわんどの》へは参《まゐ》らず。

判官《はうぐわん》、土佐坊《とさばう》が上《のぼ》つたる由《よし》を聞《き》こし召《め》して、武蔵坊弁慶《むさしばうべんけい》を以《もつ》て召《め》されければ、やがて連《つ》れてぞ参《まゐ》つたる。判官《はうぐわん》、「いかに土佐坊《とさばう》、鎌倉殿《かまくらどの》より御文《おんふみ》はなきか」と宣《のたま》へば、「別《べち》の御事《おんこと》も候《さうら》はぬ間《あひだ》、御文《おんふみ》をば参《まゐ》らせられず候《さうらふ》。御言葉《おんことば》に仰《おほ》せ候《さうら》ひつるは、

『当時都《たうじみやこ》に別《べち》の子細《しさい》の候《さうら》はぬは、さて渡《わた》らせ給《たま》ふ御故《おんゆゑ》なり。相構《あひかま》へてよくよく守護《しゆご》せさせ給《たま》へと申《まう》せ』とこそ、仰《おほ》せ候《さうら》ひつれ」と申《まう》しければ、判官《はうぐわん》、「よも、さはあらじ。義経討《よしつねう》ちに上《のぼ》つたる御使《おんつか》ひなり。『大名《だいみやう》ども差《さ》し上《のぼ》せば、宇治《うぢ》・瀬田《せた》の橋《はし》をも引《ひ》き、京都《きやうと》の騒《さわ》ぎともなりて、なかなか悪《あ》しかりなんず。わ僧《そう》、上《のぼ》つて、物詣《ものまう》でするやうで、謀《たばか》つて討《う》て』と仰《おほ》せ付《つ》けられたんな」と宣《のたま》へば、土佐坊《とさばう》、大《おほ》きに驚《おどろ》き、「何《なに》によつてか、ただ今《いま》さる御事《おんこと》の候《さうら》ふべき。これは、いささか宿願《しゆくぐわん》の子細《しさい》候《さうら》うて、熊野参詣《くまのさんけい》の為《ため》に、まかり上《のぼ》つて候《さうらふ》」と申《まう》しければ、その時判官《ときはうぐわん》、「景時《かげとき》が讒言《ざんげん》によつて、鎌倉中《かまくらぢゆう》へだに入《い》れられずして、追《お》ひ上《のぼ》せられし事《こと》はいかに」。土佐坊《とさばう》、「その御事《おんこと》はいかがましまし候《さうら》ふやらん、知《し》り参《まゐ》らせぬ候《さうらふ》。昌俊《しやうしゆん》においては、全《まつた》く御《おん》腹黒《はらぐろ》く思《おも》ひ奉《たてまつ》らぬ候《さうらふ》」。一向不忠《いつかうふちゆう》なき由《よし》の起請文《きしやうもん》を書《か》き進《しん》ずべき由《よし》を申《まう》す。判官《はうぐわん》、「とてもかくても、鎌倉殿《かまくらどの》に、よしと思《おも》はれ奉《たてまつ》つたる身《み》ならばこそ」とて、以《もつ》ての外《ほか》に気色《けしき》あしげに見《み》え給《たま》へば、土佐坊《とさばう》、一旦《いつたん》の害《がい》を逃《のが》れんが為《ため》に、居《ゐ》ながら七枚《しちまい》の起請《きしやう》を書《か》き、或《ある》いは焼《や》いて飲《の》み、或《ある》いは社《やしろ》の宝殿《ほうでん》に籠《こ》めなどして、許《ゆ》りて帰《かへ》り、大番衆《おほばんじゆ》の者《もの》ども催《もよほ》し集《あつ》めて、その夜《よ》やがて寄《よ》せんとす。

✽勇猛な土佐坊が、義経に上京の目的を見抜かれて、冷や汗を流している。土佐坊が愚鈍なのではない。義経の情報収集力が抜群なのである。彼の戦法は兵力の多少に左右されない。彼の勝利は、相手の機先を制する情報戦略の賜物《たまもの》である。不滅の魅力の源はここにある。

義経《よしつね》は、磯《いそ》の禅師《ぜんじ》という白拍子《しらびょうし》の娘《むすめ》、静《しずか》を寵愛《ちょうあい》していた。静《しずか》は、義経《よしつね》のそばを片時《かたとき》も離《はな》れなかった。その静《しずか》が、入手《にゅうしゅ》した情報《じょうほう》を義経《よしつね》に伝《つた》えた。
「大通《おおどお》りは武者《むしゃ》でいっぱいだそうです。殿《との》の出動命令《しゅつどうめいれい》がないのに、これほどまで、大番衆《おおばんしゅ》たちが騒《さわ》ぐはずはありませんわ。きっと、これは、昼《ひる》に来《き》た起請法師《きしょうぼうし》（土佐坊《とさぼう》）のしわざです。人《ひと》をやって偵察《ていさつ》させたいと思《おも》います」と言《い》って、故清盛入道《こきよもりにゅうどう》の駆使《くし》した元禿《もとかぶろ》（巻一《まきいち》「禿童《かぶろ》」参照《さんしょう》）を三《さん》、四《よ》人使《にんつか》っていたので、そのうち二人《ふたり》を偵察《ていさつ》に出《だ》した。ところが、なかなか帰《かえ》って来《こ》ない。そこで、女《おんな》のほうが、かえって無難《ぶなん》だろうと、使用人《しようにん》の女《おんな》を

一人《ひとり》、見《み》に行《い》かせた。まもなく女《おんな》は走《はし》り帰《かえ》って、

「禿《かぶろ》らしき者《もの》は、二人《ふたり》とも、土佐坊《とさぼう》の宿《やど》の門前《もんぜん》で斬《き》り殺《ころ》されています。そこには、騎乗準備《きじょうじゅんび》のできた鞍置馬《くらおきうま》が続々《ぞくぞく》と集《あつ》められ、宿《やど》に張《は》り巡《めぐ》らした大《おお》幕《まく》のなかでは、鎧《よろい》・甲《かぶと》をつけ弓矢《ゆみや》を持《も》った武装《ぶそう》の兵士《へいし》たちが、出動態勢《しゅつどうたいせい》に入《はい》っておりました。全然《ぜんぜん》、お寺参《てらまい》りのふうはありません」と報告《ほうこく》した。

義経《よしつね》は、それを聞《き》くや、「やはりそうだったか」と言《い》って、太刀《たち》を手《て》に立《た》ち上《あ》がれば、静《しずか》は、すばやく鎧《よろい》を着《き》せ掛《か》けた。肩《かた》から吊《つ》るす高紐《たかひも》だけ結《むす》んだ急拵《きゅうごしら》えで飛《と》び出《だ》すと、中門《なかもん》の前《まえ》に従兵《じゅうへい》が馬《うま》に鞍《くら》を置《お》いて待《ま》っていた。すばやく飛《と》び乗《の》り、「門《もん》を開《あ》けろ」と命《めい》じて、今《いま》や遅《おそ》しと敵《てき》を待《ま》ち受《う》けた。

夜半《やはん》ごろ、土佐坊《とさぼう》は完全武装《かんぜんぶそう》の四《し》、五十騎《ごじっき》を率《ひき》いて、義経《よしつね》の館《やかた》の総門《そうもん》の前《まえ》に押《お》し寄《よ》せて、どっと鬨《とき》の声《こえ》をあげた。義経《よしつね》は、鐙《あぶみ》をふんばり立《た》ちあがり、大音声《だいおんじょう》をあげて、

「夜討《ようう》ちだろうが、昼討《ひるうう》ちだろうが、この義経《よしつね》を簡単《かんたん》に討《う》ち取《と》れる者《もの》が、日本国《にっぽんこく》にいようとは思《おも》わんが」と叫《さけ》んで、馬《うま》を疾駆《しっく》させれば、激突《げきとつ》を恐《おそ》れ

たのだろうか、敵《てき》は中《なか》を開《あ》けて義経《よしつね》の馬《うま》を通《とお》した。

❖判官《はうぐわん》は、磯《いそ》の禅師《ぜんじ》といふ白拍子《しらびやうし》が娘《むすめ》、静《しづか》といふ女《をんな》を寵愛《ちようあい》せられけり。静《しづか》、傍《かたは》らを片時《へんし》も立《た》ち去《さ》る事《こと》なし。静《しづか》、申《まう》しけるは、「大路《おほち》は皆《みな》武者《むしや》で候《さぶら》ふなる。御内《みうち》より催《もよほ》しのなからんに、これほどまで、大番衆《おほばんじゆ》の者《もの》どもが、騒《さわ》ぐべき事《こと》や候《さぶら》ふべき。いかさまにも、これは、昼《ひる》の起請法師《きしやうぼふし》がしわざと覚《おぼ》え候《さぶら》ふ。人《ひと》を遣《つか》はして、見《み》せ候《さぶら》はばや」とて、六波羅《ろくはら》の故入道相国《こにふだうしやうこく》の召《め》し使《つか》はれける禿童《かぶろ》を、三四人《さんしにん》召《め》し使《つか》はれけるを、二人《ふたり》見《み》せに遣《つか》はす。ほど経《ふ》るまで帰《かへ》らず。女《をんな》はなかなか苦《くる》しかるまじとて、はした者《もの》を一人見《いちにんみ》せに遣《つか》はす。やがて走《はし》り帰《かへ》つて、「禿童《かぶろ》と思《おぼ》しき者《もの》は、二人《ににん》ながら、土佐坊《とさばう》が門《もん》の前《まへ》に切《き》り伏《ふ》せられて候《さぶらふ》。門《もん》の前《まへ》には、鞍置馬《くらおきうま》ども、引《ひ》つ立《た》て引《ひ》つ立《た》て、大幕《おほまく》の内《うち》には、者《もの》ども、鎧着《よろひき》、甲《かぶと》の緒《を》を締《し》め、矢《や》かき負《お》ひ、弓《ゆみ》おし張《は》り、ただ今寄《いまよ》せんと出《い》で立《た》ち候《さぶらふ》。少《すこ》しも物詣《ものまう》での気色《けしき》とは見《み》え候《さぶら》はず」と申《まう》しければ、判官《はうぐわん》、「さればこそ」とて、太刀《たち》取《と》つて出《い》で給《たま》へば、静《しづか》、着背長《きせなが》取《と》つて投《な》げ懸《か》け奉《たてまつ》る。高紐《たかひも》ばかりして、出《い》で給《たま》へば、馬《むま》に鞍置《くらお》いて中門《ちゆうもん》の口《くち》に引《ひ》つ立《た》てたり。判官《はうぐわん》、これにうち乗り、「門開《もんあ》けよ」とて開《あ》けさせ、今《いま》や今《いま》やと待《ま》ち給《たま》ふ所《ところ》に、夜半《やはん》ばかりに、土佐坊直甲《とさばうひたかぶと》し四、五十騎《ごじつき》、総門《そうもん》の前《まへ》におし寄《よ》せて、鬨《とき》をどつとぞ作《つく》りける。判官《はうぐわん》、鐙踏《あぶみふ》ん張《ば》り立《た》ち上《あ》がり、大音声《だいおんじやう》を揚《あ》げて、「夜討《よう》ちにもまた昼軍《ひるいくさ》にも、義経《よしつね》たやすう討《う》つべき者《もの》は、日本国《につぽんこく》には覚《おぼ》えぬものを」とて、馳《は》せ廻《まは》り給《たま》へば、馬《むま》に当《あ》てられじとや思《おも》ひけん、皆中《みななか》を開《あ》けてぞ通《とほ》しける。

義経《よしつね》がただ一騎《いつき》で奮戦《ふんせん》しているところへ、武蔵坊弁慶《むさしぼうべんけい》らの豪傑陣《ごうけつじん》が駆《か》けつけて、大乱戦《だいらんせん》となった。義経《よしつね》の加勢《かせい》が増《ふ》えるにつれ、土佐坊《とさぼう》の一味《いちみ》は死傷者《ししようしゃ》が続《ぞく》出《しゆつ》し、土佐坊自身《とさぼうじしん》が命《いのち》からがら逃走《とうそう》した。
やがて、土佐坊《とさぼう》は捕縛《ほばく》され、義経《よしつね》の前《まえ》に引《ひ》き出《だ》された。義経《よしつね》は、土佐坊《とさぼう》の忠《ちゆう》義《ぎ》を認《みと》めて助命《じよめい》しようとしたが、剛胆《ごうたん》な土佐坊《とさぼう》は、義経《よしつね》の寛大《かんだい》な処置《しよち》を一蹴《いつしゆう》し、六条河原《ろくじようがわら》で斬首《ざんしゆ》された。

✿ここに登場する静御前は、一般に信じられている悲劇のヒロインというイメージに、まるでそぐわない。もと清盛の少年スパイだった禿童を使いこなすあたり、彼女自身が大物スパイだったという推測も成り立つだろう。古くから、芸能人・宗教人は、階級に拘束されず、自由に行動できる利点を生かして、情報収集活動に従事する例が多かった。敵の動きをいち早く察知して、出陣の支度をする二人の、なんとも息の合っていること。果敢迅速な行動力は、彼女の新しい魅力を引き出している。

判官都落ち〈ほうがんみやこおち〉

土佐坊《とさぼう》が討《う》たれたという密偵《みってい》の急報《きゅうほう》で、頼朝《よりとも》は、弟《おとうと》範頼《のりより》に義経《よしつね》追討《ついとう》を命《めい》じた。しかし、範頼《のりより》は固辞《こじ》したために、頼朝《よりとも》の疑惑《ぎわく》を招《まね》き、その結果《けっか》討《う》たれてしまった。ついで、北条時政《ほうじょうときまさ》（頼朝《よりとも》の妻政子《つままさこ》の父《ちち》）を司令官《しれいかん》とする追討軍《ついとうぐん》が上京《じょうきょう》するとの通報《つうほう》に接《せっ》し、義経《よしつね》は九州《きゅうしゅう》へ脱出《だっしゅつ》することを決意《けつい》した。

十一月二日《じゅういちがつふつか》、法皇《ほうおう》に嘆願《たんがん》して、九州《きゅうしゅう》の武士団《ぶしだん》は義経《よしつね》の配下《はいか》となるように、という院庁《いんのちょう》の通達《つうたつ》を出《だ》してもらった。

勇躍《ゆうやく》、西国《さいこく》へ向《む》かった義経勢《よしつねぜい》だが、猛烈《もうれつ》な西風《にしかぜ》に遭《あ》って軍船《ぐんせん》は難破《なんぱ》し、住吉《すみよし》の浦《うら》（大阪市《おおさかし》）に漂着《ひようちゃく》したので、吉野山《よしのやま》（奈良県《ならけん》）に隠《かく》れた。そこで、吉野《よしの》の僧兵《そうへい》に攻《せ》められ、奈良《なら》へ逃《に》げ、奈良《なら》の僧兵《そうへい》に攻《せ》められ、都《みやこ》に戻《もど》り、北国《ほっこく》を回《まわ》って奥《おう》州《しゅう》へ下《くだ》った。御難続《ごなんつづ》きは平家《へいけ》の怨霊《おんりよう》の祟《たた》りと言《い》われた。

七日《なのか》、頼朝《よりとも》の命令《めいれい》により、北条時政《ほうじようときまさ》が六万騎《ろくまんき》を率《ひき》いて上京《じようきよう》した。

八日《ようか》、義経追討《よしつねついとう》の院宣《いんぜん》が時政《ときまさ》に下《くだ》った。先《さき》の二日《ふつか》には、頼朝《よりとも》に背《そむ》くことを認《みと》める院庁《いんのちよう》の通達《つうたつ》が出《で》たばかりである。まさに朝令暮改《ちようれいぼかい》を地《じ》で行《い》くような、不安定《ふあんてい》な政情《せいじよう》が続《つづ》いた。

吉田大納言の沙汰〈よしだのだいなごんのさた〉

頼朝《よりとも》は総追捕使《そうついぶし》（守護《しゆご》の前身《ぜんしん》）の長官《ちようかん》に就任《しゆうにん》し、軍需物資《ぐんじゆぶっし》の徴発権《ちようはつけん》、守護《しゆご》（軍《ぐん》事《じ》・警察《けいさつ》）・地頭《じとう》（税務《ぜいむ》・裁判《さいばん》）の設置《せっち》を、朝廷《ちようてい》に申請《しんせい》して認可《にんか》を得《え》た。いよいよ鎌倉幕府《かまくらばくふ》の開設《かいせつ》である。

頼朝《よりとも》は、公武間《こうぶかん》の交渉《こうしよう》を大納言《だいなごん》吉田経房《よしだつねふさ》に一任《いちにん》した。志操堅固《しそうけんご》で厳正《げんせい》な能吏《のうり》との評価《ひようか》が高《たか》く、頼朝《よりとも》の絶大《ぜつだい》な信頼《しんらい》を得《え》ていた。

六代〈ろくだい〉

平家《へいけ》の残党狩《ざんとうが》りが始《はじ》まり、懸賞付《けんしようつ》きのため、幼《おさな》い子《こ》どもの処刑者《しよけいしや》が続出《ぞくしゆつ》し、悲《ひ》惨《さん》をきわめた。平家《へいけ》の嫡流《ちやくりゆう》である維盛《これもり》の子《こ》六代《ろくだい》は、厳《きび》しい捜索《そうさく》の手《て》を逃《のが》れていたが、密告《みつこく》によって逮捕《たいほ》された。六代十二歳《ろくだいじゆうにさい》である。

維盛《これもり》の旧臣斎藤五《きゆうしんさいとうご》・斎藤六兄弟《さいとうろくきようだい》は六代《ろくだい》に付《つ》き添《そ》い、乳母《めのと》は頼朝《よりとも》と懇意《こんい》の文覚上《もんがくしよう》人《にん》に助命《じよめい》を嘆願《たんがん》した。文覚《もんがく》は時政《ときまさ》に六代《ろくだい》の処刑《しよけい》を二十《はつ》日間延期《かかんえんき》するよう求《もと》め、その間《かん》に頼朝《よりとも》の助命許可《じよめいきよか》を取《と》りつけようと鎌倉《かまくら》に出発《しゆつぱつ》した。二十《はつ》日経《かた》った十二月十六日《じゆうにがつじゆうろくにち》、時政《ときまさ》は六代《ろくだい》を千本《せんぼん》の松原《まつばら》（静岡県沼津市《しずおかけんぬまづし》）に連行《れんこう》したが、処刑寸前《しよけいすんぜん》に頼朝《よりとも》の赦免状《しやめんじよう》を持《も》った文覚《もんがく》が馬《うま》で駆《か》けつけた。

泊瀬六代〈はせろくだい〉

助命《じよめい》がかなった六代《ろくだい》は、泊瀬《はせ》（長谷寺《はせでら》）に籠《こも》って六代《ろくだい》の延命祈願《えんめいきがん》をしていた母《はは》や乳母《めのと》と再会《さいかい》の喜《よろこ》びにひたった後《のち》、文覚《もんがく》のもとに引《ひ》き取《と》られた。

六代斬られ〈ろくだいきられ〉

頼朝《よりとも》は、自分《じぶん》の例《れい》に重《かさ》ね合《あ》わせ、六代《ろくだい》が平家再興《へいけさいこう》をはかり、源氏討滅《げんじとうめつ》をたくらむのではないかと疑《うたが》った。頼朝《よりとも》の疑心《ぎしん》を晴《は》らすために、六代《ろくだい》は出家《しゅっけ》し、高野山《こうやさん》から熊野《くまの》へと、亡《な》き父《ちち》の足跡《あしあと》をたずねながら、修行《しゅぎょう》の旅《たび》を続《つづ》けた。

怪僧文覚《かいそうもんがく》は、時《とき》の後鳥羽天皇《ごとばてんのう》の執政《しっせい》を批判《ひはん》し、放言《ほうげん》をはばからなかった。

一一九九（建久十《けんきゅうじゅう》）年正月十三日《ねんしょうがつじゅうさんにち》、頼朝《よりとも》が死去《しきょ》すると、謀反《むほん》の罪《つみ》で文覚《もんがく》は隠岐《おき》（島根県《しまねけん》）に流《なが》された。後年《こうねん》、後鳥羽上皇《ごとばじょうこう》が同《おな》じ隠岐《おき》に流《なが》されたのは、文覚《もんがく》の呪詛《じゅそ》によると言《い》われた。

高雄《たかお》（京都市右京区《きょうとしうきょうく》）で修行《しゅぎょう》に専念《せんねん》していた六代《ろくだい》は三十余歳《さんじゅうよさい》を迎《むか》えたが、平家《へいけ》の嫡流《ちゃくりゅう》でしかも文覚《もんがく》の弟子《でし》だったために、危険人物《きけんじんぶつ》のかどで逮捕《たいほ》された。やがて鎌倉《かまくら》へ連行《れんこう》され、田越河《たごしがわ》（神奈川県逗子市《かながわけんずしし》）で斬《き》られた。

ここに平家《へいけ》の子孫《しそん》は永久《えいきゅう》に絶《た》えた。

平家物語灌頂（かんじょう）の巻

「灌頂《かんじょう》」は、香水《こうすい》を頂《ちょう》(頭上《ずじょう》)に灌《そそ》ぐこと。仏教《ぶっきょう》で弟子《でし》が師《し》から法《ほう》を受《う》けるときの儀式《ぎしき》を意味《いみ》したが、ここでは平曲《へいきょく》で秘曲《ひきょく》を伝授《でんじゅ》する意味《いみ》に転《てん》じている。したがって、灌《かん》頂《じょう》という用語《ようご》は『平家物語《へいけものがたり》』のもつ仏教文学性《ぶっきょうぶんがくせい》を伝《つた》えるとともに、本巻《ほんかん》の章段《しょうだん》がすべて特別《とくべつ》の意義《いぎ》をもつ秘曲《ひきょく》であることを示《しめ》している。

女院御出家〈にょういんごしゅっけ〉

壇《だん》の浦《うら》で入水後《じゅすいご》に救命《きゅうめい》された建礼門院《けんれいもんいん》(高倉天皇《たかくらてんのう》の中宮《ちゅうぐう》)は、東山《ひがしやま》の麓《ふもと》、吉田《よしだ》の荒《あ》れはてた僧坊《そうぼう》にわび住《ず》まいしていた。一一八五(文治元《ぶんじがん》)年《ねん》五《ご》月一日《がつついたち》、出家《しゅっけ》したものの、窮乏生活《きゅうぼうせいかつ》のため、お布施《ふせ》として出《だ》すべきものがなく、亡《な》き御子《みこ》安徳《あんとく》天皇《てんのう》の形見《かたみ》の衣《ころも》をお布施《ふせ》とした。

天皇《てんのう》の母《はは》であり、清盛公《きよもりこう》の娘《むすめ》として世《よ》に時《とき》めいたが、今《いま》や平家《へいけ》没落《ぼつらく》の悲運《ひうん》に遭《あ》って悲嘆《ひたん》の淵《ふち》に沈《しず》んだ。かつて女院《にょういん》に仕《つか》えた女房《にょうぼう》たちも、戦後《せんご》は離散《りさん》してしまった。

大原への入御〈おおはらへのじゅぎょ〉

去《さ》る七月九日《しちがつここのか》の大地震《だいじしん》で、吉田《よしだ》の僧坊《そうぼう》も崩壊《ほうかい》したため、九月下旬《くがつげじゅん》、女院《にょういん》はさらに閑居《かんきょ》を求《もと》めて、大原《おおはら》の寂光院《じゃっこういん》に入《はい》った。

ときおり鹿《しか》の訪《おとず》れる静寂《せいじゃく》な山奥《やまおく》に建《た》つ寂光院《じゃっこういん》のそばに庵室《あんしつ》を造《つく》り、安徳天皇《あんとくてんのう》の菩提《ぼだい》をとむらう念仏生活《ねんぶつせいかつ》を送《おく》った。

巻名《かんめい》の「入御《じゅぎょ》」は、女院《にょういん》がお入《はい》りになる意《い》の尊敬語《そんけいご》。

〈寂光院本堂（2000年5月9日焼失）〉

大原御幸〈おおはらごこう〉　一一八六＊

一一八六（文治《ぶんじ》二《に》）年四月下旬《ねんしがつげじゅん》、後白河法皇《ごしらかわほうおう》は建礼門院《けんれいもんいん》に会《あ》うため、お忍《しの》びで大原《おおはら》へ出《で》かけた。

案内《あんない》に出《で》た老尼《ろうに》が、女院《にょういん》は花摘《はなつ》みに山《やま》へ登《のぼ》ったと言《い》うので、雑用《ざつよう》の世話《せわ》をする者《もの》さえいないのを同情《どうじょう》すると、やつれた老尼《ろうに》は、悟《さと》りを開《ひら》くための苦行《くぎょう》だと説《と》き、法皇《ほうおう》を驚《おどろ》かせる。よく見《み》ると、法皇《ほうおう》の乳母《めのと》の娘《むすめ》、阿波内侍《あわのないし》であった。

仏道修行《ぶつどうしゅぎょう》に専心《せんしん》する女院《にょういん》の庵室《あんしつ》に、昔日《せきじつ》の栄華《えいが》の面影《おもかげ》はなく、法皇一行《ほうおういっこう》の哀愁《あいしゅう》を誘《さそ》った。

やがて、山《やま》から下《お》りてきた女院《にょういん》は、法皇《ほうおう》の突然《とつぜん》の訪問《ほうもん》に、花籠《はなかご》を持《も》ったまままただ呆然《ぼうぜん》と立《た》ちつくした。

巻名《かんめい》の「御幸《ごこう》」は、法皇《ほうおう》の外出《がいしゅつ》をいう尊敬語《そんけいご》。

◆法皇《ほうおう》の突然《とつぜん》の見舞《みま》いに尼姿《あますがた》を恥《は》じる建礼門院《けんれいもんいん》

しばらくして、上《うえ》の山《やま》から、濃《こ》い墨染《すみぞ》めの衣《ころも》を着《き》た尼《あま》が二人《ふたり》、岩《いわ》の険《けわ》しい崖道《がけみち》を伝《つた》って、たどたどしい足《あし》どりで下《お》りてくるのが見《み》えた。法皇《ほうおう》が、「あれは何者《なにもの》か」と尋《たず》ねると、老尼《ろうに》（阿波《あわ》の内侍《ないし》）は涙《なみだ》ながらに答《こた》えた。

「あの、花籠《はなかご》を肘《ひじ》に掛《か》け、岩躑躅《いわつつじ》を取《と》り添《そ》えて持《も》っていらっしゃるお方《かた》が女院《にょういん》です。たきぎに蕨《わらび》を折《お》り添《そ》えて持《も》っているのが、鳥飼《とりかい》の中納言維実《ちゅうなごんこれざね》の娘《むすめ》で、五条《ごじょう》の大納言国綱《だいなごんくにつな》の養女《ようじょ》、先帝《せんてい》（安徳天皇《あんとくてんのう》）の御乳母《おんめのと》でいらした大《だい》納言《なごん》の典侍《すけ》で……」

言《い》い終《お》わらないうちに、老尼《ろうに》は泣《な》きくずれてしまった。

法皇《ほうおう》も涙《なみだ》を抑《おさ》え、お供《とも》の高官《こうかん》たちも涙《なみだ》を落《お》とさない者《もの》はなかった。

やがて、法皇《ほうおう》の一行《いっこう》に女院《にょういん》も気《き》づいて、足《あし》を止《と》めた。女院《にょういん》は、出家《しゅっけ》した身《み》なのだからしかたがないものの、今《いま》、このように変《か》わり果《は》てた姿《すがた》を、法《ほう》皇《おう》にお見《み》せすることはなんとも恥《は》ずかしい、このまま消《き》えてしまいたい、と心《こころ》の底《そこ》から恐縮《きょうしゅく》したけれども、どうにもしようがない。

夜《よ》ごとに仏前《ぶつぜん》に供《そな》える水《みず》を汲《く》むせいで、衣《ころも》の袂《たもと》が濡《ぬ》れるのに、そのうえ朝《あさ》早《はや》く供花《くげ》を摘《つ》みに出《で》かけるため、山路《やまじ》の露《つゆ》で袂《たもと》がびっしょりになって、しぼりきることもできなかったのだろうか。濡《ぬ》れて重《おも》たい袂《たもと》のまま、女院《にょういん》は身《み》じろぎもしなかった。

女院《にょういん》は、山《やま》にも戻《もど》らず、かといって庵室《あんしつ》にも入《はい》らない。ただただ、途方《とほう》にくれたようすで、呆然《ぼうぜん》と立《た》ちつくして

〈下村観山筆「大原御幸」〉

いた。

見《み》かねた内侍《ないし》の尼《あま》（阿波《あわ》の内侍《ないし》）が女院《にょういん》のもとに参《まい》り、女院《にょういん》から花籠《はなかご》を受《う》け取《と》った。


❖ややあつて、上《うへ》の山《やま》より、濃《こ》き墨染《すみぞめ》の衣《ころも》着《き》たりける尼二《あまに》人《にん》、岩《いは》の懸路《かけぢ》を伝《つた》ひつつ、下《お》り煩《わづら》ひたる様《さま》なりけり。

法皇《ほふわう》、「あれはいかなる者《もの》ぞ」と、仰《おほ》せければ、老尼《らうに》、涙《なみだ》を抑《おさ》へて、「花筐臂《はながたみひぢ》にかけ、岩躑躅《いはつつじ》取り具《ぐ》して持《も》たせ給《たま》ひて候《さぶら》ふは、女院《にようゐん》にて渡《わた》らせ給《たま》ひ、爪木《つまぎ》に蕨折《わらびを》り添《そ》へて持《も》ちたるは、鳥飼《とりかひ》の中納言維実《ちゆうなごんこれざね》が女《むすめ》、五条《ごでう》の大納言国綱《だいなごんくにつな》の養子《やうじ》、先帝《せんてい》の御《おん》乳母《めのと》、大納言《だいなごん》の典侍《すけ》の局《つぼね》」と、申《まう》しもあへず泣《な》きけり。

法皇《ほふわう》、御涙《おんなみだ》を流《なが》させ給《たま》へば、供奉《ぐぶ》の公卿《くぎやう》・殿上人《てんじやうびと》も皆《みな》、袖《そで》をぞ濡《ぬ》らされける。女《によう》院《ゐん》は、世《よ》を厭《いと》ふ御習《おんなら》ひと云《い》ひながら、今《いま》かかる有様《ありさま》を見《み》え参《まゐ》らせんずらん恥《は》づかしさよ、消《き》えも失《う》せばやと思《おぼ》し召《め》せども、かひぞなき。宵々《よひよひ》ごとの閼伽《あか》の水《みづ》、掬《むす》ぶ袂《たもと》もしをるるに、暁起《あかつきお》きの袖《そで》の上《うへ》、山路《やまぢ》の露《つゆ》もしげくして、しぼりやかねさせ給《たま》ひけん。山《やま》へも帰《かへ》らせ給《たま》はず、また御庵室《ごあんじつ》へも入《い》らせおはしまさず、あきれて立《た》たせましましたる所《ところ》に、内侍《ないし》の尼《あま》、参《まゐ》りつつ、花筐《はながたみ》をば賜《たまは》りけり。

✲建礼門院は、高倉天皇《たかくらてんのう》の中宮《ちゅうぐう》（皇后《こうごう》）で、清盛の次女。名は徳子《とくこ》。安徳天皇の生母となって、平家一門に栄華を導き、その最盛と滅亡をまのあたりにした非運の女性である。高倉天皇の父である法皇（後白河院《ごしらかわいん》）とは、いわゆる嫁《よめ》・舅《しゅうと》の関係になる。

この二人の対面は、互いに涙で始まり涙で終わるが、別に大きな意義をもっている。というのも、平家追討の院宣《いんぜん》を源氏に与えたのは、ほかならぬ後白河院だったからだ。平家と後白河院とは、ほんらい仇敵《きゅうてき》の間柄だった。

そのことを思えば、平家一門の供養をする女院を、後白河院が見舞ったことは、平家と皇室とが怨讐《おんしゅう》を超えて和解したことを意味する。すなわち、国家反逆の罪が許され、地獄をさまよう平家の亡魂が救済されたのだ。

平家の諸霊に引導《いんどう》を渡して成仏《じょうぶつ》させるための巻、これが「灌頂《かんじょう》の巻」の意義ではないだろうか。巻末の章段名は「女院御往生」であるが、往生できたのは女院ばかりではない。

なお、阿波の内侍は、平治《へいじ》の乱《らん》で殺害された後白河院の近臣、藤原通憲《ふじわらのみちのり》（信西入道《しんぜいにゅうどう》）の娘。大納言の典侍は平重衡《たいらのしげひら》（清盛五男）の妻である。

六道の沙汰〈ろくどうのさた〉

女院《にょういん》は、落《お》ちぶれたわが身《み》をさらすことにためらいつつ、涙《なみだ》ながらに法皇《ほうおう》と対面《たいめん》した。女院《にょういん》は、これまでの人生体験《じんせいたいけん》で六道《ろくどう》をまのあたりにした、と平家一門《へいけいちもん》の栄枯盛衰《えいこせいすい》に六道《ろくどう》を重《かさ》ねて物語《ものがた》った。

六道《ろくどう》とは、生前《せいぜん》の行《おこな》いの善悪《ぜんあく》によって、人間《にんげん》が死後《しご》におもむく六《むっ》つの世界《せかい》、地獄道《じごくどう》・餓鬼道《がきどう》・畜生道《ちくしょうどう》・修羅道《しゅらどう》・人間道《にんげんどう》・天道《てんどう》をさす。人間《にんげん》はこの六道《ろくどう》を無限《むげん》に再生《さいせい》し続《つづ》けるのであり、これを輪廻転生《りんねてんしょう》という。

女院御往生〈にょういんごおうじょう〉

寂光院《じゃっこういん》の鐘《かね》の音《ね》が日暮《ひぐ》れを告《つ》げた。二人《ふたり》とも名残《なごり》は尽《つ》きないが、涙《なみだ》を抑《おさ》えつつ帰《かえ》る法皇《ほうおう》を、女院《にょういん》はいつまでも見送《みおく》っていた。

やがて、女院《にょういん》は病気《びょうき》にかかり、阿弥陀如来《あみだにょらい》の手《て》にかけた五色《ごしき》の糸《いと》を持《も》って、二人《ふたり》の女房《にょうぼう》に見《み》とられながら、静《しず》かに息《いき》をひきとった。一一九一（建久二《けんきゅうに》）年《ねん》二月中旬《がっちゅうじゅん》のことであった。

〈琵琶法師『職人尽歌合』〉

解説

『平家物語』──作品紹介

◎いつ、だれが作ったのか

『平家物語』は、『源氏物語』と並んで人気の高い作品であるが、いつ、だれが作ったのか、その成立の事情についてはどちらも謎が多い。

原作者を紫式部という女性に特定できる『源氏物語』はまだしも、『平家物語』は、作者に関する資料はあるものの、その作者名をいまだ確定できないでいる。

『平家物語』の成立事情を伝える資料のなかで、最もよく知られているのが『徒然《つれづれ》草《ぐさ》』の第二二六段である。今、兼好《けんこう》の言をまとめると、こんなふうになる。

「後鳥羽院《ごとばいん》（一一八〇〜一二三九）のころ、信濃《しなの》の国の前司《ぜんじ》（前知事）、行長《ゆきなが》という人物は学者の評判が高かった。ある日、宮中で『白氏文集《はくしもんじゅう》』の研究会があり、その発表の当番をつとめたとき、「七徳の舞」のうち二つを思い出せなくて、「五徳の冠者《かんじゃ》」という不名誉なあだ名をもらってしまった。

失望落胆した行長は、学者の道をあきらめて出家した。そんな行長（信濃入道）を、当時、身分を問わず一芸に秀でる者の面倒をみていた慈円大僧正《じえんだいそうじょう》（慈鎮《じちん》和尚《おしょう》　一一五五〜一二二五）が拾ってくれた。慈円は、天台座主《てんだいざす》という比叡山延暦寺《ひえいざんえんりゃくじ》の最高位にあった高僧である。

生活の援助を受けた行長入道は、やがて『平家物語』を制作し、生仏《しょうぶつ》という盲人に内容を教え、それを生仏は節《ふし》をつけて語ったのだそうだ。

こうしたいきさつから、『平家物語』のなかで、比叡山延暦寺は特別待遇になっている。また、源義経《みなもとのよしつね》のことはくわしいが、彼の兄範頼《のりより》については雑である。武士や弓馬の武芸に関しては、生仏が東国出身だったので、武士たちに聞き取り調査して、行長入道の執筆を助けた。

この生仏の語り口を、現代の琵琶法師《びわほうし》はまねているのだ。」

一読したところ明瞭であり、何の疑念もわかないようにみえるが、そうでもない。

まず、成立はいつかという問題だが、後鳥羽院のころというのは、必ずしも『平家物語』の成立時期を示すとは限らない。行長の大失敗の時期をさすとも受け取れる。

また、行長が作者だと思い込みがちだが、性急にすぎる。いったい、生活援助を受けている身の上で、『平家物語』の制作を自主的に企画し、個人で実行できるものだろうか。しかも、わざわざ生仏という盲人に内容を教えて語らせたという。教える相手に、ことさら盲人を選ぶには、それなりの特別な理由があったはずだ。とても、一介の学者くずれのなしえる仕事ではない。やはり、この背景には、大がかりなプロジェクト（事業計画）があり、二人は『平家物語』のモデル（見本）制作という任務を与えられた、と推測するのが自然であろう。

たとい行長を作者と認めるにしても、今日的な意味で著作権を有する作者とは言いがたい。だれかの注文を受けて執筆するという点では、ゴーストライター（代筆作者）に近いものがある。

作者を特定の個人に絞ろうとしても、徒労に終わるだろう。行長と生仏との二人の共同制作とみるのも無益である。『徒然草』は、表だって二人の名前を記しているが、どうして『徒然草』以前にも、それ以後にも、二人の名前は現れないのか。兼好は、たんなるうわさ話の一つを書き留めたのだろうか。

成立にかかわる個人の名前が浮動して定まらないのは、『平家物語』の制作がほんらい個人を超えた事業だったからであろう。『平家物語』は、個人の作者を必要とする作品ではなかったと考えられる。

では、だれが二人の名前の公表を許したのか。その人間こそが、『平家物語』をこの世に送り出した最大の功労者であり、今日的な意味における監修者にふさわしい人物と言えるのではなかろうか。

◎『平家物語』の生みの親――慈円

そこで、急浮上するのが慈円の存在である。たしかに、慈円が『平家物語』の制作を行長に命じたとは、『徒然草』のどこにも書かれていない。『平家物語』の内容を盲人の生仏に教えるように命じたとも、書かれていない。

しかし、事は明瞭である。書かれていないのは、書くまでもなかったからだ。兼好にとっても自明のことだった。それほど、行長の自主制作は無理なのであり、行長は慈円の指示通りに動く駒《こま》の一つにすぎなかった。

それを証拠だてるのが、慈円は一芸に秀でる者を集めて、面倒をみているという事実である。はじめから、慈円には一芸を利用するねらいがあり、集められた者たちも利用されることを承知している。たんなる福利厚生事業ではないのだ。

集められた者の、一芸の審査はあったろうが、信仰心の有無を確認したようすはない。とすれば、何を目的とした事業なのだろうか。事業に要する莫大《ばくだい》な資金はどこから提供されたのだろうか。

いずれにせよ、ふつうの宗教人のとるべき行動ではない。おおぜいの食客を養うことじたい、政治的な疑惑を招き、官憲に厳しく糾弾される危険さえある。

それをあえて行い、また実行できる慈円とはどんな人物なのだろうか。

慈円は、よく知られている『百人一首』の歌人である。「おほけなくうき世の民を覆《（オ）》ふかな《（ウ）》　わが立つ杣《そま》に墨染《すみぞめ》の袖《そで》（＝まだ至らない自分もわきまえず、比叡山での修行によって、世の人々が安らかに暮せるように、私は努力するという意）」

この歌からもわかるように、慈円は、世のため人のために身命を捧げる型の人間だった。自分の宗教心を磨くよりも、世の人々の安らかな生活を、ひいて言えば、国家の平穏を希求している。

慈円は、時の摂政《せっしょう》・関白《かんぱく》だった九条兼実《くじょうかねざね》の実弟である。しかも、比叡山の座主（貫首《かんじゅ》）を四度つとめた。いわば政界・宗教界の大立者《おおだてもの》であり、国政の運営に隠然たる発言権をもつ立場にあった。

もっと意義深いのは、親鎌倉派の兄兼実を通じて、頼朝《よりとも》とも親交があったことだ。慈円は頼朝の政治手腕を高く評価し、頼朝もまた慈円を信頼していた。

その彼が、保元《ほうげん》の乱以来続く戦乱の犠牲者を慰霊する道場「大懺法院《だいさんほういん》」を建立した。戦没者の慰霊は、彼の手によって国家プロジェクトとなった。宗教的な動機からばかりではなく、国民の政治意識を導くための国策の一環として施行されたのである。すなわち、慰霊を通して、荒廃した人心を和《やわ》らげ、国家に秩序を回復しようというのである。

国家を二分するような源平の争乱は、二大政党のどちらかが一方を大量粛清したような衝撃を国民に与えたろう。それは、放置するならば、国民の政治意欲を失わせ、国家を衰亡させる危険をはらんでいた。慈円にとって、慰霊はまさに政治上の急務であった。勝利者の頼朝にとっても、同様であったはずである。

慈円の残した歴史書『愚管抄《ぐかんしょう》』は、公家《くげ》と武家の協同による新しい政治改革を強調している。慈円は、武士の台頭に寛容であり、時代の転換を見抜いていた。それが、不幸にも、和歌を通して親交の深かった倒幕派の後鳥羽院と絶交する原因ともなった。

◎『平家物語』誕生夢譚《たんじょうむたん》

さて、長話は閉じて、まとめに入ろう。以下は、『平家物語』研究の通説を借りた創作であることをお断りしておく。読者がこの妄説に発奮して、向学心を燃え立たせるならば、まさに本望である。

慈円の指示に従って、行長は原『平家物語』の一本を書き上げ、慈円の指示に従って、盲人の生仏に内容を教えて語らせた。その結果、誕生したのが『平家物語』の原型なのである。慈円はプロデューサー（制作者）であり、彼のもとで行長と生仏は、原『平家物語』を開発したのだ。

なぜ行長が選ばれたか。行長は遁世者《とんせいしゃ》、世捨て人である。彼は、身分制社会の束縛から離れて、あらゆる情報源に自由に接近し、情報を入手できた。加えて学才がある。それが選抜の理由である。

なぜ生仏が選ばれたか。生仏は盲人の琵琶法師の管理者だったのではなかろうか。当時、琵琶法師は巨大なネットワークを全国に張り巡らしていた。彼が選ばれた理由は、おそらくその辺にあったと考える。

琵琶の伴奏によって『平家物語』が語られ、それを耳から享受する意義の大きさは、はかりしれない。文字を知らない庶民も、『平家物語』の中に入ることができたからだ。このように耳から楽しむ『平家物語』を、とくに『平曲《へいきょく》』と呼んで区別することがある。

さて、琵琶法師たちの語りというネットワークに乗って、全国に発信された原『平家物語』は、家々の伝承に照らして、人々の心に受容しやすいかたちに変形されていった。琵琶法師の語りに個人の作者名は不要だったから、変形にあたって著作権侵害といった罪悪感はない。

どのように変形・改作されようが、人々の心に受け入れられさえすれば、所期の目的は達したのである。こうして、行長と生仏の開発した原『平家物語』とは異なる、数々の『平家物語』が生まれた。今に残るおびただしい異本群がそれである。

しかし、それは慈円の予想に反するものではなかったろう。慈円にとって、戦乱によって荒《すさ》んだ心が和らぎ、世の中に平和と秩序が回復されるならば、『平家物語』制作のプロジェクトは成功したといってよかったのだ。

厖大《ぼうだい》な異本群を生み出すためには、莫大なエネルギーを必要とする。そのエネルギーが傾注されたということじたい、『平家物語』が世の人々に受け入れられたことの証《あかし》なのである。

◎日本人としての自覚を促す

生仏が東国出身だったので、東国武士からさまざまな情報の提供を得ることができた、と『徒然草』は記している。『平家物語』の合戦描写には、東国の源氏武士の戦場体験が反映されているのである。

言い換えれば、『平家物語』は、平家からみれば仇敵《きゅうてき》の源氏の資料提供によって制作されたことになる。たしかに、ほぼ全滅といってよい平家に、戦闘詳報の資料を求めるのは酷であろう。

話は飛ぶが、太平洋戦争の記録映画が、ほとんど米軍側の撮影したフィルムで編集されていた時代があった。つねに、敗者は勝者によって描かれる。

だが、『平家物語』が仇敵源氏の資料提供によって制作されたという皮肉な事実は、思いがけない波及効果をもたらした。武士階級のなかに、敵味方の憎悪を超えた武士の情がはぐくまれて、武士道という独特の倫理が意識されはじめた。

歌を箙《えびら》に結びつけて散った忠度《ただのり》、笛《ふえ》を腰に帯びて討たれた敦盛《あつもり》、鬼神のごとく奮戦した教経《のりつね》や知盛《とももり》、これら平家武将の死は、そのまま武士の理想の死として賞賛されていく。ほんらい雅《みやび》であった大和心《やまとごころ》が、武士道と結ばれる出会いも、じつは『平家物語』にあった。

もっと重要なことは、国土の全域にわたって戦闘を展開したために、源平の争乱によって、ほとんどの日本人が国民としての自覚を促されたことである。

それまでは、国政の中心に公家（朝廷）があり、円心が一つだったから、国民意識は無自覚でも足りた。今や、京に対する鎌倉という円心が二つの楕円形《だえんけい》に変わった。

この政情の激変は、王威の陰に隠れていた公家を白日のもとに連れだし、武家という新顔と対決させた。いやおうなしに、国民は国政の実態を目の当たりにすることになった。そして、政治意識の自己改革を迫られたのである。

日本人が日本人としての自覚をもつようになる動機の一つは、源平の争乱にあった。以後、『平家物語』は、国民文学としてその自覚を磨きあげていった。

付録

『平家物語』探求情報

◆もっとくわしく勉強したい方に

○注釈書

『平家物語』1・2、新編日本古典文学全集、市古貞次、小学館、一九九四

『平家物語』上下、新日本古典文学大系、梶原正昭・山下宏明、岩波書店、一九九一

『平家物語』上中下、新潮日本古典集成、水原一、新潮社、一九七九

『平家物語』全十二冊、講談社学術文庫、杉本圭三郎、講談社、一九七九

『平家物語全注釈』全四冊、冨倉徳次郎、角川書店、一九六六

『平家物語』全二冊、佐藤謙三、角川書店、一九五九

○研究案内書

『「平家物語」がわかる』（アエラムック）、朝日新聞社、一九九七…ガイド誌
『平家物語必携』別冊國文學15、學燈社、一九八二…研究案内誌
『平家物語研究事典』、市古貞次編、明治書院、一九七八
『諸説一覧平家物語』、市古貞次編、明治書院、一九七〇
『平家物語』日本文学研究資料叢書、有精堂、一九六九…諸家論文集
『平家物語』の研究書は非常に多く、たいてい「平家」を書名に用いている。他に「軍記」「源平」などで検索すると見つけやすい。歴史研究書も多い。

○絵画（絵巻物のみ）・写真資料

『平家物語絵巻』全十二巻、小松茂美編、中央公論社、一九九〇〜九五
…林原美術館蔵（岡山市）。唯一の完本
『平家物語絵巻』、林原美術館、クレオ、一九九四…江戸時代の絵巻物
『平家物語』（新潮古典文学アルバム）、牧野和夫・小川国夫、新潮社、一九九〇
『平家物語』（「図説日本の古典」9）、集英社、一九七九…丁寧な作品解説
『現代日本絵巻全集』4、小学館、一九八二…下村観山「大原御幸《おおはらごこう》」
『現代日本絵巻全集』10、小学館、一九八四…前田青邨「維盛《これもり》高野之巻」

○CD

『平家物語』CD－ROM、櫻井陽子監修、富士通SSL、一九九七
…超豪華版・平家物語百科。英語可

平曲CD『平家物語の音楽』、平野健次監修、コロンビア、一九九一…今井検校ほか

◆インターネットで調べたい方に（アドレスは二〇〇一年九月現在のもの）

「平家物語関連リンク集」…『平家物語』情報を発信しているHPへのリンク集
平家物語の館、嵯《さ》峨《が》野《の》の女人物語とその史跡、赤間《あかま》神宮《じんぐう》、彦島《ひこしま》・平家落人《おちうど》の眠る島、東祖谷《ひがしいや》山村《やまそん》、リンクワールドほか
http://www.pasutel.co.jp/person/party/heike/heike4.htm

「Click Times—平家物語を熱く語る!!」…あらゆる話題満載。投稿可
http://bbs.c‾studio.net/heike/index.html

「平家伝説の里　湯《ゆ》西川《にしかわ》」…落人伝説で有名な湯西川温泉から発信
平家の物語、平家一族、源平の戦い場所、平家物語絵巻、平家伝説のわかる宿
http://www3.justnet.ne.jp/~b‾m/emaki.htm

◆『平家物語』史跡めぐり（現在の地名、建築物名を見出しに掲げた）

平家

◎京都（京都市・宇治市《うじし》）

◇三十三間堂《さんじゅうさんげんどう》（東山区七条）―蓮華王院《れんげおういん》。一一六四年、後白河法皇《ごしらかわほうおう》が平清盛《たいらのきよもり》に命じて造らせた千体観音堂。法皇の御所（法住寺《ほうじゅうじ》）の中に建立され、近くに法皇をまつる法住寺陵がある。…巻一

◇六波羅蜜寺《ろくはらみつじ》（東山区松原通）―六波羅第（平家一門の公邸）に建つ。寺内に清盛像、境内に清盛供養塚がある。付近の町名に池殿《いけどの》町（平頼盛《よりもり》邸）・門脇《かどわき》町（門脇宰相教盛《のりもり》邸）などがある。…巻一

◇正林寺《しょうりんじ》（東山区渋谷通《しるたにどおり》）―小松殿（平重盛《しげもり》）の私邸跡。…巻二

◇祇園《ぎおん》（東山区祇園町）―白河法皇の妃《きさき》、祇園の女御《にょうご》は祇園社（八坂神社《やさかじんじゃ》）の傍らに住んだ。この女御がみごもったまま、平忠盛《ただもり》に引き取られ、生まれたのが清盛だという。神社の境内に忠盛灯籠《とうろう》があり、円山《まるやま》公園に女御の塚がある。…巻六

◇鹿ヶ谷《ししがたに》（東山区鹿ヶ谷）―霊鑑寺《れいかんじ》の周辺に「鹿の谷」会議が行われた俊寛《しゅんかん》の山荘があったという。…巻一

◇清閑寺《せいかんじ》（東山区西大谷）―寺の東北に高倉《たかくら》天皇陵があり、傍らに小督《こごう》の墓がある。…巻六

◇清水寺《きよみずでら》（東山区清水）―延暦寺《えんりやくじ》と興福寺《こうふくじ》の抗争の場となった。…巻一

◇若一神社《にゃくいちじんじゃ》（下京区《しもぎょうく》西大路八条）―西八条殿《にしはつじょうどの》と呼ばれた清盛の私邸跡。境内に碑がたつ。…巻一

◇嵐山《あらしやま》（右京区《うきょうく》嵐山）―渡月橋《とげつきょう》の北に小督塚がたつ。…巻六

◇祇王寺《ぎおうじ》（右京区嵯峨《さが》）―四人の尼《あま》（祇王・祇女・その母および仏御前《ほとけごぜん》）の木像および四人と清盛の供養塔がある。…巻一

◇滝口寺《たきぐちでら》―祇王寺に隣接し、滝口と横笛の木像がある。…巻十

◇神護寺《じんごじ》（右京区梅《うめ》ヶ畑《はた》）―頼朝に挙兵を促した文覚上人《もんがくしょうにん》が再興した（巻五）。ちなみに、恋塚寺《こいづかでら》（下鳥羽《しもとば》）には、文覚（遠藤盛遠《えんどうもりとお》）と恋愛事件の相手袈裟御前《けさごぜん》、その夫源渡《みなもとのわたる》の像がある。

◇寂光院《じゃっこういん》（左京区《さきょうく》大原《おおはら》）―建礼門院徳子《けんれいもんいんとくこ》と阿波内侍《あわのないし》の像があり、近くに二人の墓がある。二〇〇〇年五月九日本堂焼失。

◇鞍馬寺《くらまでら》（左京区鞍馬本町）―義経《よしつね》は少年時代ここで修行した。…巻八以降

◇峰定寺《ぶじょうじ》（左京区花背原地町《はなせはらちちょう》）―俊寛と妻子の供養塔がある。…巻三

◇宇治川・宇治橋・平等院《びょうどういん》（京都府宇治市）―橋合戦（巻四）と宇治川の先陣争い（巻九）で名高い。橋合戦で敗れた源頼政《よりまさ》は平等院で自害した。…巻四

◎神戸《こうべ》（兵庫県神戸市）

◇福原（兵庫区）―一一八〇年六月、清盛はこの地に遷都を強行したが、半年後に京都に復帰する。三年後の一一八三年七月二十四日、当地に火を放って平家一門は九州へ落ちて行った。…巻五・七

◇雪見の御所（兵庫区）―清盛の山荘。…巻七

◇生田《いくた》の森（中央区）・一の谷（須磨《すま》区）―一の谷の合戦場。…巻九

◇鵯越《ひよどりごえ》（神戸市街から六甲《ろっこう》山地を越える山路）―一の谷の合戦場。…巻九

◇須磨寺（須磨区）―敦盛《あつもり》の首塚《くびづか》や甲冑《かっちゅう》がある。

◇須磨浦公園（須磨区）―敦盛の供養塔。

なお、神戸には源平武将の塚が数多く残っている。

◎瀬戸内海

◇屋島《やしま》（香川県高松市）―屋島合戦場。…巻十一

◇宮島《みやじま》（広島県広島市）―厳島神社《いつくしまじんじゃ》。…巻四

◇下関《しものせき》（山口県下関市）―安徳帝《あんとくてい》をまつる赤間《あかま》神宮《じんぐう》がある。…巻十一

◇壇《だん》ノ浦《うら》（山口県下関市）―壇ノ浦合戦場。…巻十一

源氏

◎源義仲《よしなか》

◇木曾谷《きそだに》―義仲館、徳音寺《とくおんじ》、旗挙八幡宮《はたあげはちまんぐう》、中原兼遠館《なかはらかねとお》、興禅寺《こうぜんじ》

…JR中央本線　宮ノ越、原野、木曾福島

◇北陸路―倶利伽羅峠《くりからとうげ》猿ヶ馬場、源平供養塔、平為盛塚《ためもり》、巴塚《ともえ》、葵塚《あおい》

…JR北陸本線　石動《いするぎ》、倶利伽羅

◇大津―義仲寺《ぎちゆうじ》（巴塚、芭蕉《ばしよう》の墓）…JR東海道本線膳所《ぜぜ》　今井兼平《いまいかねひら》の墓…JR東海道本線石山

◎源頼朝《よりとも》

◇伊豆《いず》・相模《さがみ》―蛭ヶ小島《ひるがこじま》、平兼隆館《かねたか》…伊豆箱根鉄道韮山《にらやま》　石橋山…JR東海道本線小田原　富士川…東海道新幹線新富士、JR東海道本線富士川

◇安房《あわ》―竜島…JR内房線安房勝山《うちぼう》　洲崎神社《すざき》…JR内房線館山《たてやま》

◇鎌倉―鶴岡八幡宮《つるがおかはちまんぐう》（舞殿、大銀杏《いちよう》）、大倉幕府跡、文覚上人屋敷跡など

…JR横須賀線鎌倉

◎源義経《よしつね》
◇吉野《よしの》—吉野山、金峯山寺《きんぷせんじ》、蔵王堂《ざおうどう》、吉水神社《よしみずじんじゃ》…近鉄吉野線吉野（ロープウェイ）
◇安宅《あたか》—安宅の関（歌舞伎《かぶき》「勧進帳《かんじんちょう》」）…JR北陸本線小松
◇平泉《ひらいずみ》—義経堂、伽羅御所《きゃらのごしょ》跡、無量光院《むりょうこういん》跡、中尊寺《ちゅうそんじ》、毛越寺《もうつじ》…JR東北本線平泉

◆**源平合戦のメモ**（ただし「宇治川の合戦」は源氏軍の同志討ち）

合戦名—関連する巻…章段名
平家軍司令官 ⇕ 源氏軍司令官　○は勝、×は敗
合戦開始の年月日（本作品に拠る。記述のない場合は『玉葉《ぎょくよう》』に拠った）
戦場・戦域（現在地名、建築物名など）…最寄り駅

●**以仁王《もちひとおう》の乱**（宇治の戦い）—巻四…橋合戦
○平知盛《とももり》・平重盛《しげもり》 ⇕ ×以仁王（高倉《たかくら》の宮《みや》）・源頼政《よりまさ》
一一八〇（治承《じしょう》四）年四月～五月
京都府宇治市内—宇治川、宇治橋、平等院

…ＪＲ奈良線宇治駅、京阪宇治線京阪宇治駅

●**山木《やまき》合戦**（源頼朝《よりとも》の挙兵）―巻五…大庭《おおば》が早馬《はやうま》

×平兼隆《かねたか》　⇕　○北条時政《ほうじょうときまさ》（頼朝の妻の父）

一一八〇（治承四）年八月十七日

静岡県伊豆《いず》の国《くに》市―平兼隆館跡、蛭ケ《ひるが》小島《こじま》（頼朝配流の地）

…伊豆箱根鉄道韮山駅

●**石橋山《いしばしやま》合戦**―巻五…大庭が早馬

○大庭《おおば》景親《かげちか》　⇕　×源頼朝

一一八〇（治承四）年八月二十三〜四日（『玉葉』）

神奈川県小田原市―石橋山、佐奈田《さなだ》霊社

…小田原駅からバス

●**富士川《ふじがわ》合戦**―巻五…富士川

×平維盛《これもり》・平忠度《ただのり》　⇕　○源頼朝

一一八〇（治承四）年十月二十三日
富士川河口―静岡県富士市、富士宮市
…東海道新幹線新富士駅、ＪＲ富士川駅

●墨俣《すのまた》（洲股《すのまた》）合戦―巻六…洲の股合戦
○平重衡《しげひら》・平維盛 ⇕ ×源義円《ぎえん》・源行家《ゆきいえ》
一一八一（治承五）年三月十六～七日
岐阜県大垣《おおがき》市墨俣町―墨俣古戦場跡（長良川）、義円の墓
…東海道新幹線岐阜羽島《ぎふはしま》駅

●横田河原《よこたがわら》合戦―巻六…横田河原の合戦
×城《じよう》 長茂《のながもち》 ⇕ ○源義仲《よしなか》
一一八二（寿永元）年九月九日
長野県長野市篠ノ井横田―横田河原（千曲川《ちくまがわ》左岸）
…しなの鉄道篠ノ井駅

●**火燧城《ひうちがじょう》 合戦**—巻七…火燧《ひうち》合戦
○平維盛・平通盛《みちもり》 ⇕ ×平泉寺斎明《へいせんじのさいめい》
一一八三（寿永二）年四月二十七日（『玉葉』）
福井県南条郡 南越前《みなみえちぜん》町燧《ひうち》—燧が城跡（日野川岸）
…JR北陸本線今庄

●**倶利伽羅《くりから》合戦**—巻七…倶利伽羅落とし
×平維盛・平通盛 ⇕ ○源義仲
一一八三（寿永二）年五月十一日（『玉葉』）
富山・石川県境—倶利伽羅峠
…JR北陸本線石動《いするぎ》駅・倶利伽羅駅の間

●**篠原《しのはら》合戦**—巻七…篠原合戦・実盛《さねもり》最期
×平家武将斎藤《さいとう》実盛ら ⇕ ○源義仲
一一八三（寿永二）年五月二十一日
石川県加賀市篠原新町—篠原古戦場跡、実盛の供養塚

…北陸自動車道（片山津）、ＪＲ北陸本線加賀温泉駅

●**水島《みずしま》合戦**—巻八…水島合戦
○平知盛 ⇕ ×矢田義清《やたのよしきよ》
一一八三（寿永二）年閏十月一日
岡山県倉敷《くらしき》市水島の付近

●**室山《むろやま》合戦**—巻八…室山合戦
○平知盛 ⇕ ×源行家
一一八三（寿永二）年十一月初旬
兵庫県たつの市御津《みつ》町室津《むろつ》—当時は室津港背後の丘
…山陽電鉄網干《あぼし》（バス）

●**法住寺《ほうじゆうじ》合戦**—巻八…鼓判官《つづみはんがん》・法住寺合戦
×平知康 ⇕ ○源義仲
一一八三（寿永二）年十一月十九日

京都市東山区七条（三十三間堂）―法住寺（後白河法皇御所《ごしらかわほうおうごしょ》）跡
…東海道新幹線京都駅

●六箇度合戦《ろっかどかっせん》―巻九…六箇度合戦
○平教経《のりつね》 ⇕ ×源氏に同盟する四国・大分勢ら
一一八四（寿永三）年一月ごろか
兵庫県南あわじ市福良《ふくら》（港）、広島県三原市沼田（城）、兵庫県西宮市（沖）、
大阪府和泉佐野市《いずみさの》（海岸）など

●宇治川《うじがわ》の合戦―巻九…宇治川・河原合戦・木曾の最期
○源義経 ⇕ ×源義仲
一一八四（寿永三）年一月二十日
京都府宇治市内―宇治川
…JR奈良線宇治駅、京阪宇治線京阪宇治駅

●三草山合戦《みくさやまかっせん》―巻九…三草勢揃《みくさせいぞろ》へ・三草合戦

×平資盛《すけもり》 ⇕ ○源範頼《のりより》・源義経《よしつね》
一一八四（寿永三）年二月四日
兵庫県加東市上三草―三草山
…JR加古川線社町

●**一《いち》の谷《たに》合戦**―巻九…一二の駆け・二度の駆け・坂落とし
×平資盛 ⇕ ○源範頼・源義経
一一八四（寿永三）年二月七日
兵庫県神戸市内―一の谷・生田の森…JR阪急三宮《さんのみや》駅
鵯越《ひよどりごえ》…神戸電鉄有馬線長田《ながた》駅

●**勝浦《かつうら》合戦**―巻十一…勝浦合戦
×桜庭能遠《よしとお》 ⇕ ○源義経
一一八五（元暦二〈寿永四〉）年二月十七日
徳島県徳島市勝浦浜

●**志度《しど》合戦**―巻十一…志度合戦
×田内教能《でんないのりよし》　⇕　○源義経
一一八五（元暦二）年二月十九日
香川県さぬき市志度（湾）
…ＪＲ高徳線志度

●**屋島《やしま》合戦**―巻十一…大坂越え・嗣信《つぎのぶ》最期・那須与一《なすのよいち》・弓流し
×平教経《のりつね》ほか　⇕　○源義経
一一八五（元暦二）年二月十八日
香川県高松市内―屋島、屋島寺
…琴電《ことでん》志度線屋島、屋島登山鉄道

●**壇《だん》ノ浦《うら》合戦**―巻十一…壇の浦合戦・遠矢・先帝御入水《ごじゅすい》・能登殿《のとどの》最期・内侍所《ないしどころ》の都入り
×平知盛ほか　⇕　○源義経
一一八五（元暦二）年三月二十四日

山口県下関《しものせき》市内—みもすそ川（壇の浦古戦場址）、赤間神宮《あかまじんぐう》…下関駅からバス

◆平家の落人部落

◇硫黄島《いおうじま》—鹿児島県鹿児島郡三島村。…俊寛《しゅんかん》の配所。
◇五木《いつき》—熊本県球磨《くま》郡五木村。…五木の子守歌。
◇祖谷《いや》—徳島県三好市東祖谷。…蔓橋《かずらばし》。
◇川俣《かわまた》・湯西川《ゆにしかわ》—栃木県日光市。…温泉と伝説。
◇五家荘《ごかのしょう》—熊本県八代市泉町。…五つの集落の総称。
◇五箇山《ごかやま》—富山県東南砺《なんと》市。…合掌造《がっしょうづく》り（世界遺産）。
◇椎葉《しいば》—宮崎県東臼杵《うすき》郡椎葉村。…鶴富姫《つるとみひめ》の悲恋伝説。ひえつき節。
◇能登《のと》・時国家《ときくにけ》—石川県輪島《わじま》市。…平時忠《ときただ》（清盛妻の弟）の子孫。
◇檜枝岐《ひのえまた》—福島県南会津《あいず》郡檜枝岐村。…京ふうの方言。平家紋の墓碑。

京都近郊要図
丹波
竜花越
鞍馬山
鞍馬寺
寂光院
大原
近江
堅田
鞍馬口
賀茂川
高野川
清滝川
山城
八瀬
坂本
日吉神社
鷹峰口
上賀茂神社
延暦寺
▲愛宕山
神護寺
大原口
修学院
鷹峰
高尾
一乗寺
唐崎
琵琶湖
仁和寺
下鴨神社
大内裏
大文字山
大覚寺
祇王寺
鹿ヶ谷
▲如意岳
滝口寺
嵯峨
五条橋
粟田口
六条河原
平清盛邸
四宮
大江山
平重盛邸
逢坂の関
桂川
六波羅
打出の浜
法住寺
山科
蓮華王院
粟津
（木曾義仲終焉の地）
瀬田
丹波口
鳥羽口
栗栖野
伏見口
小幡山
大原野
鳥羽殿
伏見
醍醐
瀬田川
日野
巨椋池
宇治
摂津
淀
一口
宇治橋
宇治川
平等院
石清水八幡宮
木津川
淀川
は京への出入口とされる七口

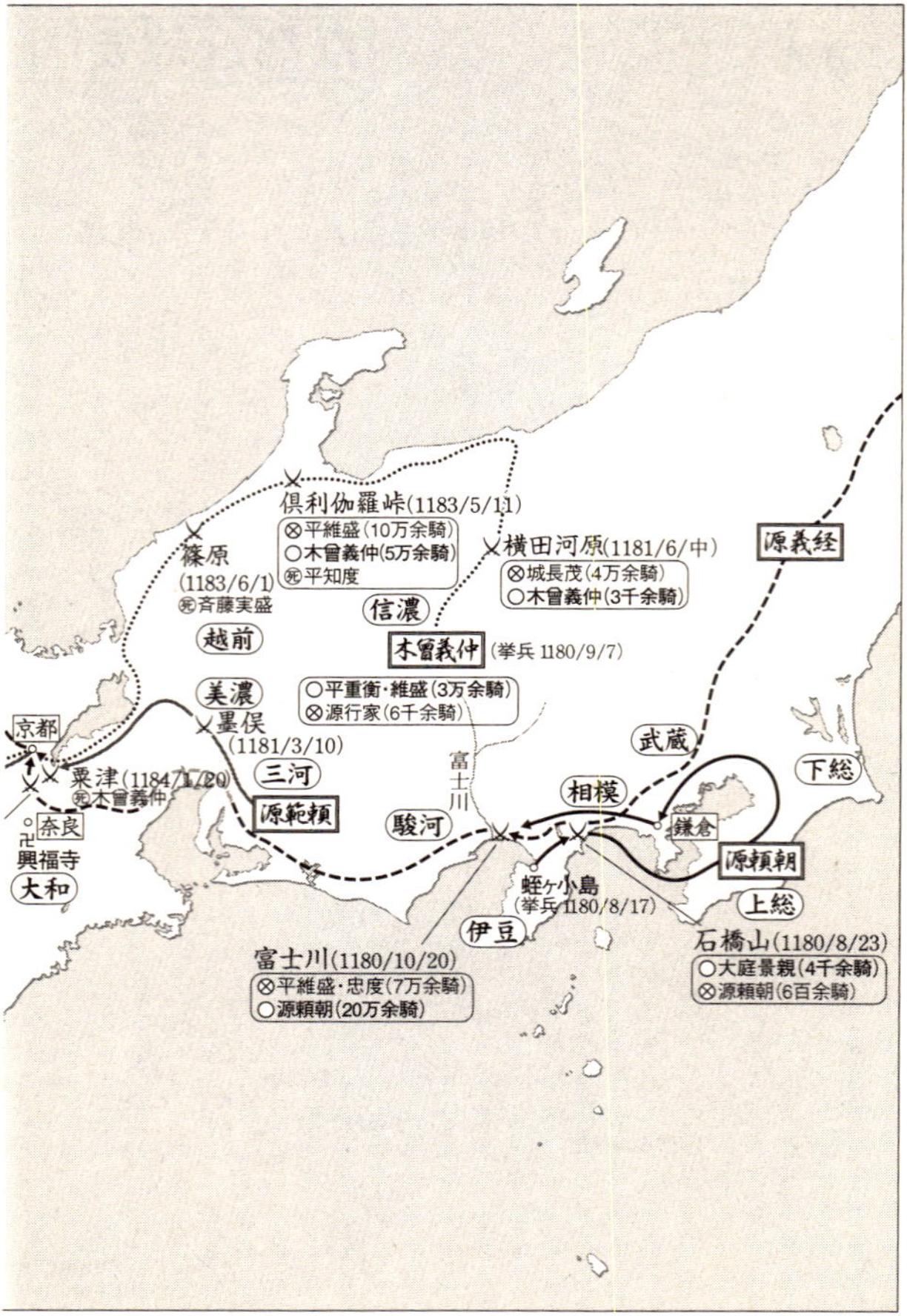
倶利伽羅峠(1183/5/11)
⊗平維盛(10万余騎)
○木曾義仲(5万余騎)
㊮平知度
篠原
(1183/6/1)
㊮斉藤実盛
横田河原(1181/6/中)
⊗城長茂(4万余騎)
○木曾義仲(3千余騎)
信濃
越前
木曾義仲
(挙兵 1180/9/7)
源義経
美濃
○平重衡・維盛(3万余騎)
⊗源行家(6千余騎)
墨俣
(1181/3/10)
京都
粟津(1184/1/20)
㊮木曾義仲
三河
源範頼
奈良
興福寺
大和
富士川
駿河
武蔵
相模
下総
鎌倉
源頼朝
蛭ヶ小島
(挙兵 1180/8/17)
上総
伊豆
富士川(1180/10/20)
⊗平維盛・忠度(7万余騎)
○源頼朝(20万余騎)
石橋山(1180/8/23)
○大庭景親(4千余騎)
⊗源頼朝(6百余騎)

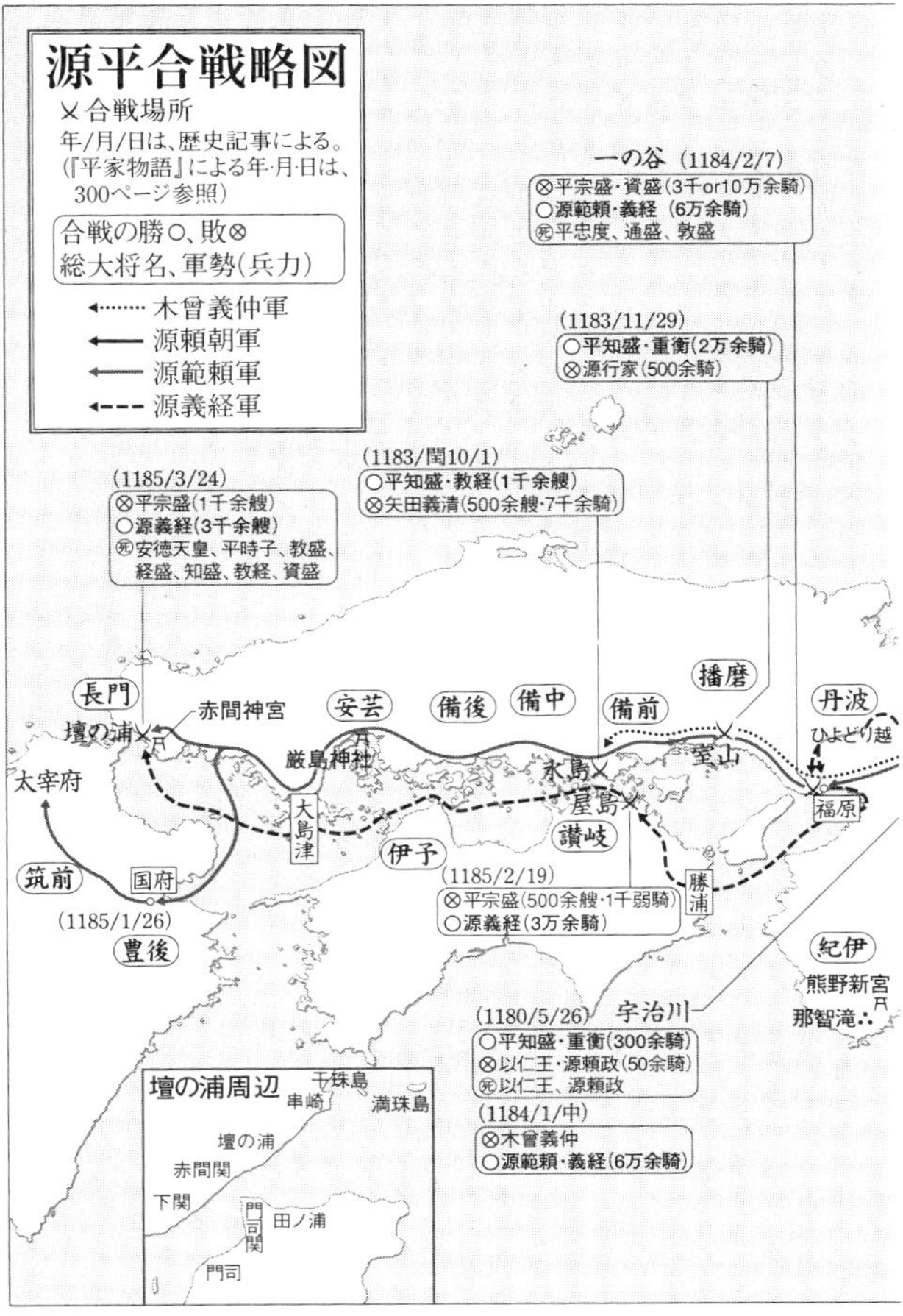
源平合戦略図
合戦場所
年/月/日は、歴史記事による。
(『平家物語』による年·月·日は、300ページ参照)
合戦の勝○、敗⊗
総大将名、軍勢(兵力)
木曽義仲軍
源頼朝軍
源範頼軍
源義経軍
一の谷 (1184/2/7)
⊗平宗盛·資盛(3千or10万余騎)
○源範頼·義経 (6万余騎)
㊮平忠度、通盛、敦盛
(1183/11/29)
○平知盛·重衡(2万余騎)
⊗源行家(500余騎)
(1183/閏10/1)
○平知盛·教経(1千余艘)
⊗矢田義清(500余艘·7千余騎)
(1185/3/24)
⊗平宗盛(1千余艘)
○源義経(3千余艘)
㊮安徳天皇、平時子、教盛、経盛、知盛、教経、資盛
長門
赤間神宮
壇の浦
安芸
備後
備中
備前
播磨
丹波
ひよどり越
厳島神社
水島
室山
福原
太宰府
大島津
屋島
讃岐
伊予
筑前
国府
(1185/1/26)
豊後
(1185/2/19)
⊗平宗盛(500余艘·1千弱騎)
○源義経(3万余騎)
勝浦
紀伊
熊野新宮
那智滝
宇治川
(1180/5/26)
○平知盛·重衡(300余騎)
⊗以仁王·源頼政(50余騎)
㊮以仁王、源頼政
(1184/1/中)
⊗木曽義仲
○源範頼·義経(6万余騎)
壇の浦周辺
干珠島
串崎
満珠島
壇の浦
赤間関
下関
門司関
田ノ浦
門司

『平家物語』略年表

西暦	月	年号	事項	巻	章段
一一一八		元永元	平清盛誕生。	六	祇園女御《ぎおんにょうご》
一一三三	3	長承元	平忠盛昇殿《ただもりしょうでん》。闇討未遂事件。	一	殿上の闇討《てんじょうのやみうち》
一一五六	7	保元元	保元《ほうげん》の乱。平清盛・源義朝《よしとも》が勝つ。	一	鱸《すずき》
一一五九	12	平治元	平治《へいじ》の乱。清盛、義朝を破る。	一	鱸
一一六〇	3	永暦元	源頼朝《よりとも》、伊豆へ配流《はいる》。	四	厳島御幸《いつくしまごこう》
一一六一	5	応保元	源頼政《よりまさ》、鵼《ぬえ》を射る。	四	鵼
一一六七	2	仁安2	清盛、太政大臣《だいじょうだいじん》。	一	鱸
一一六八	2	3	清盛出家《しゅっけ》。	一	禿童《かぶろ》
一一七一	12	嘉応3	清盛の娘徳子《とくこ》入内《じゅだい》。	一	鹿《しし》の谷
			鹿《しし》ヶ谷で平家討伐の密議。	一	鹿の谷
一一七六	8	安元2	小督局《こごうのつぼね》、嵯峨《さが》に隠れる。	六	小督
一一七七	6	治承元	俊寛ら、鬼界島《きかいがしま》へ配流。	二	新大納言の死去

一一七八	11	2	安徳《あんとく》天皇御誕生。	三	御産《ごさん》の巻
一一七九	11	3	清盛、後《ご》白河法皇《しらかわほうおう》を幽閉《ゆうへい》。	三	法皇御《ご》遷幸《せんこう》
一一八〇	2	4	安徳天皇即位(3歳)。	四	厳島御幸
	4		以仁王《もちひとおう》、平氏追討の令旨《りょうじ》を下す。	四	源氏揃《そろ》へ
	5		頼政、宇治の平等院で敗死。	四	橋合戦
	6		福原《ふくはら》遷都。	五	都遷《みやこうつ》り
	8		頼朝挙兵、石橋山《いしばしやま》合戦。	五	大庭《おおば》が早馬
	9		木曾《きそ》義仲《よしなか》挙兵。	六	廻文《めぐらしぶみ》
	10		平家軍、富士川で敗走。	五	富士川
	12		都を京に戻す。	五	都還《がえ》り
			平重衡《しげひら》、奈良を焼く。	五	奈良炎上
一一八一	1	5	高倉上皇崩御《ほうぎょ》。	六	新院崩御
	2		清盛死去。	六	入道逝去《せいきょ》
	3		重衡、洲俣《すのまた》で源行家《ゆきいえ》を破る。	六	祇園女御
一一八二	9	寿永元	義仲、横田河原《よこたがわら》で城長茂《じょうのながもち》を破る。	六	横田河原の合戦
一一八三	4	2	平家軍、燧城《ひうち》を落す。	七	火燧合戦

	5		義仲《よしなか》、倶利伽羅《くりから》峠で平家軍を破る。	七	倶利伽羅落とし
			義仲、篠原《しのはら》で勝つ。	七	篠原合戦
	7		平家一門、安徳天皇を守り京を脱出。	七	主上《しゅしょう》の都落ち
			忠度《ただのり》、藤原《ふじわらの》俊成《しゅんぜい》に家集を託す。	七	忠度都落ち
			義仲軍、入京。	八	山門御幸
	8		後鳥羽《ごとば》天皇即位。	八	名虎《なとら》
			平家一門、太宰府《だざいふ》に到着。	八	名虎
	10		緒方維義《おがたのこれよし》ら、太宰府を攻略。	八	太宰府落ち
			平重衡《しげひら》、水島《みずしま》で義仲軍を破る。	八	水島合戦
	11		義仲、法住寺《ほうじゅうじ》で法皇軍を破る。	八	法住寺合戦
			源行家、室山《むろやま》で敗走。	八	室山合戦
一一八四	1	3	源範頼《のりより》・義経《よしつね》、義仲を破って入京。梶《かじ》原景季《わらのかげすえ》、佐々木高綱《ささきたかつな》、宇治川で先陣を争う。	九	宇治川
			義仲、粟津《あわづ》で敗死。	九	木曾の最期
	2		義経、三草《みくさ》山で勝利。	九	三草勢揃へ

	3		平家軍、一《いち》の谷《たに》で敗走。	九	三草勢揃へ
	3		重衡、鎌倉へ護送。	十	海道下り
一一八五	2	元暦2（寿永4）	義経、四国で転戦。	十一	逆櫓《さかろ》
			平家軍、屋《や》島《しま》で敗走。	十一	嗣信《つぎのぶ》最期
					那須与一
					弓流し
	3		平家軍、壇《だん》の浦《うら》で敗北。	十一	壇の浦合戦
			安徳天皇入水（8歳）。		先帝御入水
	5		義経、鎌倉入りを拒絶さる。	十一	腰越《こしごえ》
	11	文治元	義経、出京し流《る》浪《ろう》。	十二	判官《ほうがん》都落ち
一一八六	4	2	法皇、建礼門院《けんれいもんいん》を訪問。	灌頂	大原御《ご》幸《こう》
一一八九	4	5	源義経、平泉《ひらいずみ》で戦死。		
一一九一	2	建久2	建礼門院、大原で死去。	灌頂	女院御往生《にょういんごおうじょう》
一一九九	1	正治元	源頼朝死去。		

桓武平氏系図

- 桓武《かんむ》天皇―葛原《かずらはら》親王
  - 高棟《たかむね》王［賜平氏］……時信《ときのぶ》
    - **時忠**《ときただ》（平大納言）―時実《ときざね》
    - **時子**《ときこ》（清盛妻 二位尼）
    - 滋子《しげこ》（後白河帝妃 高倉帝母 建春門院）
  - 高見《たかみ》王―高望《たかもち》王［賜平氏］
    - 国香《くにか》
      - 貞盛《さだもり》
        - 維将《これまさ》Ⓐ
        - 維衡《これひら》―正度《まさのり》
          - 正衡《まさひら》［伊勢平氏］―正盛《まさもり》
            - **忠盛**《ただもり》（刑部卿 備前守）
              - **清盛**《きよもり》（入道相国）
                - **重盛**《しげもり》（小松殿）
                  - **維盛**《これもり》（三位中将）―**六代**《ろくだい》（妙覚）
                  - **資盛**《すけもり》（新三位中将）
                  - **清経**《きよつね》（左中将）
                  - **有盛**《ありもり》（小松少将）
                  - 師盛《もろもり》（備中守）
                - 基盛《もともり》
                - **宗盛**《むねもり》（右大将 内大臣）
                  - **清宗**《きよむね》（右衛門督）
                  - **能宗**《よしむね》（副将）
                - **知盛**《とももり》（新中納言）
                  - **知章**《ともあきら》（武蔵守）
                  - 知忠《ともただ》
                - **重衡**《しげひら》（三位中将）
                - 知度《とものり》（三河守）
                - **徳子**《とくこ》（高倉帝后 建礼門院）―**安徳**《あんとく》**天皇**
                - 盛子《もりこ》（藤原基実妻）
              - 家盛《いえもり》
              - **経盛**《つねもり》（修理大夫）
                - **経正**《つねまさ》（皇后宮亮）
                - 経俊《つねとし》
                - **敦盛**《あつもり》（無官大夫）
              - **教盛**《のりもり》（門脇中納言）
                - **通盛**《みちもり》
                - **教経**《のりつね》（能登守）
                - 業盛《なりもり》
                - 忠快《ちゅうかい》
              - **頼盛**《よりもり》（池大納言）―光盛《みつもり》
              - **忠度**《ただのり》（薩摩守）
            - 忠正《ただまさ》
      - 繁盛《しげもり》［常陸平氏］……長茂《ながもち》［城］
    - 良将《よしまさ》―将門《まさかど》
    - 良文《よしふみ》
      - 宗平《むねひら》……実平《さねひら》［土肥］
      - 忠頼《ただより》［坂東平氏］……重忠《しげただ》［畠山］
    - 良茂《よしもち》―良正《よしまさ》Ⓑ

清和源氏系図

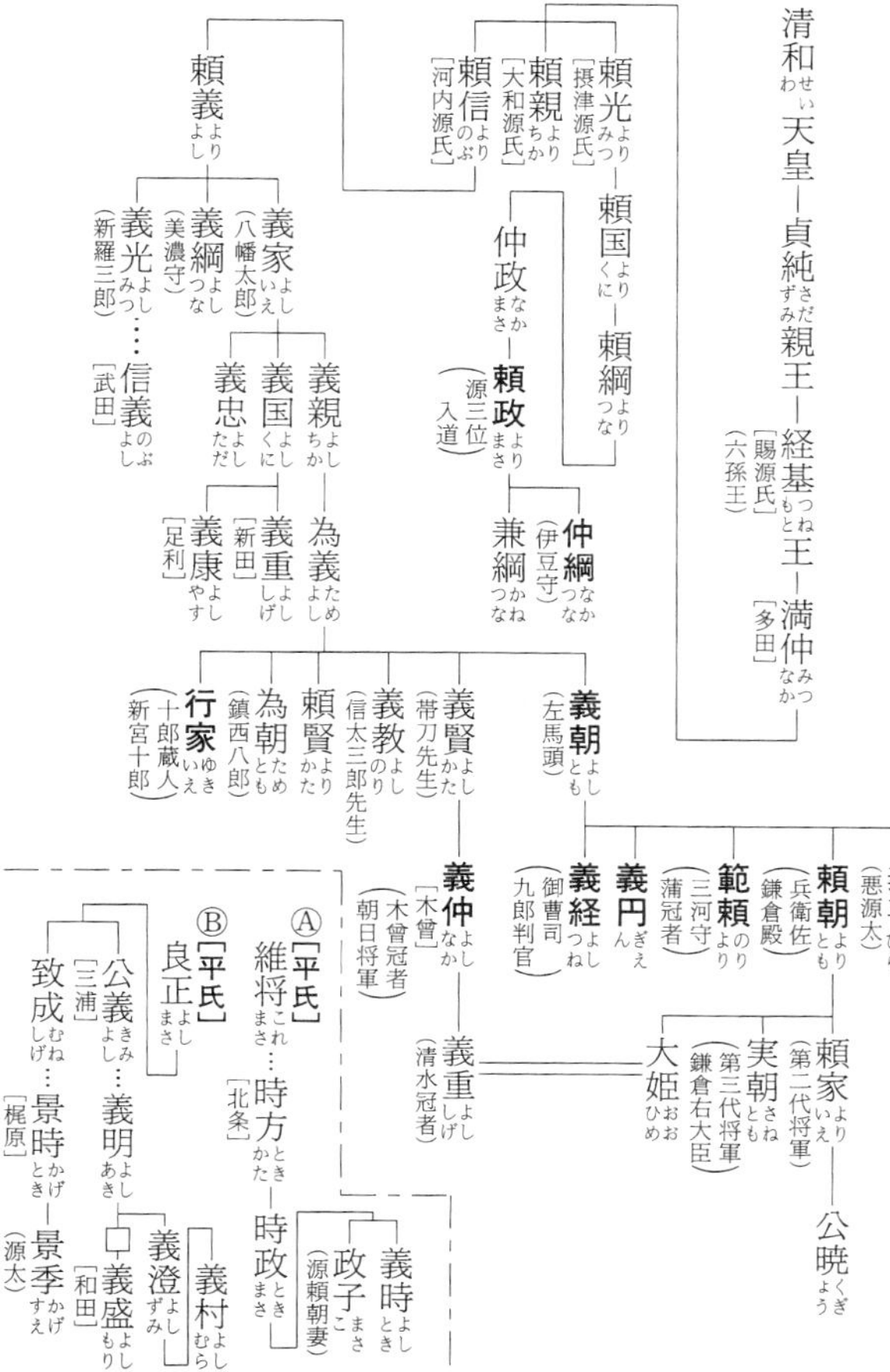

清和《せいわ》天皇
貞純《さだずみ》親王
経基《つねもと》王
［賜源氏］
（六孫王）
満仲《みつなか》
［多田］
頼光《よりみつ》
［摂津源氏］
頼国《よりくに》
頼綱《よりつな》
仲政《なかまさ》
頼政《よりまさ》
（源三位入道）
仲綱《なかつな》
（伊豆守）
兼綱《かねつな》
頼親《よりちか》
［大和源氏］
頼信《よりのぶ》
［河内源氏］
頼義《よりよし》
義家《よしいえ》
（八幡太郎）
義綱《よしつな》
（美濃守）
義光《よしみつ》
（新羅三郎）
信義《のぶよし》
［武田］
義親《よしちか》
義国《よしくに》
義忠《よしただ》
為義《ためよし》
義重《よししげ》
［新田］
義康《よしやす》
［足利］
義朝《よしとも》
（左馬頭）
義賢《よしかた》
（帯刀先生）
義教《よしのり》
（信太三郎先生）
頼賢《よりかた》
為朝《ためとも》
（鎮西八郎）
行家《ゆきいえ》
（十郎蔵人新宮十郎）
義平《よしひら》
（悪源太）
頼朝《よりとも》
（兵衛佐鎌倉殿）
範頼《のりより》
（三河守蒲冠者）
義円《ぎえん》
義経《よしつね》
（御曹司九郎判官）
義仲《よしなか》
［木曾］
（木曾冠者朝日将軍）
義重《よししげ》
（清水冠者）
頼家《よりいえ》
（第二代将軍）
実朝《さねとも》
（第三代将軍鎌倉右大臣）
大姫《おおひめ》
公暁《くぎょう》
Ⓐ［平氏］
維将《これまさ》
時方《ときかた》
［北条］
時政《ときまさ》
義時《よしとき》
政子《まさこ》
（源頼朝妻）
Ⓑ［平氏］
良正《よしまさ》
公義《きみよし》
［三浦］
義明《よしあき》
義澄《よしずみ》
□
義盛《よしもり》
［和田］
義村《よしむら》
致成《むねしげ》
景時《かげとき》
［梶原］
景季《かげすえ》
（源太）

天皇家・藤原氏系図

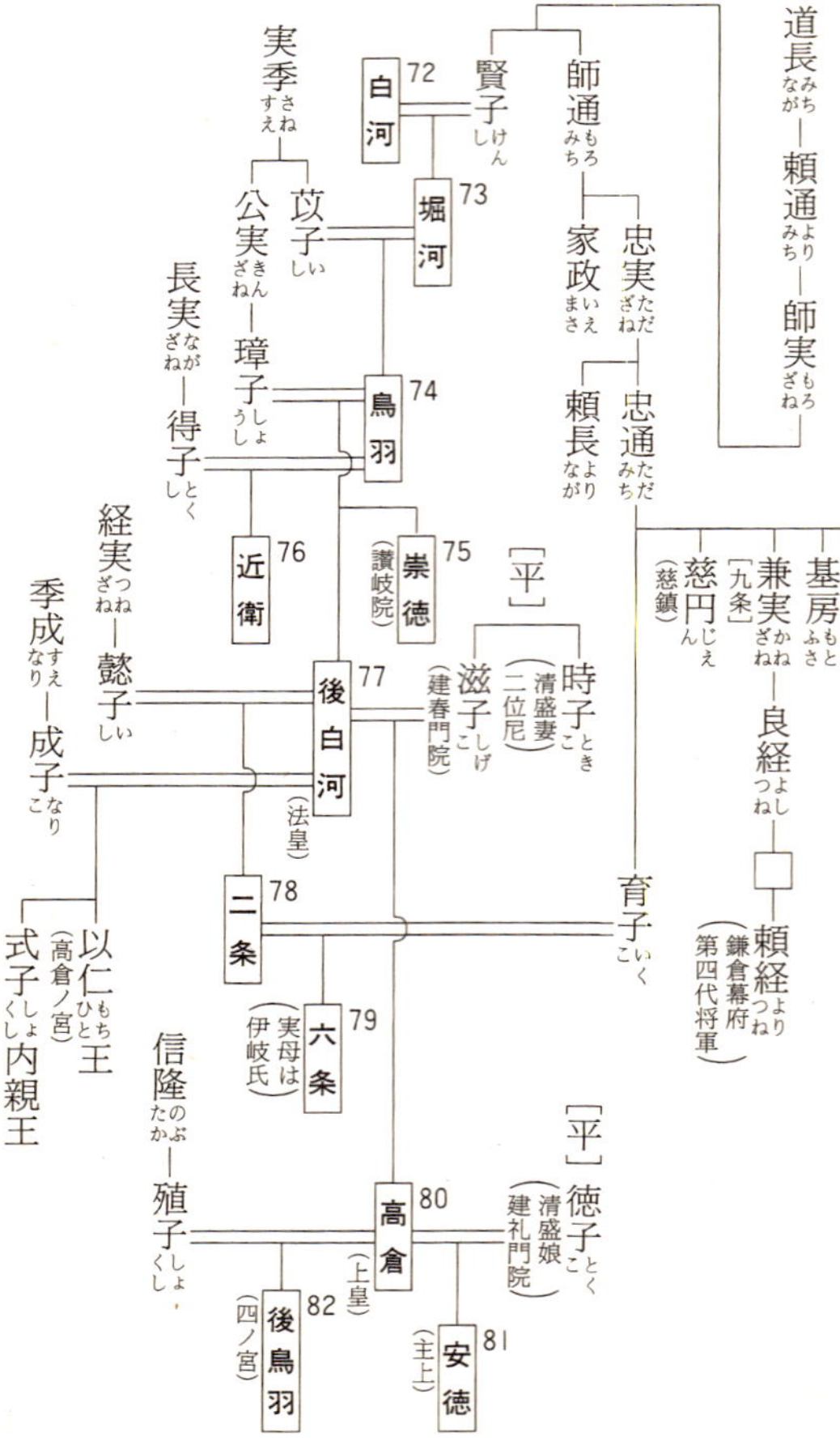

道長《みちなが》
頼通《よりみち》
師実《もろざね》
師通《もろみち》
賢子《けんし》
72
白河
73
堀河
忠実《ただざね》
家政《いえまさ》
忠通《ただみち》
頼長《よりなが》
実季《さねすえ》
苡子《しい》
公実《きんざね》
長実《ながざね》
璋子《しょうし》
得子《とくし》
74
鳥羽
75
崇徳
（讃岐院）
76
近衛
基実《もとざね》
［近衛］
基通《もとみち》
基房《もとふさ》
兼実《かねざね》
［九条］
良経《よしつね》
頼経《よりつね》
（鎌倉幕府第四代将軍）
慈円《じえん》
（慈鎮）
［平］
時子《ときこ》
（清盛妻二位尼）
滋子《しげこ》
（建春門院）
経実《つねざね》
懿子《いし》
季成《すえなり》
成子《なりこ》
77
後白河
（法皇）
78
二条
育子《いくこ》
79
六条
（実母は伊岐氏）
以仁王《もちひとおう》
（高倉ノ宮）
式子内親王《しょくしないしんのう》
信隆《のぶたか》
殖子《しょくし》
80
高倉
（上皇）
［平］
徳子《とくこ》
（清盛娘建礼門院）
81
安徳
（主上）
82
後鳥羽
（四ノ宮）

ビギナーズ・クラシックス 日本《にほん》の古典《こてん》

平家物語《へいけものがたり》

角川書店《かどかわしよてん》＝編

平成13年 9月25日　初版発行
平成29年 8月25日　38版発行

発行者●郡司 聡

発行●株式会社KADOKAWA
〒102-8177　東京都千代田区富士見2-13-3
電話 03-3238-8521（カスタマーサポート）
http://www.kadokawa.co.jp/

角川文庫 12148

印刷所●株式会社暁印刷　製本所●本間製本株式会社

表紙画●和田三造

Printed in Japan
ISBN978-4-04-357404-9　C0193

角川文庫発刊に際して

角川源義

第二次世界大戦の敗北は、軍事力の敗北であった以上に、私たちの若い文化力の敗退であった。私たちの文化が戦争に対して如何に無力であり、単なるあだ花に過ぎなかったかを、私たちは身を以て体験し痛感した。西洋近代文化の摂取にとって、明治以後八十年の歳月は決して短かすぎたとは言えない。にもかかわらず、近代文化の伝統を確立し、自由な批判と柔軟な良識に富む文化層として自らを形成することに私たちは失敗して来た。そしてこれは、各層への文化の普及滲透を任務とする出版人の責任でもあった。

一九四五年以来、私たちは再び振出しに戻り、第一歩から踏み出すことを余儀なくされた。これは大きな不幸ではあるが、反面、これまでの混沌・未熟・歪曲の中にあった我が国の文化に秩序と確たる基礎を齎らすためには絶好の機会でもある。角川書店は、このような祖国の文化的危機にあたり、微力をも顧みず再建の礎石たるべき抱負と決意とをもって出発したが、ここに創立以来の念願を果すべく角川文庫を発刊する。これまで刊行されたあらゆる全集叢書文庫類の長所と短所とを検討し、古今東西の不朽の典籍を、良心的編集のもとに、廉価に、そして書架にふさわしい美本として、多くのひとびとに提供しようとする。しかし私たちは徒らに百科全書的な知識のジレッタントを作ることを目的とせず、あくまで祖国の文化に秩序と再建への道を示し、この文庫を角川書店の栄ある事業として、今後永久に継続発展せしめ、学芸と教養との殿堂として大成せんことを期したい。多くの読書子の愛情ある忠言と支持とによって、この希望と抱負とを完遂せしめられんことを願う。

一九四九年五月三日